中華文化思想叢書

四庫全書館研究

下冊

張升　著

目次

上冊

第六章

四庫館謄錄

　　謄錄是四庫館中人數最多的人員。謄錄也稱謄錄官，也可自稱臣，但其應與供事一樣，不是真正的官（《四庫總目》職名表就不收入謄錄與供事），所以，本書將其與四庫館臣分開來論述。

　　謄錄的設置，大約是在乾隆三十八年三月。據「大學士劉統勳等奏議定校核《永樂大典》條例並請撥房添員等事摺」（乾隆三十八年二月二十一日）載：「……其謄錄一項，現在尚無可需用之處，應俟摘勦目錄，全行分別奏定後，其中如有應採之本，另須繕錄全函者，再行奏明，酌定員數，選取充補。」[1]可見，剛開館辦理《大典》佚書時，並未馬上就用謄錄。但是，因為光從書名很難看出佚書好不好，需要摘抄出來才能判定，所以，沒過多久，就開始選取謄錄入館。據「諭內閣陸蓉等有願效力者准其在四庫全書處謄錄上行走」（乾隆三十八年三月二十三日）載：「此次考列二等之陸蓉等十四名內，有願在辦理四庫全書處效力者，准其在謄錄上行走。欽此。」[2]從上諭看，這似乎並不是第一批謄錄。所以，四庫館的謄錄應在此之前就有了，筆者推測四庫館大約於乾隆三十八年三月中已開始有謄錄。

第一節　謄錄的選取

　　充當四庫館謄錄，是許多落第士子入仕的一個不錯的途徑，據震

---

[1] 張書才主編：《纂修四庫全書檔案》（上海市：上海古籍出版社，1997年），頁59。

[2] 張書才主編：《纂修四庫全書檔案》（上海市：上海古籍出版社，1997年），頁67。

鈞輯《國朝書人輯略》卷六載:「錢伯坰,……先生初至京師,四庫書館方開,天下寒畯爭奔走求試謄錄,期滿得以丞簿進身。」[3]那麼,這些謄錄是如何選取的呢?

一　館臣舉薦

據「辦理四庫全書處奏遵旨酌議排纂《四庫全書》應行事宜摺」(乾隆三十八年閏三月十一日)載:「……謄錄一項,前經臣等奏明酌取六十名在館行走,僅供寫錄《永樂大典》正副本之用。今恭繕《四庫全書》陳設本一樣四分,卷帙浩瀚,字數繁多,必須同時分繕成編,庶不致汗青無日,而其字畫均須端楷,又未能日計有餘,非多派謄錄人員不能如期蕆役。臣等公同酌議,令現在提調、纂修各員於在京之舉人及貢監各生內擇字畫工致者,各舉數人,臣等復加閱定,共足四百人之數,令其充為謄錄,自備資斧效力。」[4]這裏所說的「提調、纂修各員」,應是指四庫館纂修以上的館臣,他們均可以推薦謄錄人選,例如,錢大昕《湖北荊宜施道前翰林院修撰陳公墓誌銘》載:「(乾隆)三十八年,詔開四庫館,公復與修纂,每校一書畢,即條其撰述本旨,評論當否,悉中肯綮。時館臣例得薦謄錄生數人,公所舉皆寒素士,總裁諸城劉文正公、新建裘文達公,咸歎其公正。尋充文淵閣校理。」[5]趙懷玉《亦有生齋集》《文》卷十八〈墓誌銘〉〈資政大夫兼兵部侍郎都察院右副都御史總督淮揚等處地方提督

3　續修四庫全書編委會編:《續修四庫全書》(上海市:上海古籍出版社,1996-2003年影印本),冊1089,頁186上。

4　張書才主編:《纂修四庫全書檔案》(上海市:上海古籍出版社,1997年),頁77。

5　陳文和主編:《嘉定錢大昕全集》(南京市:江蘇古籍出版社,1997年),冊9,頁748。陳公,即陳初哲。

漕運海防軍務兼理糧餉管公墓誌銘〉載：「公諱乾貞，成進士，時禮部改貞為珍。……其在翰林直史館，任撰文，斤斤以品節自勵。四庫館開，纂修者得保謄錄，人爭趨之，以便其私。當事欲以相屬，獨辭不與。」[6]汪啟淑《梅德傳》載：「梅德，字容之，號庾山，江西南城縣人。……年十五，隨舅氏宦京師，遂入成均肄業。舅氏亡，幕遊趙北燕南為糊口計。乾隆癸巳春，聖上巡幸天津，親閱永定河工，迎鑾獻賦，與召試，下第。重入修門，大司空裘文達公頗期許之，保薦四庫館謄錄，遂移家累僦居京華，五年期滿，議敘優等，以州倅分發山右。」[7]

當然，這些館臣在舉薦時會首先考慮舉薦其子弟、親友、同鄉等，所以謄錄中為館臣親屬之人頗多，例如，朱珪之子錫初[8]，王際華之弟錫壽[9]，張若澂之弟若瀛[10]，陸費墀之弟　　[11]，梁國治之外孫，

---

6 續修四庫全書編委會編：《續修四庫全書》（上海市：上海古籍出版社，1996-2003年影印本），冊1470，頁240下-頁241上。

7 〔清〕汪啟淑：《續印人傳》（南京市：江蘇廣陵古籍刻印社，1998年影印本），卷6，頁1。

8 〔清〕朱錫經編：《南厓府君年譜》載，「乾隆四十二年，……八弟錫召挑取四庫全書館謄錄。」北京圖書館編：《北京圖書館藏珍本年譜叢刊》（北京市：北京圖書館出版社，1999年），冊106，頁553。南厓，即朱珪。又，〔清〕王蘭蔭《朱筍河先生年譜》載，「乾隆四十二年，從子錫召充四庫全書館謄錄（南厓年譜）。」北京圖書館編：《北京圖書館藏珍本年譜叢刊》（北京市：北京圖書館出版社，1999年），冊106，頁58。

9 〔清〕王際華《王文莊日記》乾隆三十九年七月十七日載，「弟錫壽以今日到四庫全書處充當謄錄。」劉家平、蘇曉君主編：《中華歷史人物別傳集》（北京市：線裝書局，2003年），冊40，頁586上。

10 〔清〕姚鼐：〈張逸園傳〉，《惜抱軒詩文集》（上海市：古籍出版社，1992年），卷10，頁142-143。

11 〔清〕王先謙：〈碑誌類二〉，《續古文辭類纂》，卷18，陸祁孫：〈建陽知縣陸費君墓誌銘〉載，「陸費君諱　　，字舟若，桐鄉人。……方君之充《四庫》謄錄也，侍郎公實總書局。君處儕輩，未嘗有所表異，與人交，若落落難合，亦終無近，館事

吳璥之侄嘉德[12]，吳玉綸之侄貽棟[13]，等等。

二 投考

為了防止舉薦中作弊，當時有官員提出過一些改進措施，據「巡視南城監察御史胡翹元奏請停纂修提調等官自行保舉謄錄等事摺」（乾隆三十八年六月初二日）載：「……恭惟我皇上軫念單寒，慎惜名器，疏通仕途，停止捐例，士子知倖進無路，一聞開館恩旨，無不踴躍爭先，廁名謄錄，冀邀議敘，以為仕進階梯。在保送諸臣，秉公汲引，固不乏人，其中保無居奇受贄，致能書之士或以無力嚮隅，而書法平常者，轉得挾貲充選。且此項謄錄，多係應舉之人，而纂校諸臣，亦均有司衡之責。此時既以保舉而認作師生，久且固結綢繆，奔競夤緣，潛滋弊竇，不可不防其漸。伏思此項謄錄，俱是自備資斧效力行走，其能書者，不皆有力，其有力者，不盡能書。今保舉之途一開，其能書而無力者，固不得與其數，而有力不善書者，既須雇倩書手，又先多一保舉之費，未免竭蹶從事。臣愚以為在京士子，有願充謄錄者，毋庸仍令纂修、提調等官保舉，准其自行具呈總裁官，驗其人頗通曉字無舛訛者，當堂收錄，取具同鄉官印結，記名檔冊，挨次

畢，即歸讀書。京朝大官稱佳子弟輒首君，以為清素恬退，稱其家風也。」載續修四庫全書編委會編：《續修四庫全書》（上海市：上海古籍出版社，1996-2003年影印本），冊1610冊，頁249下。

12 〔清〕吳璥編：《吳菘圃府君自訂年譜》載，「乾隆四十八年，春二月，赴都充武英殿纂修、三通館協修。……侄嘉德由四庫館謄錄議敘分發兩淮，任金沙安豐場大使，歷署溧水、睢寧等縣知縣。」北京圖書館編：《北京圖書館藏珍本年譜叢刊》（北京市：北京圖書館出版社，1999年），冊117，頁136。

13 〔清〕錢榮編：《香亭先生年譜》（譜主：吳玉綸）載，「戊戌（乾隆四十三年），……六月，侄貽棟由拔貢生充四庫館謄錄。」北京圖書館編：《北京圖書館藏珍本年譜叢刊》（北京市：北京圖書館出版社，1999年），冊108，頁28。

充補。其京員隨任子弟，有情願到館效力者，準令該員由本衙門具文呈送。在該員身登仕版，必能訓督勤勉，而其子弟得以窺秘府之藏，沐浴文化，贊勤盛典，亦屬樂從。書成之日，一體照例議敘。現今在館謄錄，如有字畫潦草，不中程序，將原保官分別議處。嗣後士子若有攜貲鑽營及居間招搖撞騙者，應令步軍統領衙門嚴行查拏。庶於公事有益，而亦足以息奔競而正士風。」[14]

後來，經吏部等衙門商議，採納了這一建議：「嗣後無庸仍令纂修、提調等官保舉謄錄，以絕奔競，以免物議。應俟該處應需添人繕寫時，先期出示曉諭，有願自備資斧投充謄錄者，取具同鄉六品以上京官印結具呈投遞，京官子弟即令該官由本衙門具文呈送。俟匯齊時，總裁官酌定應用人數，奏請皇上欽點大臣數員，傳集諸臣，各令當堂親書數行，擇其字畫端正者，照數取錄，以次充補，纂修、提調等官均不干預其事。」[15]從此以後，謄錄由推薦改為投考。

以上選取的謄錄，均要經同鄉六品以上京官具結擔保，才能真正從事謄錄的工作。

三　從順天鄉試落榜生中選取

隨著修書的進行，由於議敘、中式、捐納得官、身故、丁優等原因，謄錄有不斷離館的，這樣就需要不斷地充補。特別是五年議敘之後，大批謄錄離館，需要大量地充補，因而需要準備足夠多的謄錄作

---

14 張書才主編：《纂修四庫全書檔案》（上海市：上海古籍出版社，1997年），頁123-124。

15 轉引自黃愛平：《四庫全書纂修研究》（北京市：中國人民大學出版社，1989年），頁132。

為候補。於是，四庫館又從順天鄉試落榜生中選取候補謄錄。[16]

　　這一工作從乾隆三十九年鄉試中已開始，據「諭內閣著考官曹秀先等於鄉試落卷內挑取謄錄備用」（乾隆三十九年八月十九日）載：「辦理四庫全書處並薈要二處，所用謄錄計六百餘名，而應行繕錄之書籍甚多，謄錄中頗有遵例報捐陸續開缺者，即須隨時預補，不可不預為籌備。因思現在京闈鄉試，各省貢監生應試者千有餘人，莫若放榜後落卷內擇其字畫勻淨可供抄錄者，酌取備用，較為省便。」[17]吳玉綸《香亭文稿》卷三〈引藤書屋小照序〉載：「甲午之秋，余以太常卿與京兆試同考官，得十五人，取四庫館謄錄得百有五人，荷天子之信使也。」[18]乾隆三十九年，從順天鄉試落榜生中選取了一百零五人為謄錄（其實應為候補謄錄）。當時選取大概是這樣的：由鄉試考官從落榜生中選取字畫端正者推薦，由四庫館挨次選取遞補。當然，在挑中的落榜生中，若有不願充當謄錄的，也聽便。

　　當時有不少人通過這一途徑入為謄錄，據邵甲名編《周慕□年譜》（譜主：周嘉猷）載：「乾隆三十八年，……入都，肄業成均。三十九年，秋八月，應試順天，不第，挑充四庫全書薈要處謄錄生。……四十五年，春三月，會試下第。夏五月，《四庫全書》謄錄期滿，議敘主事，簽掣兵部，在武選司行走。」[19]潘世恩編《思補老

16　其實，清朝開館修書很多，因而謄錄的選取也是經常進行的，而大部分謄錄就是從順天鄉試落榜生中選取的，例如，〔清〕邵晉涵：〈誥封奉政大夫章公家傳〉，《南江文鈔》，卷9載：「公諱錦麟，字玉書，號石亭，會稽人，……（其父永寧公）應順天鄉試不售，考取史館謄錄。」（續修四庫全書編委會編：《續修四庫全書》〔上海市：上海古籍出版社，1996-2003年影印本〕，冊1463，頁501下〕四庫館謄錄的選取，也沿用了這個傳統的模式。

17　張書才主編：《纂修四庫全書檔案》（上海市：上海古籍出版社，1997年），頁246。

18　續修四庫全書編委會編：《續修四庫全書》（上海市：上海古籍出版社，1996-2003年影印本），冊1451，頁488上。

19　北京圖書館編：《北京圖書館藏珍本年譜叢刊》（北京市：北京圖書館出版社，1999年），冊118，頁253-259。

人自訂年譜》載：「（光祿）公（引者案：即思補老人潘世恩之父）諱
奕基，字汝勤，號雲浦，杭州府錢塘縣附貢生，商籍，後改歸吳縣，
四庫全書館議敘州同知。……乾隆三十九年，光祿公應試北闈，以薦
卷挑取四庫館謄錄。」[20]黃鉞《壹齋集》卷三十五〈癸巳孟陬四日飲
子卿家壁懸予乾隆庚子入都留別五言二首時子卿年二十二予年三十有
一今五十四年子卿次韻見示予亦和作〉云：「長干獻賦罷，六試一名
艱。毛穎顛將禿，參軍語欲蠻（是歲高宗五巡江浙，召試獻賦諸生，
鉞名在二等。先是，甲午順天鄉試，挑取四庫全書館謄錄，時將入
都，冀得議敘一官）。」[21]潘奕雋三弟潘奕基，乾隆甲午（三十九年）
順天鄉試後，挑取謄錄，入四庫館，議敘州同。[22]以上這些人中，有
很多是通過貢入國子監讀書，然後參加順天鄉試的，所以，鄉試落榜
生中被挑為謄錄的有不少是監生。

　　乾隆四十二年順天府鄉試，又選取了一批落榜生作為候補謄錄，
據「諭內閣辦理《四庫全書》並《薈要》所用謄錄於京闈鄉試落卷中
擇取」（乾隆四十二年七月二十五日）載：「辦理《四庫全書》並《薈
要》二處所用謄錄計六百餘名，而應行繕錄之書籍甚多。上屆甲午科
京闈鄉試，曾於落卷中挑取補用。現在又屆鄉試之期，而明年謄錄中
即有五年期滿應行議敘開缺者，均須隨時頂補，自應預為籌備。著於
放榜後，將未經取中之南北中皿及貝字型大小墨卷彌封，詳慎翻閱，
擇其字畫勻淨可供抄錄者，皿字型大小挑取八百卷、貝字型大小取六
百卷，交與吏部，按照名次拆卷填注。此內如有本係謄錄，即行扣

20 北京圖書館編：《北京圖書館藏珍本年譜叢刊》（北京市：北京圖書館出版社，1999
　　年），冊133，頁105-108。
21 續修四庫全書編委會編：《續修四庫全書》（上海市：上海古籍出版社，1996-2003年
　　影印本），冊1475，頁439上。
22 鄭偉章：《書林叢話》（長沙市：嶽麓書社，2008年），頁130。

除，餘俱出榜曉示，註冊挨補。其有本生告假，或不願充當者，亦聽
其便。」[23]

候補謄錄在未正式充補之前，也可參加抄書，那麼，四庫館對他
們的這部分工作如何認定呢？據「多羅質郡王永瑢等奏請準候補謄錄
額外效力並添篆字繪圖謄錄摺」（乾隆三十九年十月十九日）載：
「……查《四庫全書》並《薈要》二處，需用謄錄人員，前經遵照論
旨，於鄉試落卷內挑取備用。現在赴部投納履歷，情願充當者，已有
二百餘名，業經臣等按照空缺額數，諮取五十名到館，挨次充補。而
此外名次在後挨補需時之人，連日頗有具呈情願額外效力者。臣等伏
思此項謄錄，雖經設有六百名之數，然均繫自備資斧效力行走，與各
館之定有公費者不同。今該謄錄等因補期尚遠，多願額外效力，似未
便阻其急公向上之心，而本處應繕書籍紛繁，多得一人，即可多收一
人之用，於公事亦有裨益。理合奏明，於此次挑取候補謄錄人員內，
有情願效力者，俱准其具呈報明，先在額外行走，俟挨次應補時頂補
起限，扣足五年議敘。其未補缺以前繕寫之書，統計字數若干，入於
贏餘項下，照奏明之例，分別議敘。庶該謄錄等各得遂其踊躍奉公之
情，而繕錄事宜亦可更期迅速。」[24]也就是說，他們在候補期間抄的
書，只能算入贏餘中，而不能計入正常應完成的抄書量。換言之，這
些候補之謄錄，在正式充任時還要完成正常的抄書量（五年約一百八
十萬字），而之前所抄的書只能算為完成任務後的贏餘量。

---

23 張書才主編：《纂修四庫全書檔案》（上海市：上海古籍出版社，1997年），頁641-
642。

24 張書才主編：《纂修四庫全書檔案》（上海市：上海古籍出版社，1997年），頁277-
278。

四 其它

（一）通過朝考從貢生中選取

　　謄錄也會從朝考入等的貢生中選取，據紀大奎《雙桂堂稿》卷五〈先考行述〉載：「戊戌，不孝大奎以選貢北上，……是歲奉旨朝考，入等者皆得充四庫全書館謄錄，於是不孝大奎留京效力。」[25]戴殿泗《風希堂文集》卷四〈布政使理問鄭三雲墓誌銘〉載：「君諱辰，字薇北，別字三雲，慈谿人。……遂以充貢。戊戌朝考後，充四庫館謄錄。聞母病，束裝歸。侍養三年，始逝世，哀毀骨立。服闋抵都，議敘布政使理問，分發江南。」[26]

（二）從召試中選取

　　乾隆出巡江南、山東、天津等地，舉行過召試，其中入二等之員，可以選取為謄錄，據「諭內閣此次召試二等各生願效力者准其《四庫全書》謄錄上行走」（乾隆四十一年五月二十六日）載：「此次巡幸山東、天津兩處，召試所取二等之舉人、貢監生員等，著照上屆巡幸天津召試二等各生之例，有願在四庫全書處效力者，俱准其謄錄上行走。欽此。」[27]

---

25 續修四庫全書編委會編：《續修四庫全書》（上海市：上海古籍出版社，1996-2003年影印本），冊1470，頁377上。

26 續修四庫全書編委會編：《續修四庫全書》（上海市：上海古籍出版社，1996-2003年影印本），冊1471，頁104下-頁105上。

27 張書才主編：《纂修四庫全書檔案》（上海市：上海古籍出版社，1997年），頁517。

（三）恩賜

有個別謄錄的獲得是出於乾隆的恩賜，例如，王際華「為奏聞請旨事」（乾隆三十八年十一月初四日）載：「本年十月十五日有浙江欽賜舉人錢汝器來至臣處，持伊父尚書錢陳群手劄，內稱陳群恭閱邸抄，欣知聖主稽古右文，特命匯纂《四庫全書》，實為曠古未有之盛典，海內人士莫不踊躍鼓舞。陳群以老翰林受非常之知遇，惟藉文章報效，惜以耄年，未獲躬與編摩，寸心不禁神往。今遣第七子汝器到京至總裁處呈明，乞為收錄，令效抄寫。不特陳群得稍抒嚮往之忱，即汝器髫年早受殊恩，亦得藉此以申報效。等語。臣伏查四庫全書處謄錄業已足敷辦理，臣等議定現在不再添人。錢陳群在籍未知，是以遣子來京，自未便遽行收充謄錄。但錢陳群夙蒙皇上恩眷至優極渥，今其情詞懇切，臣不敢壅於上聞，謹據實具奏，可否令伊子錢汝器在謄錄上行走之處，出自皇上天恩。謹奏。」[28]其時，謄錄名額已滿，但乾隆還是恩准給予錢汝器謄錄，據錢陳群《香樹齋詩文集》《續鈔》卷五載：「恩准第七子汝器在四庫全書處校錄恭謝奏摺：……《四庫全書》復以在館校錄需人，並敕分纂各臣以次遴舉所知，薄海士林莫不聞聲鼓舞。……因遣第七子欽賜舉人錢汝器到京向總裁處呈乞收錄抄寫，籍伸耄耋向趨之志，俾矢駑駘報效之忱。隨經總裁尚書臣王際華據情奏請，奉旨著照所請行。」[29]

又如，「諭內閣著朱世德在《四庫全書》謄錄上行走」（乾隆四十一年九月二十一日）載：「原任大學士朱軾之孫監生朱世德，現在來

---

28 國家清史編纂委員會「國家清史工程數位資源總庫・錄副庫」。

29 《四庫未收書輯刊》（北京市：北京出版社，1997-2000年影印本），第9輯，冊19，頁418上。

京，著加恩在四庫全書處謄錄上行走。欽此。」[30]乾隆單為授予一名謄錄下諭旨，這在當時應該是非常罕見的。

五　特殊的謄錄

繪圖與篆隸謄錄是四庫館中較為特殊的謄錄，並不包括在上述謄錄中。

據「辦理四庫全書處奏遵旨酌議排纂《四庫全書》應行事宜摺」（乾隆三十八年閏三月十一日）載：「……至應寫書內，如《禮器圖式》、《西清古鑒》等書內，應繪圖樣頗多，並擬另行酌選通曉畫法之貢、監生等十員作為謄錄，令其一體效力，以資辦公。」[31]可見，四庫館最初曾設有十名繪圖謄錄。

又據「多羅質郡王永瑢等奏請準候補謄錄額外效力並添篆字繪圖謄錄摺」（乾隆三十九年十月十九日）載：「……查應繕遺書內，如許慎《說文》、郭忠恕《汗簡》、樓昉《漢隸字源》等類，多專係篆隸字體及鍾鼎古文，必得通曉六書者，方能篆寫無誤。而現在謄錄內尚無其人，難以發繕，應請添設篆字謄錄四名，於在京之舉貢監生內，擇其精於篆學者，召募充補，仍照各謄錄之例，一體辦理。又，應繕天文算法各書內，圖樣極多，其中尺寸疎密，銖黍難差，必須略識推步者，方能布置無訛，自非原設繪圖之謄錄等所能通曉，亦應請于欽天監天文算學生內，擇其諳悉圖像者，挑取二名充作謄錄，在館一體行走。庶承辦各有專門，更為妥協矣！為此，繕摺奏聞，伏祈皇上睿鑒。謹奏。」[32]可見，後來又增加了四名篆隸謄錄和兩名專門繪製天

30 張書才主編：《纂修四庫全書檔案》（上海市：上海古籍出版社，1997年），頁535。

31 張書才主編：《纂修四庫全書檔案》（上海市：上海古籍出版社，1997年），頁78。

32 張書才主編：《纂修四庫全書檔案》（上海市：上海古籍出版社，1997年），頁278。

文算學圖樣的謄錄。

綜上所述,四庫館額設的圖樣與篆隸謄錄應該為十六人。

負責篆隸、繪圖的謄錄,需要一定的專長,其選取方式與前述謄錄也大致相同:既有推薦的,如姜晟編《姜杜薇先生自訂年譜(姜司農年譜)》載:「乾隆四十二年,五月,幼弟世旭復自里門至都,鄉試後保送四庫館繪圖謄錄。」[33]汪啟淑《續印人傳》卷四「王轂傳」載:「王轂,予同郡黟縣人也,字御軿,號東蓮,……丁酉秋闈偶躓,即負篋北遊,冀以他途進身,會開四庫全書館需工八法者,侍御硯盧張公霶見其書端謹莊秀,保送效力。」[34]王芑孫《淵雅堂全集》《編年詩槁》卷十四〈李涪江大使秉德〉載:「吾家忘庵畫名久,遺法孤傳在君手。謫仙不樂住金鑾,何況校書營一官(君前以畫供奉內廷,已而薦為四庫館繕書,隨輩敘官,亦竟不出)。」[35]也有投考的,如王際華《王文莊日記》乾隆三十九年十一月初三載,王際華「至翰林院面試應考篆隸謄錄十八人,繪圖二人,事畢,封送金壇」。[36]據此還可看出,王際華負責面試謄錄,然後將錄取名單送于敏中過目、審核。

---

33 北京圖書館編:《北京圖書館藏珍本年譜叢刊》(北京市:北京圖書館出版社,1999年),冊106,頁372。

34 〔清〕汪啟淑:《續印人傳》(南京市:江蘇廣陵古籍刻印社,1998年影印本),卷4,頁4。

35 續修四庫全書編委會編:《續修四庫全書》(上海市:上海古籍出版社,1996-2003年影印本),冊1480,頁538上。

36 劉家平、蘇曉君主編:《中華歷史人物別傳集》(北京市:線裝書局,2003年),冊40,頁599上。

六　需要說明的兩點

（一）關於自備資斧

所有四庫館的謄錄，均是自備資斧效力的，據前引〈功過處分條例〉載：「……其應行議敘之謄錄人員，……其有過無功者，除字畫潦草之員，臣等隨時甄別沙汰外，如字畫尚屬端楷，惟錯字不能盡免者，尚可留供抄錄。但究係有過無功，不得因係出資自效，稍為姑寬，致與有功錄敘之人，漫無區別。」

（二）謄錄可以參加科舉考試

館臣在館期間可參加科舉考試，謄錄也是如此，據紀大奎《雙桂堂稿》卷五〈先考行述〉載：「是歲奉旨朝考，入等者皆得充四庫全書館謄錄，於是不孝大奎留京效力。……次年己亥，恭遇恩科，不孝大奎舉順天鄉薦，仍留館供職。」[37]邵甲名編《周慕　年譜》（譜主：周嘉猷）載：「（乾隆）三十九年，秋八月，應試順天，不第，挑充四庫全書薈要處謄錄生。……四十四年，秋八月，應順天恩科鄉試，中式第一百十九名舉人。四十五年，春三月，會試下第。夏五月，《四庫全書》謄錄期滿，議敘主事，簽掣兵部，在武選司行走。」[38]謄錄若經科舉考試得中後授職，一般就會離館而不再充謄錄。

37 續修四庫全書編委會編：《續修四庫全書》（上海市：上海古籍出版社，1996-2003年影印本），冊1470，頁377。

38 北京圖書館編：《北京圖書館藏珍本年譜叢刊》（北京市：北京圖書館出版社，1999年），冊118，頁254-259。

第二節　謄錄的數量

一　日常在館謄錄的數量

（一）翰林院四庫館大典處的謄錄數

其定額應該是六十人，據「辦理四庫全書處奏遵旨酌議排纂《四庫全書》應行事宜摺」（乾隆三十八年閏三月十一日）載：「……謄錄一項，前經臣等奏明酌取六十名在館行走，僅供寫錄《永樂大典》正副本之用。」[39]

（二）聚珍處謄錄為十人

可參本書第九章。

（三）武英殿四庫館繕書處及薈要處謄錄

繕書處謄錄的定額應是四百人。據前引「辦理四庫全書處奏遵旨酌議排纂《四庫全書》應行事宜摺」（乾隆三十八年閏三月十一日）載：「……臣等公同酌議，令現在提調、纂修各員於在京之舉人及貢監各生內擇字畫工致者，各舉數人，臣等覆加閱定，共足四百人之數，令其充為謄錄，自備資斧效力。」乾隆三十八年七、八月，武英殿四庫館謄錄已有四百人，據《于文襄手劄》第二十通載：「蒹塘不另復，遺書毋庸錄副，與愚前奏相合，至應抄之書，即交四百謄錄繕寫，毋庸另添謄錄。（乾隆三十八年七月底八月初）」

---

39 張書才主編：《纂修四庫全書檔案》（上海市：上海古籍出版社，1997年），頁77。

　　薈要處謄錄的定額應該是二百人。乾隆四十年十二月，薈要處即有謄錄二百人，據「大學士于敏中等奏請將《薈要》復校改為分校並添設總校二員摺」（乾隆四十年十二月初九日）載：「臣等承辦《四庫全書薈要》，原擬二年半繕竣，續因書有增添，較初定幾加一倍，是以展限一年。今以謄錄二百人計日程功，自可如限於四十一年冬底畢工。」[40]

　　另據「多羅質郡王永瑢等奏請準候補謄錄額外效力並添篆字繪圖謄錄摺」（乾隆三十九年十月十九日）載：「……臣等伏思此項謄錄，雖經設有六百名之數，然均繫自備資斧效力行走，與各館之定有公費者不同。」「軍機大臣奏擬寫揀選謄錄諭旨進呈片」（乾隆四十二年七月二十五日）載：「查甲午科順天鄉試，曾奉旨於落卷內挑取謄錄六百名，以備缺出挨補。上屆需用人數無多，是以止於皿字型大小卷內挑六百名備用。今查各謄錄，至明年即屆五年期滿議敘，通計《全書》、《薈要》需用謄錄計六百名，似應寬為預備。是以並令於貝字卷內揀選。臣等擬寫諭旨進呈，恭候欽定。謹奏。」[41]五年期滿，需用六百人備補。其實，其中已補過一些，所以並不是六百人均在乾隆四十三年滿五年。不過，從這可以看出，最初這兩處額設的謄錄就是六百人：薈要處二百，繕書處四百。[42]

（四）篆隸及繪圖謄錄

　　據前文所述，四庫館最初有繪圖謄錄共十名，到乾隆三十九年又

40　張書才主編：《纂修四庫全書檔案》（上海市：上海古籍出版社，1997年），頁488。

41　以上分別載張書才主編：《纂修四庫全書檔案》（上海市：上海古籍出版社，1997年），頁278；頁641。

42　「諭內閣著考官曹秀先等於鄉試落卷內挑取謄錄備用」（乾隆三十九年八月十九日）載：「辦理四庫全書處並薈要二處，所用謄錄計六百餘名。」載張書才主編：《纂修四庫全書檔案》（上海市：上海古籍出版社，1997年），頁246。

增加了四名篆隸謄錄和兩名專門繪製天文算學圖樣的謄錄，前後相加，共為十六名。

（五）總目處、考證處謄錄

據「質郡王永瑢等奏劉權之協同校辦《簡明目錄》可否遇缺補用片」（乾隆四十七年七月十九日）載：「至派辦總目處謄錄二十二名、供事八名，考證處謄錄七名、供事四名，及向辦《總目》、續辦《簡明目錄》之查校謄錄一名、供事七名，均繫自備資斧效力行走，可否照此次《永樂大典》之例，給予議敘，出自皇上天恩。如蒙俞允，臣等即諮部照例分別辦理。」[43]可知，總目處、考證處設有謄錄三十人。

綜上所述，四庫館（包括聚珍處、薈要處）日常在館謄錄共有七百一十六人（不包括在四庫館額外抄書的候補謄錄），例如，「大學士舒赫德等奏請仍將劉錫嘏留翰林院辦事校書摺」（乾隆四十年十二月初八日）載：「……查該員自奏派辦理院事以來，行走奮勉，辦事勤幹，現在兼充四庫全書處提調。館中謄錄七百餘人，一切稽察功課，綜覈檔案，均資熟手。」[44]也就是說，乾隆四十年四庫館中謄錄有七百餘人。

二 謄錄總數

在四庫館開館期間，由於謄錄是不斷有進有出的，四庫館一共用過多少名謄錄，那還要看最後的統計，據「吏部尚書劉墉等奏遵旨清查《四庫全書》字數書籍完竣緣由摺」（乾隆五十一年二月十六日）

---

43 張書才主編：《纂修四庫全書檔案》（上海市：上海古籍出版社，1997年），頁1604。
44 張書才主編：《纂修四庫全書檔案》（上海市：上海古籍出版社，1997年），頁486。

載：「……《全書》及《薈要》各書，卷帙浩繁，各分頭緒，及繕寫字數之各項謄錄不下二千餘名。……臣等查自乾隆四十三年起至五十年春季止，前後共議敘一等謄錄一千五百八十四名；二等謄錄一百四十三名，內有加課一百萬改為一等者四名；年限未滿，中式、捐納得官給予加級者六十二名；功課已足，未經到館議敘，移付翰林院諮部存案者六十七名；外有緣事離館、因事革退，未經議敘者七百六十名；記過謄錄二百二十五名；共應寫字三十七萬萬三千五百七萬四千字。今核該館所繕四分全書，按照續辦處核算，該字二十九萬萬二千三百二十七萬六千字，內除《永樂大典》係翰林院繕寫，應扣字一萬萬四千三百八十萬餘字，實計字二十七萬萬七千九百四十七萬六千字；《薈要》二分，計六萬萬字。以上書籍，俱以議敘謄錄所繕字數作正開除外，尚有留辦三分書，計二萬萬七千零八十五萬七千四百字；另行陳設書，計六百四十五萬字；已經繕寫進呈奉旨扣除改篡、更定各書，計八千四百餘萬字；《全書》、《薈要》中各種提要，計一千三百二萬字。以上各書核算，共計三十七萬萬五千三百八十萬三千四百字。以人核字，尚盈餘一千八百七十二萬九千四百餘字。統計各書字數，核之各項謄錄所繕字數，實屬有盈無絀。謹分別款項，另繕清單，恭呈御覽。」[45]

---

45 張書才主編：《纂修四庫全書檔案》（上海市：上海古籍出版社，1997年），頁1928-1929。關於謄錄及字數，還可參〔清〕周廣業《過夏續錄》（續修四庫全書編委會編：《續修四庫全書》〔上海市：上海古籍出版社，1996-2003年影印本〕，冊1154，頁702-703）「四庫書字數」條載：「《四庫全書》開館於乾隆三十八年，先辦四分，續辦三分，每分計字七萬萬零八十一萬九千。前四分計共二十九萬萬二千三百二十七萬六千字，後三分計共二十一萬萬九千二百四十五萬七千字。《薈要》二分，計六萬萬字，《全書》、《薈要》中各種提要計一千三百二萬字。先後考取謄錄二千餘名，每名寫二百萬字者列為一等；一百六十五萬者列二等。篆字以一作十，隸字以一作五，圖一頁作字一千，疏者自兩三頁至八九頁折作一頁，中作兩三頁至十一頁不等。字不端楷者，記過一次，罰寫字一萬。」

以上是指抄寫前四部《四庫》及二部《薈要》的謄錄，正符合本書所討論的四庫館的範圍。以上共計可得前後在館謄錄有兩千八百四十一人。不過，若是其中有到乾隆五十年而未滿五年期限的謄錄，如何處理呢？上摺所列各項謄錄似乎沒有專門提到這種情況。筆者推測，這不外有三種可能：其一，沒有不到五年期限的謄錄。其二，有未到五年期限的謄錄，但已包括在上述各項統計中。其三，有未到五年期限的謄錄，沒有包括在上述統計中，是統計者遺漏了。筆者認為，上摺是「以人核字」，要匯總所有已抄錄的字數，所以肯定會將所有參與謄錄者都會統計進來，否則，字數的統計就會不準確。另外，這一統計是針對御史左周的質疑而作的：「將在館繕竣之謄錄若干員，所繕字數若干，及未經繕竣，因事離館謄錄若干員，每名下實在寫過字數若干，通計辦過書籍贏餘字數共有若干，以杜弊混。但此案清查字數，頭緒繁多，現在在館之提調等官，既日有承辦之事，不暇兼管，且恐不無迴護之見。合無仰懇皇上另行派員，會同館臣詳細清釐，以歸核實。」[46]有關大臣肯定會儘量避免統計遺漏，因此，上述統計數中應包括所有前後在館的謄錄。

另外，據上摺所說「內除《永樂大典》係翰林院繕寫，應扣字一萬萬四千三百八十萬餘字」，可知以上謄錄並沒有包括翰林院四庫館大典處的謄錄。還有，上摺說「《全書》、《薈要》中各種提要，計一千三百二萬字」，其所說的提要應是指書前提要（而前述的四部全書字數，是就正文而言的），因此，上述的謄錄並沒有包括《總目》、《簡目》、《全書考證》的謄錄。當然，上述的謄錄也沒有包括聚珍處的謄錄。在《四庫》開館期間，大典處（額設六十人）、聚珍處（額

46 見「掌浙江道監察御史左周奏請清查全書繕字總數並採進書籍摺」（乾隆五十年十二月初二日），載張書才主編：《纂修四庫全書檔案》（上海市：上海古籍出版社，1997年），頁1917。

設十人）、總目處、考證處（兩處三十人）的謄錄也會期滿議敘，例
如，大典處謄錄到乾隆四十三年五年期滿議敘（前一批六十人議敘，
後一批六十人遞補），其前後在館之總謄錄數肯定應在原有的基礎上
翻倍。而且，在這期間，還不斷會有補缺的謄錄[47]，例如，「多羅質郡
王永瑢等奏《歷代職官表》底稿全竣協修等可否議敘摺」（乾隆五十
年七月十四日）載：「……再，查四十七年正月《永樂大典》告成，有
補缺未滿二年謄錄五名、供事二名，經臣等奏明撥入《職官表》補繕
功課，今《職官表》業已告竣，應請一併諮部，查照註冊。」[48]可見，
這五名謄錄大約是四十五年正月後遞補入大典處為謄錄的。因此，以
上大典處、聚珍處、總目處與考證處前後在館謄錄總數分別會在一百
二十人以上、二十人以上、六十人以上，合計應在二百人以上。

　　綜上所述，武英殿四庫館繕書處及薈要處前後在館謄錄為二八四
一人，大典處、聚珍處、總目處與考證處前後在館謄錄總數為二百人
以上，以上合計為三千餘人。因為謄錄進出變化的情況普遍存在，因
此總數統計上可能會有誤差（主要是少算了），不過，估計總共前後
在館的謄錄為三千人以上，應該是沒有什麼問題的。[49]

---

47 易雪梅、曾雪梅：《閱微草堂收藏諸老尺牘》（載《文獻》2005年第2期）收梁國治
　　書云：「所商者，緣祝年兄所辦提要，尚未完竣。今祝君已中，必須另補一人。茲
　　有盛年兄名麟，甲午舉人，現考取方略館謄錄，欲祈大人撥補此缺，得與錢年兄敬
　　熙合辦，亦屬公便也。特此托杏江轉達，餘面盡。」祝氏，原文考釋認為是祝德
　　麟。其實這一考釋是不對的，因為祝德麟與梁國治並不是同年，而且祝德麟是乾隆
　　二十八年的進士，並非如信中所說是在四庫館開館期間考中的。書信中提到的盛
　　麟、錢敬熙並不是館臣，可能與祝氏均為謄錄。如此說成立，則當時總目處負責提
　　要謄寫的謄錄，也是會有缺的，而且也是需要隨時遞補的。
48 張書才主編：《纂修四庫全書檔案》（上海市：上海古籍出版社，1997年），頁1887。
49 〔清〕李文藻《嶺南詩集·桂林集》卷4《陽朔看山作》云：「……國家右文開四庫，
　　簽飛軸走羅神都。擇其精粹棄秘閣，鈔繕日費三千儒。齊魯梨棗不給用，何如於此
　　排書櫥。」（續修四庫全書編委會編：《續修四庫全書》〔上海市：上海古籍出版社，
　　1996-2003年影印本〕，冊1449，頁60上）也認為謄錄有三千人。

第三節　謄錄的工作

一　抄書

　　山東圖書館藏《四庫》底本《三國志辨誤》一卷，內封有墨筆批註的抄寫格式（與《四庫》正本的格式同），書後有墨筆跋：「《三國志辨誤》一本，將紅格十六頁交謄錄王衮，照面頁所開格式謄就樣本，於初二日繳。二月廿八日。」跋末還有朱記「發」。[50]據此可推知，當時分校校完後，將底本和四庫館專用抄紙一起發給謄錄按底本上所提示的格式抄寫，並且規定了交繳抄寫樣本的時間。朱記「發」字，是指此書已發下抄寫。

　　謄錄姓名例注於書冊副頁（葉），據「軍機大臣阿桂等奏遵議陸錫熊詳校文溯閣書籍摺（附清單二）」（乾隆五十五年九月十六日）載：「……致（至）謄錄等照本繕寫，漫不經心，舛錯脫落，已屬非是，其全卷漏寫，尤非尋常錯誤可比。原辦謄錄現在得官者，本應遵旨革職示懲，但謄錄姓名例注於書冊副頁，今全卷俱已脫寫姓名，亦無從稽核。伏思四庫館交繕書籍，多有數卷髮給一人繕寫者，此項脫寫之卷，或即係前後卷謄錄一手經辦，應行令奉天府丞福保查明本書脫寫全卷之前後兩卷，繫屬何人繕寫，據實開報，即著落該謄錄賠寫。」[51]此所謂副頁，可能是指後副頁，即下文所說的尾頁，據「左都御史紀昀奏文源閣書復勘先完請將詳校官等分別議處摺」（乾隆五

---

50 轉引自唐桂豔：〈山東圖書館藏四庫全書進呈本考略〉，《文獻》2008年第3期，頁138-144。

51 張書才主編：《纂修四庫全書檔案》（上海市：上海古籍出版社，1997年），頁2194-2195。

十六年九月二十九日）載：「……至空白之中，有原注闕文一項，詳
校官因已聲明，遂不查核。臣偶覺數處可疑，調取底本查對。中有實
係原闕者；亦竟有底本不闕而憚於書寫，或已經挖補而懶於查填，竟
自捏注闕文字者。實係有心弊混，與偶然舛漏不同。已各於單內開
明，應請旨將濫邀議敘之謄錄查明尾頁姓名，一併議處。」「戶部為
知照查議周興岱等人事致典籍廳移會」（乾隆五十七年七月十八日）
所附黏單亦載：「今準武英殿諮稱，除將正本尾頁謄錄姓名查明三十
二員另單開送吏部議處外，查左都御史紀昀原奏文淵閣全書內遺失底
本，抵換他書，各種均與文源閣相同。」[52]查江西熊氏影印《四庫》
進呈本《舊五代史》可知，該進呈本每冊後副葉前半頁的右下方均有
謄錄署名，正與前述情況相符。不過，到裝訂為《四庫》閣本時，則
又將謄錄姓名改署於各冊前副頁上。因此，現存文淵閣《四庫》書
中，各冊前副頁均載有本冊謄錄的姓名。

　　查《四庫》正本可知，如果是篇幅小的書，一般是由一名謄錄負
責抄寫全書，由一名分校官校對，例如，「軍機大臣阿桂等奏遵議陸
錫熊詳校文溯閣書籍摺（附清單二）」（乾隆五十五年九月十六日）
載：「……伏思四庫館交繕書籍，多有數卷發給一人繕寫者，此項脫
寫之卷，或即係前後卷謄錄一手經辦。」[53]若是篇幅較大的書，則可
能會由多名謄錄抄寫，而由一名或多名分校校對，例如[54]：

52 以上分別載張書才主編：《纂修四庫全書檔案》（上海市：上海古籍出版社，1997
　年），頁2238、頁2313。

53 張書才主編：《纂修四庫全書檔案》（上海市：上海古籍出版社，1997年），頁2195。

54 以下所舉的《剡源文集》、《香乘》、《桐江續集》三書，分別出自〔清〕紀昀等總
　纂：《文淵閣四庫全書》（臺北市：臺灣商務印書館，1982-1986年影印本），冊1194、
　冊844、冊1193。

　　《剡源文集》三十卷，兩淮鹽政採進本，原書八冊，復校官為方大川。

卷次	校對官	謄錄
卷一	李岩	於希賢
卷二至三	李岩	於希賢
卷四至五	李岩	於希賢
卷六至七	李岩	於希賢、任嘉春
卷八至九	李岩	任嘉春
卷十至十一	李岩	任嘉春、黃嵩齡
卷十二至十三	李岩	黃嵩齡
卷十四	李岩	黃嵩齡
卷十五至十六	李岩	於希賢
卷十七至十八	李岩	於希賢
卷十九至二十	李岩	於希賢
卷二十一至二十二	李岩	於希賢
卷二十三至二十四	李岩	於希賢、李如梓
卷二十五至二十六	李岩	李如梓
卷二十七至二十八	李岩	李如梓
卷二十九至三十	李岩	李如梓

　　《香乘》二十八卷，原書八冊，鮑士恭家藏本，總校官為何思鈞。

卷次	分校官	謄錄
卷首至二	孫玉庭	朱永貴
卷三至五	孫玉庭	清華
卷六至九	甄松年	吳宗秀
卷十至十三	甄松年	張覺民
卷十四至十七	孫球	劉成佐
卷十八至二十	孫球	劉成佐
卷二十一至十二四	甄松年	侯賜樂
卷二十五至二十八	甄松年	林均邦

　　案：原書八冊，《四庫》也抄成八冊，由七個謄錄分別抄錄，可見，原書應是分冊發下抄錄的。

　　《桐江續集》三十七卷（實只有三十六卷），孫仰曾家藏本，原書十六冊，總校官為倉聖脈。

卷次	校對官	謄錄
卷首至二	劉景嶽	陳賓
卷三至四	劉景嶽	龔輝遠
卷五至八	劉景嶽	何延禮
卷九至十	劉景岳、孫球	何延禮、沈方大
卷十一至十二	孫球	沈方大

卷次	校對官	謄錄
卷十三至十四	劉景嶽	林大本
卷十五至十六	劉景嶽	沈毓鳳
卷十七至十八	劉景嶽	何銓
卷十九至二十	劉景嶽	何銓、費元震
卷二十一至二十二	劉景嶽	費元震
卷二十三至二十四	劉景嶽	鄧捷成
卷二十五至二十六	劉景嶽	陳賓
卷二十七至二十八	胡予襄	張曾詣
卷二十九	胡予襄	孔繼峰
卷三十	胡予襄	孔繼峰
卷三十一至三十二	胡予襄	苗序洙
卷三十三至三十四	胡予襄	李椿
卷三十五至三十六	胡予襄	李標

　　從上可以看出：其一，若一書卷數較多，會有多名分校官負責校對。當時提調在分派一些大書時，可能會將其分給不同的分校官。因為謄錄是由分校官分管的，那麼，將這些抄成的書稿收上來後，大概只能統一交提調後才能裝成完整的一部書。這必然會給校對、裝訂工作增加麻煩。其二，發下謄錄抄寫時是分冊發下的。目前所見的《四庫》是重新裝訂分冊的，無法完全反映原來的分冊情況。例如，《桐江續集》卷九、卷十有兩名分校官及兩名謄錄，推測卷九屬一冊，而卷十屬另一冊，卷九這一冊由分校劉景岳校對，並由其所管謄錄何延禮抄寫，而卷十這一冊則由分校孫球校對，並由其所管謄錄沈方大抄

寫。但在《四庫》正本中這兩卷卻裝成一冊。

　　若是謄錄抄錯，分校可以駁回重寫，據「多羅質郡王永瑢等奏戈源請將謄錄計字議敘應毋庸議摺」（乾隆四十年四月十五日）載：「……臣等現定規條，謄錄所交之書，校對時有應駁換者，仍駁回換寫。其訛錯多者，並須記過總核，於議敘時分別勸懲。」[55]

二　功課

　　據四庫館的規定，謄錄的任務是：每天一千字，一年扣去三十天，每年共三十三萬字，五年應為一百六十五萬字。例如，「辦理四庫全書處奏遵旨酌議排纂《四庫全書》應行事宜摺」（乾隆三十八年閏三月十一日）載：「……謄錄一項，……仍核定字數，每人每日寫一千字，每年扣去三十日，為赴公所領書交書之暇。計每人每年可寫三十三萬字，並請照各館五年議敘之例，覈其寫字多少以為等差。」[56]至於有人認為謄錄總任務是五年一百八十萬字，如「山西道監察御史戈源奏請將謄錄計字議敘不拘年限摺」（乾隆四十年四月初二日）載：「……伏聞在館諸生，每日限寫千字，五年共限寫一百八十萬字。」[57]大概是據每天一千字，每年三百六十天計算得出的，而沒有減去應扣的天數。顯然，這一統計數是不準確的。

　　四庫館總裁認為，字數定為每日一千比較適中，所以，當御史戈源提出鼓勵謄錄每天多寫，准其報滿議敘（即只要達到總的字數，即可議敘，不一定要等五年），被總裁們斷然否決：「山西道監察御史戈源條奏，請將在館謄錄計字議敘不拘年限一摺，乾隆四十年四月初二

55 張書才主編：《纂修四庫全書檔案》（上海市：上海古籍出版社，1997年），頁379。

56 張書才主編：《纂修四庫全書檔案》（上海市：上海古籍出版社，1997年），頁77-78。

57 張書才主編：《纂修四庫全書檔案》（上海市：上海古籍出版社，1997年），頁372。

日奉旨：四庫全書處總裁議奏。欽此。臣等伏查各館謄錄定例，統限五年為滿，原不核計字數。惟辦理《四庫全書》，因卷帙浩瀚，且係秘閣寶藏，期於繕寫工整，不得不立定課程。是以臣等議定，每人日以千字為準，酌量遲速適中，使之力可優為，而亦不至於草率。仍計五年之期，扣足字數，准其報滿議敘。……以上章程，俱經臣等悉心籌酌，節次陳奏，仰邀俞允遵行在案。是於核計年勞之中，仍寓程功課實之意，似為平允。自辦理二年以來，謄錄六百餘人，各按課程，敬謹繕寫，且有餘字者多，頗皆安靜奮勉。此臣等現在辦理之情形也。……且現在辦書大局，非繕寫之難，而校對之為難。……應將該御史所奏之處，毋庸議。」[58]

第四節　賄買與傭書

四庫館中謄錄人數最多，管理上問題也最大。這其中有客觀原因，也有主觀原因，例如，分校雖然分管一定數量的謄錄，而且每天都要核查功課，但實際上的管理並沒有這麼嚴格，有的謄錄離館而分校並不清楚；有的謄錄捏造闕文，直到後來詳校時才被發現；謄錄中有不少寄籍、冒籍的情況[59]；等等。下面談談其中兩個主要的問題：

---

58 「多羅質郡王永瑢等奏戈源請將謄錄計字議敘應毋庸議摺」（乾隆四十年四月十五日），載張書才主編：《纂修四庫全書檔案》（上海市：上海古籍出版社，1997年），頁377-378。

59 據永瑢等「奏聞《四庫全書》及《薈要》各謄錄現屆五年報滿之期人數較多其中寄籍冒籍均所不免請確實查核以昭慎重由」（乾隆四十三年五月二十六日）。臺灣故宮博物院文獻館所藏清朝檔案，檔案號：039947。

一　賄買

　　由於對謄錄管理不嚴，而且充當謄錄可以得到議敘，對科舉落第的士子有很大的吸引力，因而就產生了一些賄買案。四庫館中的賄買現象開始於何時已不太清楚，但其被清廷發現則是在乾隆四十四年。賄買案案情比較複雜，而且幾個案件交織在一起，為方便瞭解，茲將有關檔案全錄如下：

　　　　「寄諭浙江巡撫王亶望即將鍾姓及蔣翰拏獲速解刑部訊究」（乾隆四十四年六月初五日）載：「據順天府尹胡季堂等奏，查審李英賄買頂冒四庫館謄錄蔣翰一案，其蔣姓頂賣謄錄監生，實係鍾姓說起。據任浩等供稱，鍾姓名叫鍾三，係浙江山陰縣人，蔣姓僅止一面，並未說明係何處人氏，聽其口音似湖州人，已經回南。現在飛諮查拏。等語。已交刑部審擬矣。此案李英等賄買頂名，且有假冒執照等弊，難以輕縱。蔣翰繫屬本生，鍾姓亦係說合之人，自應迅速嚴拏到案審訊。著傳諭王亶望即將鍾姓及蔣翰拏獲，派委妥員迅速解交刑部訊究，沿途小心管解，毋致疏虞。將此由五百里諭令知之。胡季堂等摺並抄寄閱看，仍即迅速復奏。欽此。遵旨寄信前來。」[60]
　　　　「吏部為知照戶部等堂司官員失察頂冒謄錄奉旨罰俸事致典籍廳移會（附題本）（乾隆四十四年七月二十六日）附「吏部等題四庫館總裁等官失察頂冒分別罰俸本」載：「會議得：內閣抄出協辦大學士・戶部尚書兼管刑部事務英廉等奏稱：準

60　張書才主編：《纂修四庫全書檔案》（上海市：上海古籍出版社，1997年），頁1057-
　　1058。

順天府及戶部、四庫全書處、國子監等衙門具奏，謄錄監生蔣翰呈請改姓，查係兩名重複，究出頂冒假照情弊一案。所有為李英、王暻改姓出結之光祿寺署正張九皋，為殷姓改籍出結之戶部主事徐大榕，為李英赴館效力出結之工部主事謝肇洙，為宋維藩改籍出結之光祿寺署正王正模，並不認識本人，輒濫行冒昧出結，應俱交吏部照例議處。四庫全書處提調，除王暻、宋維藩並未具呈赴館外，其於李英赴館效力、殷姓改籍歸宗未能查出，已經自行檢舉，應聽吏部察議。大興縣知縣莊燮，於李英一案已經自行訪出，其朱姓頂買王暻謄錄，呈請改姓，率據同鄉官印結代為申報，亦應交吏部議處。戶部於此四案，已據假照換給印照者二案，現存捐納房未辦者二案，該捐納房官吏既不查原冊有無其人，又不驗印信之真偽，實屬怠玩，誠如該部所奏，非尋常疏忽可比，應與失察書吏犯贓之該管司員及失察之堂官，均交部分別辦理。國子監於殷姓並李英、王暻等三案，均未換照，其宋維藩一案，諮據該監復稱亦未換過監照，應俟拿獲頂買監照之馮企文訊明，再行辦理。為此謹奏請旨。乾隆四十四年六月二十三日奉旨：依議。欽此。欽遵。抄出到部。臣部移諮戶部將應議職名查明開送過部，併案查辦去後。今準戶部將應議各職名開送到部。查此案該犯任浩等描摹假印監照，冒名誆騙，李英等頂名赴四庫館效力，並赴戶部呈請換照、改籍、複姓，其不行查明、率行出結及失察之該管承辦各官，均應分別議處。除大興縣知縣莊燮於李英一案已自行訪出查辦毋庸議外，應將李英改姓出結之光祿寺署正張九皋，殷姓改籍出結之戶部主事徐大榕，宋維藩改籍出結之光祿寺署正王正模，李英赴館效力出結之工部營繕司主事謝肇洙，均照率行出結降二級調用例，降二級調用。張九皋又王暻改姓出

結，照例再降二級調用。至並不詳查原冊，復不能察出假照，率行換給執照之戶部捐納房司員貴州司員外郎崔修紳，兼部行走山東道監察御史朝璧，兼部行走陝西道監察御史陳朝礎，均照不查明確實濫行用印降一級調用例，降一級調用。失察書役犯贓之陝西司員外郎觀亮、員外郎袁守徊，均照失察書役犯贓十兩以上降一級留任例，降一級留任。崔修紳、朝璧、陳朝礎又失察書役犯贓不及十兩，應照例再罰俸一年。」[61]

「江蘇巡撫楊魁奏拿獲說合頂買謄錄之儲曾英解交刑部審辦摺」（乾隆四十四年七月初二日）載：「本年六月十五日接準刑部諮，以殷旦明在京商經貢生儲曾英，將四庫館候補謄錄蔣翰名字，說合頂買與伊子殷志周，案內儲曾英係荊溪縣人，入贅常州府城伊岳楊溙家內，應將儲曾英查拏務獲，跟鞫蔣翰下落，一併解京審辦。等因。臣查本年五月內，先準戶部諮查監生蔣翰由寄籍順天大興縣改歸原籍江蘇常州府武進縣，並復歸本宗殷氏三代等因。經臣轉行確查，尚未據查明結報。隨飛飭常州府密速按址嚴拏去後。旋據該府王澤定將儲曾英拏獲解送來蘇。臣即率同兩司親提研鞫。據儲曾英供明與殷旦明之子殷傑係拔貢同年，上年八月內在京時，有紹興監生鍾清江言及四庫館謄錄蔣翰，欲將在館名字並原捐監照頂買與人。因殷旦明欲為伊子殷志周商辦此事，儲曾英隨從中說合，殷旦明即與鍾清江、蔣翰等會面，議價一百六十兩，頂買蔣翰考名。當將部監照兩張、蔣翰落卷三本交與殷旦明收執，伊並未得過銀錢。等情。又查得殷旦明並未回籍，殷志周已於本年三月內進京。其蔣翰，據儲曾英供係浙江秀水縣人，鍾清江係紹興府人，未

61 張書才主編：《纂修四庫全書檔案》（上海市：上海古籍出版社，1997年），頁1084-1088。

悉切實住址。臣查儲曾英說合頂買謄錄，係刑部待質要犯，未便稍稽，現於六月二十七日委員將儲曾英押解起程，前赴刑部投收審辦，並諮前途小心撥護。一面飛諮浙江撫臣轉飭嚴挐蔣翰、鍾清江二犯，速獲另行解部辦理外，所有準諮查挐起解緣由，理合恭折奏明，伏乞皇上睿鑒。謹奏。」[62]

「浙江巡撫王亶望奏遵旨分諮查拿鍾倬蔣翰情形折」（乾隆四十四年七月初六日）載：「乾隆四十四年六月十二日承準大學士于敏中字寄，六月初五日奉上諭：順天府查審李英賄買頂冒四庫館謄錄一案，其蔣姓頂賣謄錄監生，實係鍾姓說起，名叫鍾三，係浙江山陰縣人，蔣姓口音似湖州人。著傳諭王亶望即將鍾姓及蔣翰拿獲，委員迅速解交刑部訊究。欽此。遵旨寄信前來。臣查鍾三、蔣翰二犯，既係湖州、紹興兩府人氏，雖無的名的址，似亦不難就兩郡之內細加物色。隨即行司並遴委幹員分赴二府，會同守令密訪嚴拿去後。旋於六月十八日接到刑部諮文，訊明鍾三原籍浙江蕭山縣，本名鍾倬字漢為，年約四十餘歲。伊故父曾任職官，胞叔鍾秉惠原任張家灣通判。等情。又準江蘇撫臣諮會拿獲武進縣拔貢儲曾英，究出蔣翰係秀水縣人。等情。臣又專委署台州府知府高模、嘉興府知府陳虞盛分頭前赴蕭山、秀水，嚴速查拿，務期必獲，免致聞風竄匿。茲據署台州府知府高模馳往蕭邑錢清地方，拘齊鍾姓族人。逐細查訊，鍾倬之父鍾秉寬曾任直隸青縣主簿，降調，身故已經多載。鍾倬自幼隨父在外，至今四十餘年，並未歸家，聞已在青縣興濟鎮寄住。伊叔鍾秉惠是直隸張家灣通制，前年被參降調，如今同家口寄居在通州地方。等情。並訊之地保親

---

62 張書才主編：《纂修四庫全書檔案》（上海市：上海古籍出版社，1997年），頁1060-1061。

鄰，各供如一。臣又親提細鞫無異。隨於六月二十九日飛諮直
隸督臣轉行青縣、通州二處，按址細查鍾倬下落，就近拿解刑
部外。其蔣翰一犯，先準順天府來文係湖州口音，繼準江蘇諮
提又係秀水縣人，均無的實住址。今攘印委各員先後稟覆，在
於湖嘉兩府所屬各縣逐細查訪，並弔煙戶門牌檢閱，實在並無
蔣翰其人。查頂賣執照，事屬覬法，必係平日熟識相好之人，
始肯說合與事。今查儲曾英在於江省原供，伊與蔣翰初會，曾
問過他，據說是秀水縣人，不曉得他實在住居城鄉何處等語，
甚屬遊移。是否儲曾英所供尚有不實不盡，抑係蔣翰故將的實
籍貫隱匿不言，臣現又飛諮江蘇撫臣，再行訊取儲曾英切實口
供，飛諮到浙核辦。合將奉到諭旨辦理及現在分諮查拿確訊緣
由，恭折奏復，伏祈皇上睿鑒。謹奏。」[63]

　　綜上所述，該賄買事件的案情是這樣的：李英頂買了蔣翰的監生
執照，到戶部去要改回原姓名。而戶部與國子監查出蔣翰有兩人，因
為蔣翰曾將其監生執照賣與殷志周，而殷氏已於五月也以蔣翰的名義
改回原姓名。這樣，就出現了兩個蔣翰，而且兩人都要求改回原姓
名，賄買案就敗露了：李英，通過鍾倬（鍾三）的說合，賄買頂冒四
庫館謄錄蔣翰；殷志周，則通過儲曾英、鍾清江（可能與前述的鍾三
為同一人）輾轉介紹，頂買了四庫館謄錄蔣翰的在館名字並原捐監
照。由此又牽出了王暚與宋維藩的賄買案：朱姓某人頂買了王暚的謄
錄；馮企文頂買了宋維藩的監照。頂買後，李英、殷志周均曾作為謄
錄赴四庫館效力，而馮企文、朱姓某人則未赴館。

63 張書才主編：《纂修四庫全書檔案》（上海市：上海古籍出版社，1997年），頁1065-
　　1067。

從此案中可以看出，為謄錄出結的同鄉官，有的根本就不認識該謄錄。可見，選取謄錄中的同鄉官作保的措施實乃形同虛設。筆者推測，四庫館中賄買、頂名之事肯定不會只有這四起，應該還有不少。

二　備書

備書，即請人代抄。[64]雖然頂冒謄錄的名額是不允許的，但請人代抄則可以說是一個公開的秘密，而且乾隆、四庫館方面似乎也是默許的。例如，「諭嗣後四庫館效力年滿議敍人員著嚴加考試分別核辦」（乾隆四十四年二月初六日）載：「此項在館人員，雖係自備資斧効（效）力，而議敍實不免過優，殊非慎重名器之道。朕原因四庫全書卷帙浩繁，既辦一大事，即不能計及小節，略予從優，非不知其中有些微小弊也。但恩施固當令均霑，而錄敍亦不宜太濫，況人多即流品混淆，自當明示區別。嗣後此項議敍人員，著照部議，匯齊五十名奏請考試一次。惟是伊等寫書時大率倩人代繕，其本人字畫未必悉能工楷。將來考試時，著派出閱卷大臣稍為寬取，不必照正考之例過於精覈，以示格外體恤之意。其有不到及倩人代作諸弊，仍著照部議嚴察。欽此。」[65]可見，謄錄請人代抄，在當時是人所共知的事情。[66]

對於絕大多數謄錄來說，抄書並不是他們的目的，議敍得官才是他們的最終目的，因此，只要獲得謄錄的資格，完成抄書任務就可以了，至於自己是否真正抄書，並不會特別介意。另外，謄錄每天要抄一千字，若請假，必然會誤功課，但是，謄錄又難保不請假（事實

---

64 從代抄可知，謄錄均是領書回家抄的。

65 張書才主編：《纂修四庫全書檔案》（上海市：上海古籍出版社，1997年），頁1000。

66 吳哲夫：《四庫全書纂修之研究》（臺北市：國立故宮博物院，1976年），頁90也談到謄錄請人代鈔。

上，謄錄中請假離館的人是非常多的）。[67]因此，請假的謄錄多需請人代寫。還有，當時在北京有很多漂泊的貧窮士子，他們也希望通過自己的一技之長來謀生。這樣，雙方正好一拍即合，形成了巨大的傭書供需市場。據戴肇辰修《（光緒）廣州府志》卷136載：「梁肇文，字景圖，沙頭人，乾隆三十年乙酉選授興寧教諭，……引見，改直隸昌黎。邑士多貧，恒就四庫館傭書自給。」[68]從這條材料可看出，當時昌黎的讀書人常到四庫館幫人抄書，可見其需求之大。這正如張塤《竹葉庵文集》卷六〈偶成口號三首〉所說的：「今年得奉君王詔，廡下傭書價值多。」[69]需要注意的是，傭書自給，是指通過幫人抄書來謀生。因為謄錄都是自備資斧的，能通過抄書來謀生的，肯定都是傭書者（代人抄書者），例如，陸元鋐編《彡石自訂年譜》（譜主：陸元鋐）載：「乾隆四十五年，北上會試被落。……遂留京邸，寫《四庫》書以資旅□。」[70]孫星衍《五松園文稿》卷一〈孫忠愍侯祠堂藏

---

67 〔清〕朱筠：《笥河文集》（北京市：中華書局，1985年《叢書集成初編》本），卷7，頁139〈靈壁徐薛君百歲畫像記並贊〉載：「薛君之女之子縣拔貢生王家杞，自縣來應朝考，試罷名隸四庫全書館寫書，乞假，暫還其縣。」剛當上謄錄，即乞假歸，雖未提到請人代抄，但推想他只有請人代抄才能完成任務。又如〔清〕戴殿泗：〈布政使理問鄭三雲墓誌銘〉，《風希堂文集》，卷四載：「君諱辰，字薇北，別字三雲，慈谿人。……戊戌朝考後充四庫館謄錄，聞母病，束裝歸，侍養三年始逝世，哀毀骨立。服闋抵都，議敘布政使理問，分發江南。」（續修四庫全書編委會編：《續修四庫全書》〔上海市：上海古籍出版社，1996-2003年影印本〕，冊1471，頁104下-105頁上）鄭氏要完成謄錄的任務，估計也得請人代抄。

68 〔清〕戴肇辰修：《（光緒）廣州府志》（臺北市：成文出版社，1966年影印《中國方志叢書》本），冊3，頁391上。

69 續修四庫全書編委會編：《續修四庫全書》（上海市：上海古籍出版社，1996-2003年影印本），冊1449，頁151上。

70 北京圖書館編：《北京圖書館藏珍本年譜叢刊》（北京市：北京圖書館出版社，1999年），冊118，頁22。

書記〉載：「嘗應試入都，傭書四庫館，所見書益宏多。」[71]

下面這個例子更能說明傭書（代抄）的一些問題，據錢景星編《露桐先生年譜前編》卷一（譜主：李殿圖）載：「（乾隆）三十八年，……五月，仲弟矞圖以屢試不第，捐廩貢入成均，充四庫全書處謄錄。六月，婦朱氏疾，劇歸，所領官書先生於百忙中代為鈔寫。七月，朱氏卒，先生謀令夫人歸里葬弟婦朱氏，而奉太夫人來都。時有同鄉友人充謄錄回籍，以書費留先生所覓人書寫，先生乃付夫人作路費兼為葬資，其應繳之書，與弟吏部公得閒則書，溽署篝燈，腕下皆生瘝疹。九月，太夫人至，所借傭貲償畢，而仲弟之本課尚缺，晝短天寒，日不暇給，乃與季弟謀曰：新例尚未在頭卯，為設法捐分訓，則不須為此矣。季弟曰；捐貲安在？先生曰：所需六百餘金，典田得半，揭債得半，則事濟矣。季弟曰：母難之，若何？先生曰：鬻產以求官，母固不許矣。事成而後言之，則又未嘗不樂也。乃令仲弟歸，如所指籌之，遂納貲，而名次仍掣在後，先生窘甚。計仲弟仍為謄錄，尚可早銓，乃復理舊業，而速其銓期。」[72]從上述可看出，李殿圖之二弟因事回老家無法抄書，李殿圖幫其弟抄書；後又有友人托其請人抄書，並留下抄書錢，李殿圖花了這抄書錢，只好與其弟幫友人抄書。後來，因耽誤了其二弟的功課，想通過捐納得官而離館，但也不如願，只好又加緊再抄書。可見當時傭書（代抄）的普遍性。

另據劉鳳誥《存悔齋集》卷六〈經進文〉〈代某恭擬謝折〉載：「從前各館修書需用謄錄，多由落第之舉、貢、生、監中考取挑取，與胥役微賤不同。凡初到館時，止取親身供結，迨繕寫時，止取字畫

71 〔清〕孫星衍：《五松園文稿》（北京市：中華書局，1985年《叢書集成初編》本），頁6。

72 北京圖書館編：《北京圖書館藏珍本年譜叢刊》（北京市：北京圖書館出版社，1999年），冊109，頁76-78。

端楷、功課足數，並不計其是否本生親筆，抑係雇人替寫，與考試代倩不同。至該生等或本來字跡平常，或因事偶須告假，因係官人，不容耽誤，向來雇人代寫，自出筆資，既不敢告知提調，自誤將來議敘考成。在提調等亦止就其所交字數核算功課，未便問其出資多少；牽涉嫌疑，遂亦不問其為代書何人，惟期易於催辦。且謄錄遇有更換，其所雇之書手仍係原人，字畫既屬整齊，而繕寫體例亦俱熟諳，此歷來各館辦書實在情形，臣到京三十年以來所熟聞者也。臣自嘉慶四年充實錄館纂修，其時補繕五朝《實錄》，係諮取鄉會試落第舉子充當謄錄，因距四庫館藏事日久，京中召募書手為難。」[73]作者（曾任聚珍本校對官）寫此文雖在嘉慶時，但所說的情況恰巧應該就是乾隆時各書館（包括四庫館）謄錄的情況，從中可以看出：其一，初到館時，只要謄錄親自提供的保證書。其二，後來交稿，就只看稿子不看人（謄錄者）。其三，提調雖對謄錄者有懷疑，但只圖省事，也不查究。其四，中間謄錄有變換，但所雇用抄手不一定變。其五，到嘉慶四年時，由於四庫館散館已久，沒有了大規模的代抄市場，要雇用抄手代抄已頗覺困難。

　　綜上所述，傭書（也可稱助抄）在四庫館中非常普遍，而這一普遍現象正可與四庫館中普遍存在的助校現象相互印證、相互發明。這兩種現象是相輔相成的，其性質也基本是一樣的，均體現出《四庫》修書官書私辦的特點。

---

73 續修四庫全書編委會編：《續修四庫全書》（上海市：上海古籍出版社，1996-2003年影印本），冊1485，頁585。

第五節　謄錄的出路

一　議敘

謄錄議敘是久已形成的一種傳統，清朝開館修書，也多是如此辦理[74]，因此，四庫館謄錄議敘，其實是當時的一種慣例。關於四庫館謄錄議敘，前人已有較多論述，這裏談談前人論述較少涉及的地方。

（一）關於議敘程序

謄錄的議敘程序包括：

其一，論功分等議敘。據永瑢等「為請旨事」（乾隆四十三年□月十四日）載：「本年二月內，臣等辦理《永樂大典》五年期滿，請將謄錄、供事人等從優議敘，並聲明全書、薈要兩處期滿議敘，一體辦理，等因。具折恭奏，蒙恩賜部議復允准，欽遵在案。……該謄錄等俱屬黽勉勤奮，相應請旨加恩議敘，恭候命下，臣等覈其繕寫多少、工拙，分別等第，造具清冊，移諮吏部查核。其進士、舉人、貢監、生員及捐納七品以下小京官並外官布政司經歷、理問、州同以下等官，俱仍照原議《永樂大典》章程分別議敘。」[75]在分等議敘時，也會考慮謄錄原來的出身。

其二，驗明身份。據永瑢等「為奏聞事」（乾隆四十三年□月十

---

74 〔清〕錢載：〈知夔州府事徐君墓誌銘〉，《蘀石齋文集》卷22載：「徐君……諱良，……乾隆辛酉，以考取補內閣中書，壬戌，充玉牒館謄錄官。乙丑，玉牒成，議敘加一級，……」（續修四庫全書編委會編：《續修四庫全書》〔上海市：上海古籍出版社，1996-2003年影印本〕，冊1443，頁466上）可見，玉牒館謄錄也是議敘的。

75 張升編：《四庫全書提要稿輯存》（北京市：圖書館出版社，2006年），冊4，《江蘇採進遺書目錄》，卷首，頁49-51。

六日）載：「竊《四庫全書》及《薈要》各謄錄現屆五年報滿之期，人數較多，其中寄籍冒籍均所不免。且聞向來冒籍之人，慮為人所指，因自為更易三代姓名。遇清釐冒籍之時，伊等恐甘頂冒姓名之咎，憚於更正，該館實無從憑稽，自應責成地方官徹底查報，以杜弊混。而此等冒籍之人，在順天府籍貫者尤多，相應請旨，凡謄錄內籍隸順天者，除照例核計功課諮部外，一面將姓名年貌三代履歷中式科分報捐年月，由館詳悉造冊，諮順天府確實核查。如實係土著，即具土著同鄉六品以上京官印結，由順天府加結，諮部核明議敘。其有別省占籍，呈請改歸原籍，並請改三代的名者，即取具本籍同鄉六品以上京官切實印結，諮部，仍由部行查原籍省分相符，方準議敘。若籍貫無可稽核，及三代姓名可疑，即扣除不准議敘。其在山東等省商籍者，亦應一體諮行各省詳悉查核。倘此次清查之後，仍復影射不改，別經發覺，即照例斥革治罪。至供事內有籍隸順天者，亦照此辦理。再，查各謄錄內前由臣館考取者，並經取有同鄉京官印結收考，但越時已久，應令原出結官再加印結，以便核對。如原出結官有陞遷、事故、出京者，亦令別取同鄉京官印結送查。至兩次鄉試落卷內挑取謄錄，但憑本生具呈到館，亦無以昭慎重，應各令補取同鄉京官印結投館在案。俟期滿時，仍行取結，黏連親供呈報，似於核實防弊之道，稍有裨益。」[76]

後來的議敘，也主要是依據這樣的程序，但增加了一道考試，據乾隆四十九年閏三月二十五日「題為諮送事」載：「今將全書處自肆拾捌年柒月初起至玖月底止秋季陸續報滿各謄錄覈其字數多寡、優劣，分別等次，逐一開具年貌、籍貫、三代履歷、到館日期、中式科

76 張升編：《四庫全書提要稿輯存》（北京市：圖書館出版社，2006年），冊4，頁53-55。此摺收有此次議敘之各謄錄及供事姓名及身份等內容，而張書才主編：《纂修四庫全書檔案》（上海市：上海古籍出版社，1997年）中該摺沒有收此部分內容。

分、報捐年月,詳悉造具清冊,諮送吏部查照,分別辦理,等因。臣部查冊開謄錄捐職、捐監年月事例並舉人中式科分名次,以及附生等項入學年分,照冊開單移諮戶、禮二部查明是否相符。諮查去後,今準戶、禮二部查明均屬相符,等因。於本年閏三月初五等日陸續諮復到部。……應照臣部題定條例分別列款定議:……」以下開列各種不同等次及身份的謄錄分別議敍情況:謄錄內列為一等之捐職小京官;一等之舉人,二等之舉人,二等之進士;一等之捐職州同等項;一等之捐職鹽大使;一等、二等之肄業期滿候選教諭;一、二等之恩拔副歲貢生;一、二等之監生;一、二等之增生、附生。「以上議敍各員,均照例給與議敍執照,取具本館諮文並同鄉京官印結投部,仍俟考試錄取後,再行各按班次註冊,分發銓選。」[77]以上授職,最高為試用知縣,最低為未入流,但都需等候,遇缺、考試、按班次錄用,非常麻煩。

(二)關於考試

如前所述,謄錄議敍,原先不用考試,後來為了慎重起見,增加了考試一關,由乾隆出題,據「都察院為吏部奏請議敍四庫館年滿各員欽奉諭旨事致稽察房移會」(乾隆四十四年二月)附「吏部尚書德保等奏將四庫館年滿議敍人員嚴加考試摺」載:「查四庫館效力年滿人員,節經該館奏明從優議敍,分別銓選分發,仰蒙恩旨允准,遵照在案。但該館此次議敍人員非別館可比,人數眾多,其間品目不一,材質亦自有不同。至得缺分發時,雖有九卿驗看之例,不過徒觀外貌,與材具是否可用,身家是否清白,一時斷難周至。查正印各官均

---

77 張偉仁主編:《明清檔案》(臺北市:中央研究院歷史語言研究所,1995年)A240-45。乾隆四十五年五月二十六日已對年滿五年的謄錄議敍過,而在乾隆四十八年夏季以前行走五年期滿的謄錄也已經在此之前諮送吏部議敍在案。

繫職膺民社，責成綦重，即佐雜等項，亦自有身任地方之責，若不詳
慎甄核，累示區別，一經議敘，即概予銓選分發，誠恐不免濫竽，致
滋貽誤。臣等公同悉心酌議，凡此項年滿議敘人員，臣部匯齊人數五
十名以上，奏請欽命策題，並特派大臣監試，御史入場嚴加考試，仍
令原出結之同鄉京官臨場認識，無許混冒。其有考試正途出身者，必
須文理通順，即由貢監捐納出身，亦須字畫端楷方準入選，註冊銓
選，驗看分發，始於地方有益。倘文義字跡俱不堪錄取，即將該員扣
除，其有原班可歸者，仍歸原班選用，無班可歸，只留其出身，不准
其濫邀議敘。如考試時無故臨場不到，照規避例議處。如此稍為區
別，庶民事不致濫膺，而吏治益昭慎重矣。」[78]現存檔案中保留有這
種考試的試題，即國家清史編纂委員會「國家清史工程數位資源總
庫・朱批庫」所收「上次考試四庫館謄錄策題：欽命海塘永固策」。[79]
據此可知，此次乾隆出的題為：「海塘永固策」。另外，據永貴等乾隆
四十七年十一月九日「奏為四庫館謄錄臣部擬於十一月初十日考試奏
請欽命策題一道事」可知，此次乾隆出的題為「河東鹽法策」[80]。

（三）其它

　　謄錄議敘，根據出身（謄錄有生員、舉人甚至進士出身的，其中
主要是生員）、議敘等級的不同，其得官也多有不同。謄錄大致得官
的範圍為：知縣、州同、鹽大使、通判、主事、主簿、吏目、布政使

---

78 張書才主編：《纂修四庫全書檔案》（上海市：上海古籍出版社，1997年），頁1011-
　 1012。

79 檔案號為：04-01-02-0119-029；縮微號為：04-01-02-006-1757。原整理者將具摺時
　 間定為乾隆十一年，不對。

80 臺灣故宮博物院圖書文獻館所藏清朝檔案，檔案號：403043064。又可參臺灣故宮
　 博物院圖書文獻處文獻科編：《宮中檔乾隆朝奏摺》（臺北市：臺灣「故宮博物
　 院」，1982-1987年影印本），冊53，頁721下。

理問、教諭、縣丞、訓導等。據「戶部為知照查議周興岱等人事致典
籍廳移會（附黏單）」（乾隆五十七年七月十八日）載：「……除謄錄
馮士灝、張同履、蔣傳馨、王藻、施華、沈安邦、徐天駿俱經病胡
（故），均毋庸議。王元愷、左顗若、舒秀岐三員，臣部查節次議敘
冊內並無該員等姓名，業經行文原辦四庫全書處查核，俟查復到日再
議外，應將四庫館謄錄議敘主事任嘉春，議敘通判周瑛，議敘知縣葉
大奇、金國寶、張仲芳，議敘布政使理問袁繼升，議敘州同郭洽怡、
李士照，議敘鹽大使張裕田，議敘縣丞葛瀛三、劉家瑛、鄧以伊、左
詢、沈立鉻，議敘主簿趙廷璋、汪緣，議敘吏目王錫壽，議敘教諭薛
炳文、聞益，議敘訓導劉映壁、何照鄰、田琦紳，領辦供事張珩、童
正宗，均照捏詞朦混降一級調用例，降一級調用，毋庸查級議
抵。……郭洽怡已揀發河南試用，汪緣已分發江蘇試用，俱經告病。
左詢已分發雲南試用，聞益已選授江蘇含山縣教諭，均經丁憂。袁繼
升已分發江蘇試用，李士照已分發貴州試用，葛瀛三已分發江西試
用。張裕田、鄧以伊、趙廷璋俱係候補之員，均應於補官日降一級調
用。任嘉春已補授奉天遼陽州知州，薛炳文已補授江南青浦縣教諭，
張珩已補授安徽廣德州杭村巡檢，童正宗已補授山西盂縣驛丞，俱經
革職，均應降一級調用註冊。」[81]

從上述可看出，其一，謄錄任官，也與其它銓選得官情況類似，
一開始得試用，然後才能實授。其二，有的謄錄雖議敘得某官，但還
得候補，不能馬上就任，如王芑孫《淵雅堂全集》《惕甫未定稿》卷
五〈送董念橋之官廣東序〉載：「……君補順天學官弟子，會朝廷修
《永樂大典》，以繕書敘勞，為鹽場大使，久之，得廣東以去。……

---

81 張書才主編：《纂修四庫全書檔案》（上海市：上海古籍出版社，1997年），頁2313-
2315。

以君之門望人材，紬為小官，或云可惜。」[82]

　　未夠年限的謄錄，可以轉派到他處書館效力，以補足年限，據「多羅質郡王永瑢等奏《歷代職官表》底稿全竣協修等可否議敘摺」（乾隆五十年七月十四日）載：「……再，查四十七年正月《永樂大典》告成，有補缺未滿二年謄錄五名、供事二名，經臣等奏明撥入《職官表》補繕功課，今《職官表》業已告竣，應請一併諮部，查照註冊。」[83]

　　由於謄錄人多，一體議敘會造成人多缺少的情況，於是就有了將州同、州判、縣丞、主簿四項官缺，預留為全書謄錄議敘之用的建議，據「多羅質郡王永瑢等奏戈源請將謄錄計字議敘應毋庸議摺」（乾隆四十年四月十五日）載：「……至該御史慮及五年後一體報滿議敘，恐銓法壅滯之處，查現在謄錄六百餘人，出身既各不同，職銜又復不等，且現在捐款內曾奏將州同、州判、縣丞、主簿四項，留為全書謄錄捐銜議敘之階，而各謄錄中，尚有自行報捐別項職銜者。是就六百餘謄錄而論，似覺人多，而以各項職銜分捐，則不虞缺少。至議敘時，尚須定其優劣等差，分別前後，各予以進身之途。且以五年議敘一次，按次就銓，似不致有壅積。」[84]

　　謄錄得官較低，所以對一些有懷抱的士子來說，並未見得有多高興，據趙懷玉《亦有生齋集》文卷十二〈劉秩卿行略〉載：「秩卿諱理之，一字叔如，……為今尚書協辦大學士會稽梁公贅婿。……以四庫館議敘得州同知，非其志也。」[85]俞蛟《夢厂雜著》卷一《春明叢

82 續修四庫全書編委會編：《續修四庫全書》（上海市：上海古籍出版社，1996-2003年影印本），冊1481，頁20下。董氏應為四庫館大典處謄錄。

83 張書才主編：《纂修四庫全書檔案》（上海市：上海古籍出版社，1997年），頁1887。

84 張書才主編：《纂修四庫全書檔案》（上海市：上海古籍出版社，1997年），頁379。

85 續修四庫全書編委會編：《續修四庫全書》（上海市：上海古籍出版社，1996-2003年影印本），冊1470，頁166上。另據〔清〕李祖陶輯《國朝文錄・惕園初稿》文卷一

說上》〈謝少山傳〉載:「……家貧親老,迫於祿養,會朝廷開四庫館,應募繕書,得以丞倅需次銓曹,懷才不遇,此其所以放情曲 ,悲歌慷慨,良有以也。」[86]

需要注意的是,謄錄中有個別人曾被選派為收掌官,但其最後也是按謄錄的身份來議敘的,據「武英殿總裁王杰奏請增提調收掌以專責成摺」(乾隆四十五年三月初九日)載:「……並請於現在謄錄中酌派收掌四人,凡正本、底本匯齊之後,分送總校、總裁校對抽閱,令其專司登記,既不致互相推諉,又可以彼此稽核,於公事當為有裨。……其收掌四名,擬即於謄錄中選擇明白謹慎之人,仍令自備資斧,效力期滿,免交繕寫字數,照例議敘,如有貽誤,亦即諮革。」[87]

二　其它出路

謄錄最普遍的出路是議敘。但是,謄錄的出路並非只有議敘一途,還有:參加科舉考試、捐納得官。在館期間,謄錄及其它館臣均是可以參加科舉考試的,一旦考中,若得官就可以離館或出任更高級的館職[88],而且得官時還可以因在館抄書有功而獲得加級,因此,當

《紀蔡於麓先生遺事》載:「先生幼為大父所器,不令遽治舉子業,……四庫館初開,人多勸入都謀一官,先生自以曾大父、大父兄弟多起家諸生明經,雖擁節旄列仕州縣,竟未一第,己復借他途進,非祖父志,不屑也。」(續修四庫全書編委會編:《續修四庫全書》〔上海市:上海古籍出版社,1996-2003年影印本〕,冊1670,頁735上。《惕園初稿》為清陳庚煥著)這應該是指入館通過做謄錄來謀官。據此可見,人們比較輕看謄錄的出身。

86 俞蛟:《夢廠雜著》(上海市:上海古籍出版社,1988年),頁9。

87 張書才主編:《纂修四庫全書檔案》(上海市:上海古籍出版社,1997年),頁1155-1156。

88 例如,〔清〕據王芑孫:〈誥封朝議大夫累封中憲大夫翰林院檢討何公行狀〉,《淵雅堂全集》《惕甫未定稿》,卷十五載:「公姓何,諱思鈞,……蚤喪父母,長於其兄

時謄錄投考及捐納是普遍存在的現象，只不過真正考中、捐納得官加
級的人並不多。例如，前引「吏部尚書劉墉等奏遵旨清查《四庫全
書》字數書籍完竣緣由摺」（乾隆五十一年二月十六日）載：「……年
限未滿，中式、捐納得官給予加級者六十二名。」又如趙希璜《研椒
齋文集》卷一〈公祭同年黃遜來文〉載：「君於丁酉選拔貢入成均，
與某某為同歲生，戊戌來京廷試，交遊半天下名士，旋以朝考不與
選，入四庫館為謄錄官，非君志也。己亥恭逢聖天子七旬萬壽，詔開
恩科，君應京兆試，顧不獲雋，而中副車，與鄉人某某又為同歲生，
交遊益廣，而天下之名士皆重君為正人。」[89]

　　有的謄錄即便獲得議敘的機會，也不謁選，而選擇科舉考試，以
求得更好的出身，例如，錢楷《綠天書舍存草》卷首阮元〈安徽巡撫
裴山錢公傳〉載：「公姓錢，諱楷，浙江嘉興人。……乾隆四十二
年，選貢入成均，充四庫館謄錄。……四十八年癸卯，順天鄉試舉
人。《四庫》書成，議敘知縣，不謁選。五十四年己酉恩科，禮部會
試第一，殿試二甲進士第一，選庶起士，習國書。……」[90]當然，這

戶部主事贈御史思溫。思溫以謁選挈公就學京師，公時年二十矣。先後從姚刑部
鼐、泰州侍翰林朝講問，試京兆連絀，而思溫出為縣浙江，公還家。乾隆三十五年
中山西鄉試副榜，明年中鄉試舉人。後三年，薦充四庫全書館謄錄。又三年，中會
試，以吳錫齡榜同進士出身，改庶起士。其年冬，充武英殿纂修，入四庫全書館為
分校官。又二年，改總校官。明年，散館，改部主事。以總校故，仍留教習。明
年，書成，敘勞改授檢討，仍充總校。又三年，以疾自告解職，專理書局。明年
冬，並解局事。」（續修四庫全書編委會編：《續修四庫全書》〔上海市：上海古籍
出版社，1996-2003年影印本〕，冊1481，頁156下）可見，何思鈞原為謄錄，後因考
中進士，選庶起士，得以派為分校官、總校官，而不再任謄錄。

89 續修四庫全書編委會編：《續修四庫全書》（上海市：上海古籍出版社，1996-2003年
影印本），冊1472，頁15下。

90 續修四庫全書編委會編：《續修四庫全書》（上海市：上海古籍出版社，1996-2003年
影印本），冊1483，頁332上。錢氏後來官至巡撫，這與其出身翰林有關。若是他只
是以謄錄議敘得官，應該不會做到這麼大的官。

是比較冒險的做法，因為由謄錄能考上進士的不多，能由進士入翰林的就更少。而且，即便考中進士，能授知縣一職也是不錯的結果，因此，絕大多數謄錄是不會放棄謄錄議敘機會的，尤其是議敘得知縣一職，可以說是謄錄議敘最好的結果了。

　　既然謄錄可參加科舉考試（因為謄錄出身絕大多數是貢、監等生員，主要是參加鄉試。其中監生是可以直接參加順天府鄉試的，這裏主要談談監生之外的外籍生員），必然會耽誤謄錄的功課。那麼，他們是就近參加順天府鄉試，還是回原籍鄉試呢？據英匯等〈欽定科場條例〉卷四載：「乾隆四十四年奏准四庫全書處謄錄內有寄籍順天入學，旋經遵例改歸該省原籍，並有由召試二等在館行走各生，以在館謄錄不能回原籍應試，俱呈請就近在順天鄉試，應准其按照省分歸於南北中皿字型大小，照例由本館諮送國子監一體錄科鄉試。」[91]「諭著現充四庫館謄錄之各省生員歸入皿字型大小應順天鄉試」（乾隆四十四年五月二十五日）載：「著准其歸入皿字型大小，應順天鄉試。欽此。」[92]可見，謄錄一般是就近參加順天府鄉試的。

　　有的報捐之謄錄，得官需時，也可暫留館中抄書，據「奏報編寫《四庫全書》事」（乾隆三十九年二月十三日）載：「近因川運事例既開，謄錄中頗有急公之人報捐各項班次，冀得早為選用。其謄錄缺，例應告退。但該生等俱係熟手，一經退卻，即須另補。現在記名謄錄將次用完，既不敷補用，若另行召募考試，亦費周章，且易一生手，一應謄寫體例，未能熟諳，易致錯誤。而各謄錄就捐之缺，多寡不一，故得缺亦遲早不齊。……臣等公同商議，凡謄錄中報捐人員，除……外，其餘已就捐而得缺尚遙，如有情願仍在四庫全書處效力

---

91 續修四庫全書編委會編：《續修四庫全書》（上海市：上海古籍出版社，1996-2003年影印本），冊829，頁746。

92 張書才主編：《纂修四庫全書檔案》（上海市：上海古籍出版社，1997年），頁1056。

者，請准其照常繕寫，統俟五年期滿，課程如額，請旨一體酌予憂敘。……依議。」[93]對於這些人，在議敘時可以從優考慮。

三 甄查謄錄出身之官員

謄錄議敘人員眾多，肯定會良莠不齊。乾隆四十七年，乾隆利用謄錄出身的知縣唐燦被參奏之事，下旨在全國範圍內對四庫館謄錄出身的官員進行嚴格的甄別、查核，以觀察其是否為合格之官員。據「寄諭各省督撫務須留心體察四庫館議敘分發人員毋稍姑容」（乾隆四十七年十月十一日）載：「……據雅德參奏玩視命案、廢弛闒茸之四庫館議敘試用知縣唐燦，請革職以肅吏治一摺，已批交該部知道矣。雅德此奏甚是。四庫館議敘人員，俱照例分發各省試用，雖其中自不無一、二可用之材，但開館之初，工程既大，所用人數眾多，其在館效力，亦不過雇覓鈔胥，為博取功名之地，未免賢愚混雜。督撫之責，專在糾察屬吏，凡有曠官溺職、貽誤地方者，原應隨時糾劾，立掛彈章，而於四庫館議敘分發人員，尤應嚴為甄別，不可稍事姑息，致滋玩誤。著傳諭各省督撫，務須一體留心體察，如有似此分發不職之員，即行據實參奏。其庸碌無能者，或改教，或休致，毋得稍事姑容，以仰副朕澄敘官方、整飭吏治之意。將此遇便諭令各督撫知之。欽此。」[94]

在此之後，各地遵照乾隆的指示，一一上報謄錄出身官員的履職情況，如李世傑「奏為遵旨隨時體察甄別四庫館議敘分發來豫之試用知縣人員以清吏治事」（乾隆四十七年十一月十四日）、尚安「奏復甄

---

93 國家清史編纂委員會「國家清史工程數位資源總庫‧錄副庫」，檔案號（缺）。
94 張書才主編：《纂修四庫全書檔案》（上海市：上海古籍出版社，1997年），頁1666。

別廣東廣西兩省由四庫館議敘出身之知州知縣人數事」(乾隆四十七年十一月二十日)、畢沅「奏為查明分發四庫館議敘人員之優劣遵旨奏復事」(乾隆四十七年十二月六日)、朱椿「奏報嚴查四庫館分發知縣情形」(乾隆四十八年三月八日)、朱椿「奏復隨時糾劾四庫館議敘人員事」(乾隆四十八年三月八日)[95],「軍機大臣奏遵旨詢問四庫館議敘縣丞張起隆情形片」(乾隆四十七年十二月二十八日)載:「遵旨詢問張起隆。據稱:於乾隆四十四年由四庫館議敘縣丞,分發河南試用,未經補缺,四十五年蒙恩襲職。起隆自幼於經典科儀素亦留心學習,自承襲後即敬謹朝夕禮斗,並於一切祈禱法典認真演習,現在尚能曉得等語。謹奏。」[96]

順便一提的是,到詳校《四庫》時,乾隆又讓那些原任謄錄時抄書有錯誤的官員繳錢賠補,據「質郡王永瑢等奏請令議敘謄錄內現任及候補知縣各官分繳養廉以為雇人繕書發價折」(乾隆五十三年五月十七日)載:「查從前議敘纂修、總校、分校各員,或註銷議敘,或罰廉俸,或罰看書,俱已分別示儆。惟謄錄內舉人、知縣一項,議敘最優,現俱散在各省,無從效力。揆之情理,實覺偏枯。臣等公同酌議,除事故降革者無庸議外,其現任及候補各員,擬令各繳公費。查議敘各員內,或系現任知縣,或由知縣升至知府、同知、知州、通判各員,均令於現任內各繳養廉銀半年;其現在各省試用候補者,繳銀照現任中缺半年養廉三分之一;其丁憂、告病回籍各員,應俟起用之日分別實缺、候補,一律照數繳出。均令該督撫隨時搭解廣儲司,以備公用。此後添繕書籍,一切雇人繕寫,俱以此項發價。現在武英殿

---

95 以上均見臺灣故宮博物院文獻館所藏清朝檔案,檔案號分別為:403043138;403043216;403043456;032396。

96 張書才主編:《纂修四庫全書檔案》(上海市:上海古籍出版社,1997年),頁1700。

交來之《欽定詩經樂譜》全書，即照此辦理。」[97]

本章小結

綜上所述，茲總結如下：

一、四庫館大約於乾隆三十八年三月中旬開始徵召謄錄。謄錄的選取，主要有下面幾個途徑：館臣舉薦；投考；從順天鄉試落榜生中選取；通過朝考從貢生中考選；從召試中選取；恩賜。

二、隨著修書的進行，由於議敘、中式、捐納得官、身故、丁優等原因，謄錄不斷離館，這樣就需要隨時充補。特別是五年期滿議敘之後，大批謄錄離館，需要大量地充補。從乾隆三十九年起，四庫館開始從順天鄉試落榜生中選取候補謄錄。這些候補謄錄在候補期間抄的書，只能算入贏餘中，而不能計入正常應完成的抄書量。

三、除一般的謄錄外，四庫館還有一些特殊的謄錄，即繪圖謄錄與篆隸謄錄，這些特殊謄錄額設為十六人。

四、所有四庫館的謄錄，均是自備資斧效力的。

五、四庫館日常在館謄錄的數量大約是七百一十六人（不包括在四庫館額外抄書的候補謄錄），其中翰林院四庫館大典處額定為六十人，聚珍處謄錄額定為十人，繕書處謄錄額定為四百人，薈要處謄錄額定為二百人，篆隸及繪圖謄錄額定為十六人；總目處、考證處謄錄額定為三十人。

六、四庫館前後在館謄錄的總數為三千餘人，其中武英殿四庫館繕書處及薈要處前後在館謄錄為兩千八把四十一人，大典處、聚珍處、總目處與考證處前後在館謄錄總數為二百人以上。

---

97 張書才主編：《纂修四庫全書檔案》（上海市：上海古籍出版社，1997年），頁2124-2125。

七、謄錄的工作主要是抄書。如果是篇幅小的書，一般是由一名謄錄負責抄寫全書，由一名分校官校對；若是篇幅較大的書，則可能會由多名謄錄抄寫，而由一名或多名分校校對。

八、據四庫館的規定，謄錄的任務是：每天一千字，一年扣去三十天，每年共三十三萬字，五年應為一百六十五萬字。

九、四庫館中謄錄人數最多，管理問題也最大，其中較為嚴重的是賄買與傭書現象。賄買，是指將謄錄之名額賣與他人，由他人代自己謄錄及議敘。乾隆四十四年查出四起賄買案，但是，筆者推測，四庫館中賄買、頂名之事肯定不會只有這四起，應該還有不少。傭書，即請人代抄。請人代抄在四庫館中是公開的秘密。傭書的普遍性造就了當時北京巨大的傭書供需市場。傭書（也可稱助抄）這一普遍現象，正可與四庫館中普遍存在的助校現象相互印證，體現出《四庫》修書官書私辦的特點。

十、謄錄的主要出路是議敘得官。議敘時是論功分等議敘的，而且要驗明身份。到了後來，還增加了考試一關。謄錄在議敘時，根據出身、議敘等級的不同，其得官範圍為：知縣、州同、鹽大使、通判、主事、主簿、吏目、布政使理問、教諭、縣丞、訓導等。

十一、謄錄的出路還有參加科舉考試、捐納得官。在館期間，謄錄及其它館臣均是可以參加科舉考試的，一旦考中，若得官就可以離館或出任更高級的館職，而且得官時還可以因在館抄書有功而獲得加級。有的謄錄即便獲得議敘的機會，但由於得官較低，也不謁選，而選擇科舉考試，以求得更好的出身。謄錄一般是就近參加順天府鄉試。

十二、謄錄議敘人員眾多，肯定會良莠不齊。乾隆四十七年，乾隆利用謄錄出身的知縣唐燦被參奏之事，下旨在全國範圍內對四庫館謄錄出身的官員進行嚴格的甄別、查核，以觀察其是否為合格之官員。

第七章
《四庫》編修中的助校現象

　　助校是指代人校勘。[1]《四庫》編修中存在著普遍的助校現象，可惜的是，到現在為止，學界關注不多。就筆者所知，較早指出《四庫》助校現象的是《四庫全書答問》一書。[2]在此之後，尚小明在其《學人遊幕與清代學術》中進一步指出：「遊幕學人所校之書，不僅包括官方所修之書，如丁傑、洪亮吉、淩廷堪、汪中等均參與《四庫全書》的校勘，……」、「比如《四庫全書》的纂修，自開館至第一部書成，歷任館職者共三百六十人，堪稱學者的不過戴震、邵晉涵等二十餘人。其它人多靠延聘職業學者來完成自己所承擔的工作。章學誠說『自四庫館開，寒士多以校書謀生』，講的就是這種情況。像丁傑、洪亮吉、淩廷堪等學者都曾應四庫館官員校書之聘」。[3]不過，他說四庫館中只有二十餘人堪稱學者，而學者之外多請人校書，這些提法是不準確的。學者肯定不止這二十餘人，而且，也並不是只有非學者才請人校書。最近，史廣超也指出，四庫館開館期間，有學者以私

1　這是廣義上的校勘，包括文字校對、考訂，圖書編修、核查，甚至還包括提要稿的撰寫等。魏芳華認為可以把這種助校稱為外校。參魏芳華：〈《四庫全書》專職校對隊伍分析〉，《中國出版》1998年第10期，頁52-54。至於臨時性就校勘中的問題請教他人，來往商榷，不屬於本書討論的助校範圍。

2　任松如：《四庫全書答問》，頁14載：「問十一，當時有專門名家未列館職，以私人資格助理館事者否？有之。浙江歸安丁傑，字升衢，號小山，一號小疋。肆力經史，旁及六書音韻算數，長於校讎，與翁方綱、朱筠、戴震相友善。四庫館開，翁與朱、戴共延丁氏助理校勘之事，丁氏實未列名於館職者也。」

3　分別見尚小明：《學人遊幕與清代學術》（北京市：社會科學文獻出版社，1999年），頁35、頁203。

人資格助理館事，其中有盧文弨、丁傑、孫星衍、孔繼涵等人，其貢獻主要在：為館臣提意見；抄錄輯佚之初稿本。[4]這些認識有非常重要的參考價值，但其認定助校者的貢獻太過簡單。事實上，四庫館臣上至總裁，下至分校，均請人助校、助辦書，可以說，助校的工作涉及四庫館辦書的方方面面。

第一節　助校的來源與助校者

一　助校的來源

助校現象不是突然出現的，它普遍存在於清代及前代很多官方修書活動中。以清朝為例，乾隆初年的三禮館修書，就有不少助校者，如江永[5]、沈廷芳[6]等。不過，與其它書館相比，四庫館助校現象要更

4　史廣超：《《永樂大典》輯佚述稿》（鄭州市：中州古籍出版社，2009年），頁59。不過，筆者未發現孫星衍為助校者之證據。

5　林存陽：《三禮館：清代學術與政治互動的鏈環》（北京市：社會科學文獻出版社，2008年），頁78。江錦波、汪世重編《江慎修先生年譜》「乾隆五年，六十歲」條載：「休甯山斗程太史恂，敦請館於其家。……」（北京圖書館編：《北京圖書館藏珍本年譜叢刊》〔北京市：北京圖書館出版社，1999年〕，冊92，頁4）戴震：〈江慎修先生事略〉：「先生嘗一遊京師，以同郡程編修恂延至之也。三禮館總裁桐城方侍郎苞，素負其學，及聞先生，願得見，見則以所疑〈士冠禮〉、〈士昏禮〉中數事為問，先生從容置答，乃大折服。而荊溪吳編修紱，自其少於禮儀功深，及交於先生，質以《周禮》中疑義，先生是以有《周禮疑義舉要》一書。此乾隆庚申、辛酉間也。」（《戴震文集》〔北京市：中華書局，1980年〕，卷12，頁181）以上程、方、吳諸人均任職三禮館。

6　林存陽：《三禮館：清代學術與政治互動的鏈環》（北京市：社會科學文獻出版社，2008年），頁98。〔清〕沈廷芳：〈儀禮章句序〉，《隱拙齋集》卷36載：「余向同問禮於子方子（指方苞）之門，時校《三禮》於朵殿，間為參酌。自慚弇陋，無能為役。」（載《清代詩文集彙編》〔上海市：上海古籍出版社，2010年〕，冊298，頁503上）沈氏並未入館，但幫參酌。

加突出，這與當時助校資源的豐富性有密切的聯繫。

　　助校者普遍來自於未入仕的士子，而京師是清朝士子最集中的地方。京師之所以能長期吸引士子彙聚於此，主要是因為：其一，每屆會試，全國士子雲集北京。考試後，其中不少士子還滯留京師，遊學、交友，尋求晉身之機。其二，結交朝廷官員，對自己的科舉考試、仕途、學術均有好處。其三，京師是圖書流通、學術交流之中心，在此能有助於自己的學術發展。其四，朝廷開館修書非常普遍，可以在此助人校書、修書、抄書等，以謀取生計。其五，可以在朝廷官員家處館或者入其私幕，既可交結官員，又可藉以謀生。其六，可以代人捉刀，獲取潤筆以謀生，也可以藉此邀取名聲。以上這些方面可能概括得並不全面，但僅就這些方面來說，京師對於士子（尤其是寒士）來說，已經有足夠的吸引力了。

　　乾隆時開四庫館，以上的吸引力變得更加明顯、突出，這主要是因為開館初期，四庫館曾召至五徵君，而且四庫館臣（纂修以上）被要求舉薦謄錄入館，這些行為在社會上應有較大影響，很多讀書人希望能借舉薦之途得以進入四庫館，例如，章學誠《周書昌別傳》載：「（在周氏被四庫館徵入後）於是四方才略之士，挾策來京師者，莫不斐然有天祿石渠、勾墳抉索之思，而投卷於公卿間者，多易其詩賦舉子藝業，而為名物考訂，與夫聲音文字之標，蓋駸駸乎移風俗矣。」[7]祝德麟《悅親樓詩集》卷七〈承皇六子質郡王教題畫禪集腋卷子〉載：「方今明詔開石渠，抱一藝者咸梟趨。」[8]趙希璜《研北齋文集》卷一〈重修長寧學宮記〉載：「乾隆三十七年春，詔開四庫全書館，文物聲明之化，燦然大成。海隅徼塞，四方萬里，莫不振興文

7　〔清〕章學誠：《章學誠遺書》（北京市：文物出版社，1985年），頁181。

8　《續修四庫全書》（上海市：上海古籍出版社，1996-2003年影印本），冊1462，頁606上。

教，涵濡聖澤，操觚之士趨韓轂下者近數千人。」[9]阮元〈劉端臨先生墓表〉載：「是時，朝廷開四庫館，海內方聞綴學之士雲集」[10]可見，當時有非常多的士子到京師尋求機遇。這些居留京師尋求發展機會的士子，為助校提供了充足的人選。他們中有不少人通過各種關係（或同鄉，或朋友，或家人，或親戚，或他人推薦，等等）得以成為四庫館臣的助校者。

二　助校者

當時助校者很多，茲就目前所見材料，一一列舉如下[11]：

王際華與朱大庭、邵廷仕（前者為館臣，後者為助校者。下同）。《王文莊日記》乾隆三十九年三月二十日載：「延朱筠、徐立綱、汪如藻、楊昌霖食，商議辦太學志事。西正辭去。又延朱大庭到家，辦對《薈要》事。」乾隆三十九年十一月二十日載：「邵廷仕來（予延之對《四庫全書》也。下榻海掌院）。」[12]朱大庭、邵廷仕，應該均是總裁王際華請的助校者。

王杰與朱文藻。王昶編《湖海詩傳》卷三十八載：「朱文藻，字映漘，號朗齋，仁和人，諸生，有《碧溪草堂詩稿》、《蒲褐山房詩話》。朗齋漁獵百家，取材宏富，精六書，自《說文繫傳》、《佩觿》、《汗簡》及《鍾鼎款識》、《博古圖》諸書，無不貫串源流，會其旨要。又能手親摩寫，非徒以形聲點畫自名小學者可比。韓城相國督浙

9　《續修四庫全書》（上海市：上海古籍出版社，1996-2003年影印本），冊1472，頁1下。不過，四庫館是乾隆三十八年開的，並非如趙氏所說是乾隆三十七年開的。

10　〔清〕劉台拱：《劉端臨先生集》（揚州市：廣陵書社，2006年），頁39。

11　有的士子雖偶而助館臣校書，但雙方沒有明確的助校關係，這種情況一般不收入。

12　以上分別見劉家平、蘇曉君主編：《中華歷史人物別傳集》（北京市：線裝書局，2003年），冊40，頁568下、頁600上。

學時，訪而延之至京師佐校《四庫全書》。且於南齋奉敕考校事宜，亦俱諳習。」[13]韓城相國，即大學士、《四庫》副總裁王杰（韓城人），他曾請朱文藻助校《四庫》。

紀昀與柳先義。李瀚章等修《（光緒）湖南通志》卷一七五〈人物志十六〉〈柳先義〉載：「柳先義，字青岩，乾隆壬午舉人，淹通宏博，下筆千言。寓京師，河間紀昀主修《四庫全書》，聘襄校閱。」[14]可見，總纂紀昀曾請柳氏助校。

朱筠、戴震、翁方綱與丁傑。丁傑與諸多館臣均有聯繫，廣泛參與修書之事。據阮元《揅經室集》《續二集》卷二載：「丁傑，字升衢，歸安人，乾隆四十六年進士，官寧波府府學教授。肆力經史，旁及六書、音韻、算數，長於校讎，於胡渭《禹貢錐指》摘誤甚多。開四庫館，朱筠、戴震皆延之佐校。」[15]翁方綱〈致丁傑〉載：「《復古編》校訖，刻本、抄本俱奉繳。」沈津注：「丁傑，……初至都，適四庫館開，任事者延之佐校，小學一門，往往出其手。」[16]許宗彥《鑒止水齋集》卷十七〈傳〉〈丁教授傳〉載：「教授諱口，字升衢，浙江歸安人。自少篤志，貧不能得書，就書肆中讀，自早至日稷，肆

---

13 《續修四庫全書》（上海市：上海古籍出版社，1996-2003年影印本），冊1625，頁322下。又可參〔清〕潘衍桐輯：〈朱文藻傳〉，《兩浙輶軒續錄》，卷15，載《續修四庫全書》（上海市：上海古籍出版社，1996-2003年影印本），冊1685，頁384下-頁385上。

14 同上書，冊665，第397頁上。

15 參〔清〕阮元：《揅經室集》，《續二集》，卷2，頁1031。又可參李元度：〈丁傑傳〉載：「歸安丁傑，字升衢，一字小疋，乾隆四十六年進士，官教授，肆力經史，旁及六書音韻算數，長於校讎，於胡氏《禹貢錐指》摘誤甚多。四庫館開，朱竹君、戴東原皆延之助校勘，所著書曰《周易鄭注後定》、《大戴禮記繹》、《小西山房文集》。」見〔清〕李元度：《國朝先正事略》（長沙市：嶽麓書社，2008年），卷35，頁1066。

16 沈津輯：《翁方綱題跋手劄集錄》（桂林市：廣西師範大學出版社，2005年），頁473。

主閔其勞,為具食,輒卻之。遂肆力經史,旁及《說文》、音韻、算數,咸有所得。……入都,時方開四庫館,任事者多延之佐校,小學一門往往出其手,因與朱學士筠、戴編修震、盧學士文弨、金修撰榜、程孝廉瑤田等相講習,諸君咸重之。在都十年,聚書至數千卷。」[17]

　　翁方綱與陸廷樞(鎮堂)、丁傑、盧文弨(抱經)、王念孫(石曜)、桂馥(未谷)。翁方綱《翁氏家事略記》載:「……詳舉所知,各開應考證之書目,是午攜至琉璃廠書肆訪查之。是時江浙書賈,亦皆踴躍遍徵善本,足資考訂者,悉聚於五柳居、文粹堂諸坊舍。每日檢有應用者,軌載滿車以歸家中,請陸鎮堂司其事。凡有足資考訂者,價不甚昂,即留買之。力不能留者,或急寫其需查數條,或暫借留數日,或又雇人抄寫,以是日有所得。」陸廷樞,字象星,號鎮堂,直隸大興人,乾隆四十五年進士,與翁氏為同里友人,長期助翁氏校書。翁方綱《復初齋文集》卷十三〈丁小疋傳〉載:「丁傑字升衢,號小山,又號小疋,浙江歸安人,乾隆辛卯舉人、辛丑進士,官寧波府學教授。嘉慶十二年二月卒,年七十。……予為君題北學齋扁在京師宣南坊金氏家,與予對門而居。乾隆戊戌、己亥數年間,無日不相過從,共幾展卷,審正罅漏,如對古人。……予在館中挍讎數年所,時資取益者,盧抱經精挍讎,王石曜、桂未谷精訓詁,而君兼有之。每竟一編,挍簽細字壓黏,倍其原書,皆目光髯影,栩栩飛動處。」[18]陸氏是居翁氏家助校的,而上文提到的丁傑、盧文弨、王念孫、桂馥諸人均是輾轉於各家助校的。

17 《續修四庫全書》(上海市:上海古籍出版社,1996-2003年影印本),冊1492,頁472上。

18 《續修四庫全書》(上海市:上海古籍出版社,1996-2003年影印本),冊1455,頁471。

朱筠與吳蘭庭（字胥石）。秦瀛《小峴山人詩文集》《文集》卷三〈吳胥石五代史記纂誤補序〉載：「余與歸安吳君胥石定交京師，既而別去，不相聞者十餘年，始見於西湖僧舍。余要之至餘幕，晨夕相處，因得窺其藏。……胥石名蘭庭，乾隆甲午科舉人，少承父學，又受業其家牧園先生，於學無不博，尤淹貫諸史，鉤釽剔抉，精審詳覈。既遊京師，館大興朱竹君先生家，盡讀其藏書。會朝廷開四庫館，館臣校勘之役，交倚胥石，胥石又得盡讀所校書，此《五代史記纂誤補》之所為作也。」[19]另據吳蘭庭《胥石文存》附錄〈胥石大兄傳〉載：「兄名蘭庭，字胥石，……兄留京師，受倩纂修諸官書及校閱《四庫》書，因得益讀所未見書。為詩文，大都寄名他氏。……嘉慶丁巳九月弟蘭史述。」〈吳胥石先生墓誌銘〉載：「先生之居京師也，朝貴歲致幣物乞先生代作詩文，初不少靳。至乞其校定之書，刻以行世，削先生姓名，友朋知其事者，為之呼憤，先生弗校也。……先生交遊大半多貴，而先生終不得當於禮部試，充然無慍色，以為吾命固爾，奚足恨。」[20]吳氏館於朱筠家，當然會助朱氏校書。但從上述看，他所助校者可能涉及較多人。也就是說，他並非只是助朱筠校書，還助其它人校書。

周永年（字書昌，號林汲山人）與桂馥、孔廣栻（號一齋）。桂馥《晚學集》卷七〈周先生（書昌）傳〉載：「……後成進士，欲入山治《儀禮》，被徵纂修《四庫》，……然深相知者新安程晉芳、歸安丁傑、虞姚邵晉涵數人而已。借館上書，屬予為《四部考》，傭書工十人，日鈔數十紙，盛夏燒燈校治，會禁借官書，遂罷。」卷八〈王

19 《續修四庫全書》（上海市：上海古籍出版社，1996-2003年影印本），冊1465，頁134下。

20 以上分別見《續修四庫全書》（上海市：上海古籍出版社，1996-2003年影印本），冊1447，頁422下-頁423上、頁424上。

太宜人墓誌銘〉:「餘舊主書昌家,習見太宜人行事。」[21]王太宜人,
即周永年之母。可見,桂馥也館於周永年家。而據繆荃孫〈藝風藏書
記〉載:「《集古文韻海》五卷。明景宋鈔本。宋杜從古撰。……桂氏
手跋曰:序載《永樂大典》一萬五千九百七十八卷,九震韻。初,宋
芝山出示此本,疑北笘姓名不類,訪之周林汲,言《大典》作杜從
古。因就四庫館互勘一過,……戊戌九月十一日曲阜桂馥。」[22]此處
又說桂氏不在周氏家,可能是後來有變化。另據戚學標《鶴泉文鈔續
選》卷八〈石屏續集跋〉載:「《戴石屏續集》四卷,曲阜孔一齋孝廉
為周林汲太史校書時,從《永樂大典》中錄出。」[23]可見,周永年又
請孔廣栻(號一齋,孔繼涵之子)孝廉為助校。

　　劉湄與孔繼涵。祝尚書《宋人別集敘錄》「〈日涉園集〉」條載:
「館臣所輯底本(乾隆翰林院鈔本),今藏北京圖書館,羅振常《善
本書所見錄》卷四記曰:『《日涉園集》十卷,宋李彭撰。各目皆十
卷。此鈔本原欲分五卷,後又分十卷,標目未清。其卷二末有題識一
行云:「乾隆乙未(四十年,1775)借劉岸淮同年纂《大典》散編,
秋八月鈔,初七日校卷九(原稿五卷)。」有眉簽云:「是集乃乙未先
君為同年友劉湄岸淮所編,欲分五卷,未定,鈔此副本。而劉欲以卷
多銜功,遂以五卷為九卷,蓋即共成十卷也。」據此則為四庫輯錄
《大典》之底本。此集除《大典》外,有《仁玉澗小集》錄入者。』
由當日題記,可略知大典本纂輯情況。《日涉園集》五卷,宋李彭
撰,清乾隆四十年孔繼涵家抄本(孔繼涵校並跋)。」[24]可見,助校者

---

21 以上分別見〔清〕桂馥:《晚學集》(北京市:中華書局,1985年影印《叢書集成初
　　編》本),頁202、頁214。

22 〔清〕繆荃孫:《藝風藏書記》(上海市:上海古籍出版社,2007年),頁243。

23 《續修四庫全書》(上海市:上海古籍出版社,1996-2003年影印本),冊1462,頁
　　521上。

24 祝尚書:《宋人別集敘錄》(北京市:中華書局,1999年),頁704。

還助大典本纂修官編定大典本稿本。此所謂先君，應指的是孔繼涵。[25]
除劉湄外，孔繼涵可能也助其親家兼好友戴震、好友邵晉涵校勘了一
些《四庫》大典本（如《舊五代史》等）。[26]孔繼涵為當時未入四庫館
的朝廷官員，亦做助校，這種情況是非常特殊的。

許兆椿與南章先生。許兆椿《秋水閣詩集》卷七〈南章先生以所
著藕湖漁唱見示以詩綴之〉載：「東觀同編未見書，燈花挑落四更餘
（予校《四庫》書時，先生為我代校《摛藻堂四庫全書薈要》者二
年）。風塵我亦添華髮，可及先生薄笨車。」[27]可見，屠南章曾代許氏
校書兩年。由此看來，雖然代校者可以隨時離去，但是長時間為某一
館臣代校的情況應該也不少。

程晉芳（字魚門）與沈叔埏。沈叔埏《頤綵堂文集》卷八〈書自
補唐會要手稿後〉載：「乾隆戊戌九月，魚門太史屬余校《唐會要》
百卷。……」[28]沈叔埏為《四庫》分校官，但在為程晉芳校《唐會
要》時，並未入館。

孫溶與洪亮吉（號北江）。據呂培等編《洪北江先生年譜》（譜
主：洪亮吉）載：「（乾隆）四十四年，……時先生服闋歸里，決計攜
弟北上別謀進取。……五月初二日抵都，居黃君景仁寓齋。時四庫館
甫開，讎校事繁，座師董公誥為總裁官，屬總校江寧孫舍人溶延先生

---

25 劉氏與孔氏均為山東人，同於乾隆二十五年中舉，故稱同年。此題記應為孔繼涵之
　子廣栻作。

26 可參本書第八章。陳尚君輯纂：《舊五代史新輯會證》（上海市：復旦大學出版社，
　2005年），冊12，頁4630，章鈺〈孔荭谷校薛居正《五代史》跋〉云：「壬子九月，
　群碧樓收得邵氏本一帙，檢一百三十一卷、一百五十卷後觀款，知校勘出孔荭谷戶
　部手。」只不知，孔氏之助校是為修《四庫》，還是在《四庫》本修成之後？

27 《續修四庫全書》（上海市：上海古籍出版社，1996-2003年影印本），冊1472，頁
　615下-頁616上。南章先生，不詳。

28 《續修四庫全書》（上海市：上海古籍出版社，1996-2003年影印本），冊1458，頁
　429。

至打磨廠寓齋，總司其事，歲修二百金。仲弟亦送入方略館效力。先
生節嗇所入，半給仲弟館費，以半寄歸為衣食之費，迎養叔母余孺
人、季父希李先生於家，用度益窘。每遇訪友，或假書，十里五里，
無不步行。八月，應順天鄉試不售。……四十五年，……在孫舍人寓
校書。……時甫近上元，以無衣不克出門，託疾斷慶弔、絕過從者凡
兩月。時方南巡，諸臣例獻賦頌，先生為山陰梁尚書國治制頌十八
章，首邀睿賞，於是都下求屬稿者甚眾。先生亦精力絕人，日為孫舍
人校官書八巨冊，類有考證數十條，夜則制進呈冊頁一通，每至三鼓
方休。是年恭遇萬壽，頌述之文益多，自二月至七月，所制凡五六十
篇，得酬金四百兩。……八月，應順天鄉試，出闈，即為四川查按察
禮聘掌書記入蜀，歲修四百金。先生以屢困場屋，不復有進取心。九
月朔，遂辭孫舍人，暫寓蓮花寺，待查公同行。……初七日揭曉，中
式第五十七名舉人。孫舍人同獲雋。查公遂力止先生無行，於是復遷
寓舍人宅。……四十六年，……在孫舍人寓校書（時移寓賈家胡
同），……先生遂決意遊秦，四月十六日偕崔同年景儀西行。」[29]洪亮
吉是當時助校的一個非常有代表性的例子。從上可看出，洪氏是經總
裁董誥推薦而為總校孫溶助校的。洪氏不但校書，而且還兼作考證。
另外，從洪氏之例也可看出，助校是有報酬的，大約每年為二百兩銀
子。可見，能請得起助校的人，應該是較有錢的。當然，這一薪水並
不高，因為洪氏入四川查氏幕的年收入是四百兩銀子。不過，洪氏在
京中助校，其收入並非僅此二百兩，從年譜可看出，他代人捉刀寫文
章，收入也不菲。正因如此，他能夠供其弟入方略館抄書（自備資
斧），又能寄錢回老家。可見，無論從名還是利來看，在京中任助校
都是不錯的。

29 北京圖書館編：《北京圖書館藏珍本年譜叢刊》（北京市：北京圖書館出版社，1999
    年），冊116，頁383-387。

　　徐以坤與幕僚。沈叔埏《頤綵堂文集》卷十四〈國子監博士充四庫全書總校官議敘主事茗花徐君暨配汪朱兩恭人墓誌銘〉載:「……君姓徐氏,諱以坤,字谷函,號根苑,又號茗花,……至戊子,始領鄉薦,出副憲陸耳山先生門,……連上公車,俱被薦不售,循例授國子監博士,需次春明。恭值詔開四庫館之八年,首部未成,而三編又積,乃全書浩如煙海,以次領校,亟難其人。大學士于文襄公、程文恭公特疏薦君以原官充武英殿總校,先派文源閣書。君殫心校勘,昕夕靡寧。經邸中賓友閱定,必恭親流覽,披閱數四。雖手胝目眵不殫煩。諸總裁聞而益器之,復以第三分文津閣書奏派校閱。君感文字之知,不敢始勤終怠,自己亥至甲辰,六年辛苦如一日。」[30]可見,徐氏作為總校,其所辦之書多經家中賓友先校閱,然後自己再複審。從「邸中賓友」看,代其校書者應該不止一人,而是有多人。

　　楊懋珩與陳宋賦(字秋士)、楊芳燦、武億、余鵬翀、羅有高。總校楊懋珩,字桐石,江西清江人,乾隆辛卯(三十六年)進士,官平樂知縣,有《傳硯堂詩存》。據黃景仁《贈陳秋士》載:「君得賢主人,群籍互穿綜(時為《四庫》總校楊懋珩延校官書)。」[31]可見,陳宋賦(秋士)為楊氏助校。楊芳燦編《楊蓉裳先生年譜》(譜主:楊芳燦)載:「乾隆四十三年,春初將入都應廷試,……三月朔抵京。……適江西楊桐舫懋珩進士充四庫館總校,延餘校勘書籍,遂移寓揚州會館。」[32]楊芳燦並不住楊懋珩家代其校書,所以他們之間的

30　《續修四庫全書》(上海市:上海古籍出版社,1996-2003年影印本),冊1458,頁503-504上。

31　〔清〕黃景仁:《兩當軒集》(上海市:上海古籍出版社,1983年),卷13古近體詩,頁319。該書頁634〈先友爵里名字考〉載:「陳秋士,名宋賦,號菊人,武進人,官湖北知縣。」

32　北京圖書館編:《北京圖書館藏珍本年譜叢刊》(北京市:北京圖書館出版社,1999年),冊120,頁32。

關係較為鬆散。正因如此,在中進士授官後,楊芳燦當年即離京。武億《授堂文鈔》卷四〈寄朱筍河先生書〉載:「某比來痔疾連牽,少坐輒欹側,為人校官書,不能終篇,即掩卷欲輟。」〈與萇喬庵〉載:「喬庵學師足下,某在都中,復為友人牽率校官書,尋繹之次,閱及《明史》忠義傳考證內有編修方煒簽出張毓粹⋯⋯俱賜祀忠義祠。某以此十四君,實為吾鄉忠烈之雄,附載《明史》,已見陳豫抱傳後。昔嘗按其傳文,⋯⋯一傳之中,反覆重沓,不可推次,今簽記者復緣以致誤,⋯⋯某故附訂於此,告諸執事。」卷五〈余少雲哀詞〉(甲辰正月三日)載:「余少雲諱鵬翀,安徽淮寧人,乾隆歲丁酉年始二十有二,自攜裝遊淮陽,歷徐豫秦夏,所至必攬勝,然悉發為詠歌,得詩若千首。入都謁其師故翰林侍讀學士大興朱公,遂大為所稱賞。是歲,予方遊學士門,初與少雲識。⋯⋯其後與予應楊君懋珩校書之役,居館中日久,益相歡好,始盡得其所蘊。⋯⋯方在館也,同儕皆少年,樂與少雲暱就,⋯⋯後謝楊君去,為某校修《一統志》。」[33]可見,總校楊懋珩雇了武億、余鵬翀等助其校書。另據汪啟淑《續印人傳》卷五〈余鵬翀傳〉載:「余鵬翀,字少雲,別號月邨,安徽懷寧縣人。家貧力學,九歲即善屬文,應童子試,邑宰疑其偽,命坐案前賦燕語詩一百韻,援筆立就,宰大奇之,由是遠近知名。年十七,補博士弟子員。讀書研求精旨,為文不屑膚末。兩赴鄉試,不得志於有司,養親心切,乃橐筆從事幕府,遊四方。⋯⋯乾隆丁酉秋入都,遊成均,應北闈試,薦而不售,直隸制軍楊公景素延掌書記。繼而四庫全書館開,分命纂緝,諸君子爭招致以分其勞。月邨

---

33 以上分別見《續修四庫全書》(上海市:上海古籍出版社,1996-2003年影印本),冊
 1466,頁112下、頁113上、頁119下。

性機警敏，雖筆墨叢脞，而揮灑自如，故能兼習諸材藝。」[34]除楊懋
珩外，余鵬翀可能還為其它館臣校書。王欣夫《蛾術軒篋存善本書
錄》載：「《佩觿》一書。覃溪錄本，桂未谷、丁小疋均借臨之。丁
傑：『丁酉秋，羅臺山孝廉入都為其鄉楊□□明府校官書，分得《佩
觿》，是正訛謬，可數千百條。余索觀之不可得。』」[35]楊明府，應為
楊懋珩。查文淵閣《四庫》所收《佩觿》，總校官即為楊懋珩。可
見，楊懋珩還請同鄉羅有高（字臺山）助校。

　　章維垣與凌廷堪（字次仲）。張其錦編《凌次仲先生年譜》（譜
主：凌廷堪）卷一載：「乾隆四十七年，……始入京都。……九月二
十八日到京，同縣程蕺園編修晉芳極器重之，大興翁覃溪洗馬方綱見
所作詩古文辭及他撰述，歎曰：此不朽之業也。蕺園先生擬薦之汪編
修如藻校修《一統志》，而覃溪先生因其門生桐城章君維垣新派四庫
館總校，又薦之為其校書。蕺園先生亦勸就焉。」[36]可見，凌廷堪通
過其老師翁方綱的舉薦得以為總校章維垣的助校。

　　范鑒與葉世倬（號健庵）。葉世倬編《葉健庵自訂年譜》（譜主：
葉世倬）載：「乙未，二十四歲，試禮闈不第，……時三舅父□□庫
館分校，每日代校書數千字，專閱《禮記》經解。」[37]葉氏三舅父為
分校官范鑒。其時，分校一天校書的任務大約就是六千字，而葉世倬
每天校數千字，應基本代范氏作完了校對任務。如此說來，有助校的
分校官其工作是相當輕鬆的。

34　〔清〕汪啟淑：《續印人傳》（南京市：江蘇廣陵古籍刻印社，1998年影印本），卷
　　5，頁1-2。

35　王欣夫：《蛾術軒篋存善本書錄》（上海市：上海古籍出版社，2002年），頁64-65。

36　北京圖書館編：《北京圖書館藏珍本年譜叢刊》（北京市：北京圖書館出版社，1999
　　年），冊120，頁350-351。

37　北京圖書館編：《北京圖書館藏珍本年譜叢刊》（北京市：北京圖書館出版社，1999
　　年），冊118，頁525。

　　王朝梧（號疏雨）與沈景熊（嵩門）。《標點善本題跋集錄》「《意林》五卷二冊，唐馬總撰，清乾隆四十七年武英殿聚珍本，清周廣業手校並跋」載周廣業跋云：「甲辰春，余在京師，行篋攜手校《意林》三冊，蓋自庚寅迄癸卯，閱十四年而始定者。適聚珍館欲刊此書，王疏雨方為起士董其事，中秘獨有天一閣本、廖氏刊本，錯謬殆不可讀。疏雨以屬沈嵩門，嵩門與余友善，遂借餘本照改，數日而畢。既而余亦館於疏雨，意嫌未盡，更取餘本去，並案語亦摘錄之。間有數字用舊本者，仍注云藏本作某。疏雨告余曰，方入板日，同人咸斷斷以為不宜輒改舊本，且如《鶡冠子》之補入目錄、《物理論》之列《太元》前，大駭閱者之目。後以樣本進呈乙覽，皇上喜得足本，遂命卷首御題第四首詩不必載入，眾議始息。但既刊之後，余屢向疏雨索其本，終不肯見予。去冬，余南旋，門人祝振兮熟知其始末，特以見貽，餘始得見聚珍之本，雖與余定本尚稍參差，然亦無幾矣！戊申春三月廿一日，校畢第一本書，耕厓周廣業。」[38]王朝梧曾為聚珍本校對官。王朝梧先請沈嵩門助校，沈嵩門從周廣業處借書以資校勘。後來，周廣業又館於王朝梧家，王朝梧再借其書來校聚珍本。不過，從文中看，周氏似乎並未助王朝梧校勘，只是借其書。周氏入京時，前四份《四庫》已基本完成，他在當時助校過不少書（參下文），應該主要是助校的續辦三份《四庫》。另外，王朝梧為王際華之子，可見其父子均請人助校。還有，需要說明的是，《標點善本題跋集錄》將聚珍本《意林》定為乾隆四十七年武英殿聚珍本是不對的，因為乾隆四十九年春，聚珍館要刊此書，王朝梧才請沈氏校此書。因此，聚珍本印行此書肯定是在乾隆四十九年春之後。聚珍本《意林》書前有乾隆四十七年校上的提要，《標點善本題跋集錄》大概是據此推定的。

38　中央圖書館特藏組編：《標點善本題跋集錄》上冊，頁349。

綜上所述，可以看出：

其一，助校的普遍性。從總裁、總纂、總校、纂修官到分校官，均有請助校的。其時，有居家助校者，也有遊走於各家助校者。為一人助校者，往往是處館或入幕者，他們居主人家，助主人校書。據錢景星編《露桐先生年譜前編》（譜主：李殿圖）卷1載：「（乾隆）三十八年，……四月，偕同年管松厓偶至裘文達師所，文達問曰：我欲以二公辦《永樂大典》，而諸城難之，何故？先生曰：生等二人現充國史館纂修，披閱《實錄》紅本，必須親在館中，隨時檢取，非如他館，家有藏書，尚可倩人幫辦，諸城之言是也。是以《四庫全書》之役，先生與管公始終未預焉。」[39]裘曰修作為四庫館副總裁，也認為可以在家請人辦書。輾轉於各家，為多人校讎者，如丁傑、吳長元[40]，他們與居家助校者不同，遊走於各館臣之間，一方面助校館書，另一方面商討學問。他們以修書為契機，與館臣相互切磋，既有利於校書，又推進了學術交流與研究。

其二，《四庫》編修中的助校現象也是清朝興盛的幕府文化的一個縮影。正如尚小明《學人遊幕與清代學術》所指出的：「大體上，流向江蘇、浙江、京師的遊幕學人最多。……北京成為遊幕的中心地帶，還與其首善之區的特殊地位有關。」[41]我們以往多注意京外的幕府、幕客，其實，在京中也大量存在幕府、幕客，只不過在形式上與京外者稍有不同：因為在皇帝眼皮之下，沒有京外幕府那樣張揚。其

---

39 北京圖書館編：《北京圖書館藏珍本年譜叢刊》（北京市：北京圖書館出版社，1999年），冊109，頁75-76。

40 〔清〕余集：〈宸垣識略序〉載：「太初氏（指《宸垣識略》作者吳長元）客京師十年，以著述自娛，間佐公卿讎校秘冊，輒錄副藏篋，衍為隨筆若干卷。」（清）吳長元：《宸垣識略》（北京市：古籍出版社，1983年），頁3。

41 尚小明：《學人遊幕與清代學術》（北京市：社會科學文獻出版社，1999年），頁33-34。

時落第的士子羈留京師期間，入幕也是一個很好的選擇，如吳省欽
《白華前稿》卷十三〈堯莊詩序〉載：「錢塘張君仲謀負異才，既屢
試不得志，汗漫幕府間，居京師數年，諸貴遊多從之學。……予既乞
其分書，復假抄所校薛氏鍾鼎款式。」[42]紀大奎《雙桂堂稿續編》卷
十《修職郎新淦縣教諭李君傳》載：「君諱升，字陞階，別號力
軒，……乾隆丁酉以選拔貢成均，……朝考後充四庫全書館謄錄，在
京數年，不妄交一人，有勢家欲延為記室，介紹者曰：此富貴階梯
也。君曰：往而喪己，所失已多。遂不往。乙巳，辦書期滿，議敘
歸。丙午選授永寧縣教諭。」[43]那些入四庫館臣幕的士子，因著這層
關係，又得以尋求到入四庫館之捷徑。[44]

其三，總校往往請多人為其校書，如徐以坤、楊懋珩等，這可能
是因為總校辦書任務較繁重。

其四，助校者多館臣的親朋好友或同鄉等，如周永年請同鄉桂
馥、孔廣栻助校，楊懋珩請同鄉羅有高助校，孔繼涵助其親家兼好友
戴震校勘，等等。與此相對應，若非舊識，士子要做助校就需人推
薦，如翁方綱推薦淩廷堪為總校章維垣校書，總裁董誥推薦洪亮吉為
總校孫溶助校。

其五，有的助校辦書時間較長，有的則較短。助校者若是居家助
校，與主人關係密切，相互倚仗較多，助校者也會專心一意校書，而
且校書時間較長。若非居家校書，則可隨時解除相互之間的雇傭關係。

其六，助校的工作涉及《四庫》修書的方方面面。從總裁到分

---

42 《續修四庫全書》（上海市：上海古籍出版社，1996-2003年影印本），冊1447，頁
    662下。

43 《續修四庫全書》（上海市：上海古籍出版社，1996-2003年影印本），冊1470，頁
    612上。

44 〔日〕藤塚鄰：〈四庫全書編纂與其環境〉，載《文字同盟》第十五號。

校，助校者服務的對象不同，其工作內容應該也會有差異。換言之，助校者的工作並非均是校書，而有可能是編書，或查閱資料，或作考證，或只是提供意見，或撰寫提要，等等。有的助校可能替館臣承擔了大部甚至全部的校對任務。

其七，助校者不但助校《四庫》，而且也助校薈要本及聚珍本。另外，據許嘉猷編《許順庵老人自述年譜》（譜主：許嘉猷）載：「乾隆五十五年，……二月十七日抵京。……五月初三日考咸安宮教習，與試被落。錢漆林太史諱開仕邀課蘋、權兩郎，……六月間，為漆林太史校閱〈九章算法〉。五十六年，仍館錢太史宅。……是歲校閱〈平定金川方略〉，三十一卷起至六十卷止，及《九章算術》並《建炎以來朝野雜記》五卷，並勘〈四庫全書簡明目錄〉史部七、八、九各卷。……代錢戶部校勘〈欽定宗室王公功績表傳〉卷四、五畢，又校〈盛京通志〉一百三、四兩卷。」[45]其時（乾隆五十五、六年）四庫館已閉館，聚珍本校對官錢開仕仍請人助校聚珍本及其它書籍。

第二節　助校對《四庫》修書的影響

助校廣泛地參與修書給《四庫》編修帶來了很多新氣象，也帶來了很多問題。

助校的普遍存在，為四庫館彙聚群英、廣泛吸收民間學術研究成果提供了絕佳的機會。例如，翁方綱〈跋佩觿〉載：「近日史館校勘，每竟一書，輒資朋友講問，若歸安丁君錦鴻之於《漢隸字原》，瑞金羅君有高之於是書，皆累累數千百言，非徒校讎之勤而已。方綱既擇其言之要者過錄於卷，因為羅君言是書之不可概繩如此，並識於

---

45 北京圖書館編：《北京圖書館藏珍本年譜叢刊》（北京市：北京圖書館出版社，1999年），冊121，頁14-18。

卷前。乾隆四十三年歲次戊戌春二月十一日。文淵閣校理翰林編修北平翁方綱。」〈跋漢隸字原（汲古閣刻本）〉載：「乾隆四十二年歲在丁酉夏六月十六日，借朱編修竹君所藏本來校，適丁君小山以所著〈校勘《漢隸字原》識語〉一卷見視，采其足資考證者錄於首冊，又取顧氏《隸辨》參校之，凡四日而畢，至二十一日午記於冊前。文淵閣校理翰林院編修《四庫全書》纂修官兼充武英殿繕寫處復校官三通館纂修官大興翁方綱識於寶蘇室。」[46]可見，翁氏在校書時常將《四庫》館書有關材料拿來與朋友講論，不斷吸收助校者的意見。

助校者一般都是學有專長的學者，有的在某些方面特別有造詣，往往是館臣無法相比的，例如，丁傑是精通小學的學者，館臣多倚其校辦小學類書，據前引許宗彥《鑒止水齋集》卷十七〈丁教授傳〉載：「教授諱傑，字升衢，……乾隆辛卯科莊侍郎廷嶼主浙江試，發策問《大戴禮》，教授所對尤賅貫，遂舉鄉薦入都。時方開四庫館，任事者多延之佐校，小學一門往往出其手。」[47]沈叔埏《頤綵堂文集》卷六〈丁小山漢隸字原考正序〉載：「吾友丁君小山受校《漢隸字原》，遂條舉群書之有涉於漢碑三百有九者，是正其訛，致為精審。……小山試春官未揭曉，亟思省覲南歸，遽來取，別袖校本見示，且乞一言。」[48]《四庫》所收的《漢隸字源》，應該就是丁傑助校的。而且，丁傑校過之書，他自己還過錄保留，這對他的學術研究也有很大好處。

---

46 以上分別見沈津輯：《翁方綱題跋手劄集錄》（桂林市：廣西師範大學出版社，2005年），頁12、頁14。

47 《續修四庫全書》（上海市：上海古籍出版社，1996-2003年影印本），冊1492，頁472上。

48 《續修四庫全書》（上海市：上海古籍出版社，1996-2003年影印本），冊1458，頁401下-頁402上。

　　助校校過之書，有的原校官還要覆查一遍或幾遍，如徐以坤，據前引沈叔埏〈國子監博士充四庫全書總校官議敘主事茗花徐君暨配汪朱兩恭人墓誌銘〉載：「……大學士于文襄公、程文恭公特疏薦君以原官充武英殿總校，先派文源閣書。君殫心校勘，昕夕靡寧。經邸中賓友閱定，必恭親流覽，披閱數四。雖手胝目眵不殫煩。」這種做法對保證《四庫》的品質肯定有作用。當然，助校畢竟不是館臣，他們的責任心可能與館臣不一樣，因而在校書過程中是否盡力，也是值得懷疑的。《四庫》中廣泛存在的校勘錯誤，應該與助校也有一定的聯繫。

　　助校是如此普遍，以致於續辦三份《四庫》的校勘以及後來的詳校《四庫全書》仍舊使用助校，例如：

　　關於續辦。周廣業《蓬廬文鈔》卷首周春〈蓬廬文鈔序〉載：「乾隆戊子中副車，癸卯（乾隆四十八年）登賢書，年已五十矣。計偕北上，時纂《四庫》書，館閣亟需校勘，爭相延致，君肆應精詳，各厭所請以去。凡卷帙經君寓目者，悉成善本。」卷四《書紺珠集後》載：「歲甲辰（乾隆四十九年），客都門，分校續寫《四庫》書，中有〈紺珠集〉十三卷，原本字句錯誤，不可讀，校正凡二千餘字，重寫送館。」[49]周廣業助校的是續辦三份全書。

　　關於詳校。「都察院右副都御史陸錫熊奏詳校文溯閣書籍情形摺」（乾隆五十五年五月初四日）載：「……茲臣等校辦以來，匝月有餘，翁方綱亦已馳赴盛京，公同分閱，每日率同延帶之看書人等敬謹辦理。」「禮部右侍郎劉權之奏請自備資斧前赴文溯閣查檢書籍摺」（乾隆五十六年十二月十一日）載：「……臣因思去年所校文溯閣書，誠恐校手、寫手、補匠或有疏漏，臣一時心力、目力稽查未周，實難保必無舛誤。……心既未能自信，夢寐實覺難安。今情願自備資

49　以上分別見《續修四庫全書》（上海市：上海古籍出版社，1996-2003年影印本），冊
　　1449，頁327、頁469。

斧，另行倩覓校書熟手，率同前赴文溯閣復加詳覈，並鈔錄紀昀此次
所奏二閣清單，逐細查檢，斷不敢稍有迴護，辜負聖恩。」「山東學
政翁方綱奏懇準翁樹培趕赴盛京重閱全書摺」（乾隆五十六年十二月
二十九日）載：「……惟有臣子臣樹培，現官檢討，尚無事務，可以
前往查看。合無仰懇皇上格外天恩，俯準令臣子樹培隨陸錫熊等趕赴
盛京，將臣所專校各函，再為逐細重閱一遍。仍多帶看書熟手，復加
詳審，如有疏漏，即逐一查改補正，務期周匝完善，以免再有訛脫之
處。」「禮部右侍郎劉權之奏校閱文溯閣書籍情形折」（乾隆五十七年
二月二十五日）載：「……所有帶來校手，人數眾多，誠如聖諭，必
須嚴密稽查，方不至草率了事。」[50]以上提到的「延帶之看書人」、
「校書熟手」、「看書熟手」均指的是助校者。可見，有的校對官所請
的助校還不少。

　　這種助校行為，從修《四庫》始，一直延續至詳校各閣書。可
見，助校已經成為一種相沿的習慣，而且公開化，乾隆對之也是默
許的。

第三節　對助校現象的思考

一　關於學術交流

　　四庫館開館期間，各地學者雲集京師，極大地促進了各地學者的
交流。與職業的抄手不同，助校者中有不少是當時有名的學者，他們
在京師期間，通過助校的機會，與館臣進行學術交流，相互切磋，相
互提高，推動學術的發展，前述丁傑與翁方綱、戴震等的交遊，周永

---

50 以上分別見張書才主編：《纂修四庫全書檔案》（上海市：上海古籍出版社，1997年），
　　頁2175、頁2278-2279、頁2287、頁2294。

年與桂馥的交遊，均是這方面的典型例子。他們的學術交流主要體現在以下幾方面：

其一，其時助校者、館臣多為精通考據之學的學者，共同的學術旨趣，促使相互間就感興趣的問題不斷交流切磋，共同推動考據之風的形成。

其二，合作著書立說，校訂古籍。高水準助校的普遍存在，共同的學術興趣與追求，促使不少學者開展合作著書，如周永年與桂馥合作《四部考》，翁方綱與丁傑合作《經義考補正》[51]，等等。

其三，借抄圖書，包括借抄校語等。例如，前引許宗彥《丁教授傳》：「教授諱傑，字升衢，……因與朱學士筠、戴編修震、盧學士文弨、金修撰榜、程孝廉瑤田等相講習，諸君咸重之。在都十年，聚書至數千卷，手寫者十二三。」關於助校利用修書的機會錄副四庫館書的具體情況，可參本書第八章，茲不贅述。

其四，搜集資料，以便開展自己的學術研究。例如，余集《秋室學古錄》卷五〈宸垣識略序〉載：「太初氏客京師十年，以著述自娛，間佐公卿讎校秘冊，輒錄副藏篋，衍為隨筆若干卷。」[52]秦瀛《小峴山人詩文集》《文集》卷三〈吳胥石五代史記纂誤補序〉載：「既遊京師，館大興朱竹君先生家，盡讀其藏書。會朝廷開四庫館，館臣校勘之役，交倚胥石，胥石又得盡讀所校書，此《五代史記纂誤

---

51 〔清〕翁方綱：〈丁小疋傳〉，《復初齋文集》，卷13載：「丁傑字升衢，……嘗相約補正秀水朱氏《經義考》序尾年月。竹垞此書綱領閎富，有資援據，顧所載序跋多刪去末行年月，此鈔胥意在省便，致使作者先後次序無所按據。予時在四庫館，日鈔數條歸以語君，君亦博採見聞，以相證合。惜其後未能竟功。竹垞所見之書，今或有未見者，而其每書下載某人曰，不明著出於某卷，尤失考訂之宜。君亦慨然與予同志補正之。今予所刻補正卷內，雖間有述君語者，特其字句小異處，尚未足盡發君之篤志也。」《續修四庫全書》（上海市：上海古籍出版社，1996-2003年影印本），冊1455，頁471。

52 〔清〕吳長元：《宸垣識略》（北京市：古籍出版社，1983年），頁3。

補》之所為作也。」[53]因此，與其說《四庫》得益於助校者，還不如說助校者得益於《四庫》。

總之，四庫館外的學術交流與四庫館內的學術交流是相互影響的，互為因果的。四庫館開館期間所形成的學術關係網對清代的學術發展有很大的影響，因此，我們必須重視對開館期間館內外學術交流的探討。

二　關於著作權問題

清代入幕者助幕主修書的現象非常普遍，因而有時會引出著作權的問題。同樣，《四庫》助校者學術成果為館臣所用，但是在《四庫》書中又無法署名，這對助校者來說也是無可奈何之事。

丁傑替戴震校聚珍本《方言》，戴氏錄丁氏校語而不署名。王重民致胡適（1944年3月3日）書云：「……抱經有〈重校方言序〉及〈與丁小雅論校方言書〉，知道東原的《方言》，是依丁小雅的校記校上的。抱經雖未動火氣，但言外頗有意。……乾隆四十七年盧序：『予嘉丁君之續，而惜其不登館閣，書成，不得載名於簡末，世無知焉。』……如然，此亦為官家校書，不及自己著書的忠實之一例也。」[54]王氏替丁傑鳴不平，胡適則調停其說云：「……你提及盧抱經論《方言》事，使我甚感興趣。床上翻看《盧集》，似來書所云『東原的《方言》，是依丁小疋的校記校上的』一句說的未免過重。抱經之意似不如此。他在〈重校方言序〉裏，明說，丁小疋『於此書採獲

---

53 《續修四庫全書》（上海市：上海古籍出版社，1996-2003年影印本），冊1465，頁134下。

54 北京大學信息管理系、臺北胡適紀念館編：《胡適王重民先生往來書信集》（臺北市：國家圖書館出版社，2009年），頁238。

裨益之功最多』。小疋是『從』東原『遊』的一個學者（見段《譜》），或曾襄助整理《方言》之功，此工作至多乃是一個助手的工作，抱經惜其襄助之績不得『載名於書末』，此是對丁的表揚，而不是對戴的『言外微詞』。看抱經〈與丁書〉中對戴的態度，可知他此序中無貶戴之意。吾兄概太深求『戴氏猶有不能盡載者』一句。此句只是說小疋之說有一部分被東原採用了。」[55]胡適的解釋是頗有道理的，當時助校者眾多，均不得列名於官書，這是普遍現象，非獨丁傑為然。後來，王重民雖然很快同意了胡適的看法，但似乎仍未能徹底釋懷：「……關於《方言疏證》，則重民是有點誤會。因前盧抱經〈與丁小雅書〉：『《方言》一書，戴君《疏證》已詳，愚非敢掩以為己有也。』因抱經曾說東原採用小雅的校本，而此反說『非敢掩以為己有』，因疑他有言外之意。……竊以為東原所校書，多非佚本，特以分在《大典》校勘處，遂一面應用《大典》，一面以《大典》善本為名，而自己實行所懷抱耳。前幾天閱抄本《千頃堂書目》，後幾天看《方言》校本的經過，知道直到乾隆末年，這樣著書的方式，還與清初及元明以來相同」、「……他（引者注：指戴震）的好朋友盧文弨和他共同校《大戴記》二十多年，也共同校治《方言》，眼看著東原的校本用聚珍排印了，未免有點難過，不說自己，卻說和東原一同校《方言》的丁傑，『其學實不在戴太史下！』這一個例子，我以前曾經說過，先生不大以為然」。[56]

　　由於助校現象的普遍存在，因而導致一些學術糾紛也是難以避免

55 胡適致王重民書（1944年3月5日），載北京大學信息管理系、臺北胡適紀念館編《胡適王重民先生往來書信集》（臺北市：國家圖書館出版社，2009年），頁241。

56 以上分別見北京大學信息管理系、臺北胡適紀念館編：《胡適王重民先生往來書信集》（臺北市：國家圖書館出版社，2009年），頁243，王重民致胡適書（1944年3月7日）；頁508，王重民致胡適書（1948年7月1日）。

的。丁傑在當時非常知名,而且助不少館臣校書,可是丁傑留下的著
作很少,而《四庫》也不列名,館臣亦不提及其功勞,因此,後來者
自然會為丁傑這樣的助校者鳴不平。其實,正如前面指出的,當時助
校者就如同入幕修書者一樣,著作不得列名,是普遍的現象。

三　關於官書私辦

官書私辦,指用辦私事的方式為官府修書。助校即是官書私辦之
一種體現。

于敏中曾在與陸錫熊的信中說:「昨奉辦《日下舊聞考》,命僕總
其成,此時所最難者辦書之人,翰林中非各館專課,不能分身,即在
四庫書局,以此甚難其選。此外若甲乙兩榜及諸生內如有好手,自為
最妙。但難得學問淹博,旁通時務,並略悉京師風土者為佳。且欲其
文筆可觀,辭能達意者,凡有考訂,庶不至過於推敲費力。足下夾袋
中必有所儲,或能覓得三四人,則此書即可速就。若翰林或現任小京
官,即須奏派;若未仕之人,即當延請。其局擬設於蔣大人宅,修脯
等項,愚當幫辦。祈即商定寄知,或即與蔣少司農面商亦可。……此
事私辦更勝於官辦,並與蔣大人商之。」[57]他奉旨承辦《日下舊聞
考》,認為最合適的方法是私辦:自家設局,官書私辦;入仕者可以
奉派入館,而未入仕者可以私請相助,給以報酬,在家助修。此書之
設局延請助校,與《四庫》編修請助校有相通之處。可見,《四庫》
助校現象的普遍存在不是偶然的。

由助校現象的普遍性,我們也可以推想,正如幕賓會參與與幕主
有關的各種事務一樣,當時《四庫》修書的方方面面,其實都可能有

57　〔清〕于敏中:《于文襄手劄》(北京市:國立北平圖書館,1933年影印本),第9通。

私家相助的情況。例如，乾隆三十七年朝廷徵書，朱筠為徵書而提建議，其中有從《永樂大典》中輯佚書一條。乾隆覺得意見不錯，讓大臣議奏，並讓大臣去翰林院查看《大典》。據許宗彥《鑑止水齋集》卷十九〈先考方伯府君行狀〉載：「諱祖京，字依之，一字春岩。……朱學士筠疏言《永樂大典》多秘書，可以時纂輯。高廟語劉文正公，使擇儒者詳其事。文正以屬先府君。先府君至翰林院閱《永樂大典》數十冊，白文正曰：是書雖極博，然多唐以後書，且分隸韻字，割裂散漫，不足重修，當更議。文正即以先府君言奏上。其後廣蒐天下書，開四庫館。」[58]可見，在開館之初，許祖京館於總裁劉統勳家，曾助其查閱《大典》，並提出意見，而劉氏即以此意見稟報乾隆。

　　如前所述，本書所論的助校是廣義的助校，包括修書中涉及的校對、編訂、考證、核查甚至撰寫提要等，而筆者在本書第六、八章中也指出，謄錄及錄副均有私家相助的現象。因此，官書私辦不但體現在助校上，而且體現在《四庫》編修的方方面面的工作上。從這個角度來說，《四庫》編修確實具有官書私辦的特點。

四　關於助校者的出路

　　助校者懷有共同的目標來到京師，以尋求晉身的機會。對於絕大多數助校而言，助校並不是他們人生追求的最終目的，他們的最終目的還是要入仕做官，因此，他們有的通過投考或被舉薦而做了四庫館謄錄，如王念孫、黃景仁；有的通過科舉考試入四庫館做了館臣，如沈叔埏；有的通過科舉考試做了其它官職，如洪亮吉、丁傑、陸鎮

58　《續修四庫全書》（上海市：上海古籍出版社，1996-2003年影印本），冊1492，頁493上。

堂。不過，多數助校可能一輩子也一直默默無聞，無法改變自己入幕、替人作嫁的命運，如吳蘭庭，據其《胥石文存》附錄〈吳胥石先生墓誌銘〉載：「……先生交遊大半多貴，而先生終不得當於禮部試，充然無慍色，以為吾命固爾，奚足恨。」[59]這些助校者，有的看到前途無望，就離京返鄉；有的則漂在京師苦苦等待機會。

不管怎麼說，助校者畢竟可借助校一途宣傳自己，提高自己的聲譽，這一點，對於那些不得志的學者來說，尤其重要，例如凌廷堪，據張其錦編《凌次仲先生年譜》（譜主：凌廷堪）卷一載：「乾隆四十七年，……始入京都。……九月二十八日到京，同縣程戴園編修晉芳極器重之，大興翁覃溪洗馬方綱見所作詩古文辭及他撰述，歎曰：此不朽之業也。……乾隆四十八年，……居京數月，名噪一時，都中莫不知有先生矣。」[60]又如李隆禮，據李瀚章等修《（光緒）湖南通志》卷兩百〈人物志四十一〉〈李隆禮〉載：「李隆禮，字秩齋，長年四世孫也。文思藻遠，博覽多通，以拔貢生入京師。時方開四庫館，輦下文學稱盛，長沙劉權之以洗馬司校勘，獨重隆禮，嘗就諮訪，以此名動京朝官。」[61]

五 助校現象對四庫學研究的啟示

助校現象為我們探討《四庫》修書過程中館內與館外、官方學術與民間學術相互對接、交流、合作、爭論提供了絕佳視角，因此，通

---

59 《續修四庫全書》（上海市：上海古籍出版社，1996-2003年影印本），冊1447，頁424上。

60 北京圖書館編：《北京圖書館藏珍本年譜叢刊》（北京市：北京圖書館出版社，1999年），冊120，頁350-354。

61 《續修四庫全書》（上海市：上海古籍出版社，1996-2003年影印本），冊666，頁417上。

過對助校現象作深入分析，可以為我們研究四庫學提供一些新思路，例如：

其一，只有從助校的角度，我們才能解釋為何有的館臣的工作量大得驚人。如紀昀，作為總纂，遍閱《四庫》書，又遍審各書提要，並多加修改。其實，一人之力畢竟是有限的，他的工作肯定是得到過助校的襄助，只不過當時人們認為，編書請助校是再正常不過的現象，所以在論述紀昀之功時，一般就不提助校。又如，翁方綱在館期間，閱辦之書在千種以上，並寫出了其中絕大部分書的提要。而且，他在此期間還有不少其它工作。其實，他也多得助校之力，尤其是一值得助校陸鎮堂之幫助。

其二，《四庫》職名表展示的館臣數是公開的、官方的統計數（當然其中有不少遺漏，可參本書附錄「館臣表」），但是，還有很多人私下參與了修書而不入此職名表，而且一直不為我們所知。這些人就是那些助校者。他們儘管是館臣私聘的，但也一樣參與了《四庫》修書的各項工作。因此，真正參與修書之人，並不是職名表所能全面反映的。我們在分析《四庫》修書工作量、修書的貢獻、存在的問題等時，就不能只盯在館臣身上。例如，《四庫》底本中留下的校改意見，有可能是館臣身後的助校者所留下的。也就是說，《四庫》編修的貢獻與問題，有相當大的一部分應算在助校頭上。關於這一點，以往的學者多沒有注意到。

其三，我們研究四庫館時，應對四庫館外予以足夠的關注。助校現象顯示，四庫館內外沒有截然的區分，館內工作延伸到館外，館外助校的研究與交遊也影響到館內的工作。《四庫》編修展示了館內外學者交流與合作的絕佳範例：助校者為《四庫》編修貢獻了自己智慧與勞動的同時，也從參與編修過程中獲得了更多的學術資源與政治資源。可以說，《四庫》得益於助校者，而助校者也得益於《四庫》。

本章小結

　　《四庫》編修中存在著普遍的助校現象，而這一現象學術界以往甚少關注。本章對該現象作了初步的探討，茲綜述如下：

　　一、《四庫》助校現象的大量出現，得益於《四庫》開館期間京師助校資源的豐富性。

　　二、其時助校者很多，而請助校的館臣也很多，包括總裁、總纂、總校、纂修官、分校官。相對來說，總校的人均校書量最大，所以請的助校也最多。助校分為居家助校和遊走於各家的助校，前者往往為館臣家處館或入幕者，助主人校書是其處館或入幕的分內工作。他們與館臣的助校關係較為緊密、明確。後者輾轉於各家，為多人校讎，與館臣的助校關係較鬆散。

　　三、《四庫》助校的普遍存在，是清朝京師興盛的幕府文化的一個縮影，對其作深入的探討，可以在很大程度上推進學界對清代幕府現象的研究。

　　四、助校的工作涉及《四庫》修書的方方面面，有的可能是編書，有的可能是查閱資料，有的可能是作考證，有的可能只是提供意見，有的可能撰寫提要，等等。

　　五、助校者有的通過投考或被舉薦而做了四庫館謄錄，有的通過科舉考試入四庫館做了館臣或其它官職。不過，多數助校可能一直無法改變自己替人作嫁的命運。

　　六、通過對助校現象的深入分析，有助於我們更好地認識及解決四庫學研究中的一些疑難問題，包括：其一，如何解釋有的館臣的工作量大得驚人？其實，這些館臣背後往往活躍著助校的身影。其二，如何更客觀地評價館臣的貢獻？助校是在館外參與四庫館修書的人

員，他們不能算作為館臣或館員，但又為《四庫》編修做出過較大貢獻，因此，《四庫》修書的成果中，有相當大一部分應算在助校名下。當然，與此相對應，《四庫》中存在的一些問題，也應與助校有關。其三，如何看待四庫館內外的學術交流？助校的普遍存在，促進了館內外的學術交流，也促進了各地學者間的交流。助校者一般都是學有專長的學者，而館臣請助校往往是有針對性的，因此，助校的廣泛存在，為四庫館彙聚群英，廣泛吸收民間學術研究成果提供了絕佳的機會。助校在校書的同時，也藉此機會搜集資料、釋疑解惑、著書立說。總之，助校體現了館外人員對《四庫》編修的參與，是從學術上溝通館內與館外的一座橋樑；助校者為《四庫》編修貢獻了自己智慧與勞動的同時，也從參與編修過程中獲得了更多的學術資源與政治資源。可以說，《四庫》得益於助校者，而助校者也得益於《四庫》。

七、助校現象是四庫館官書私辦的具體體現之一。

第八章
四庫館的私家錄副現象[1]

　　四庫館通過調取、個人進呈、地方採進等方式從全國各地及內府徵集了大量的圖書，而且又從《永樂大典》中輯出了一批佚書。這些圖書有相當多是珍本秘笈，對當時的士大夫具有很強的吸引力。當時的讀書人，多以能入四庫館為榮：一方面希望入館讀到這些秘書；另一方面也希望能獲抄這些秘書。[2]因此，隨著《四庫》修書的進行，四庫館中出現了普遍的私家錄副現象。[3]

第一節　錄副者

　　四庫館的私家錄副者，可分為兩類：其一為館臣；其二為四庫館之外的人員。

1　關於大典本的私家錄副，本人曾撰有〈《四庫》大典本錄副本〉一文，收入拙著《《永樂大典》流傳與輯佚研究》（北京市：北京師範大學出版社，2010年），頁167-179。本章是在該文的基礎上增改而成的。

2　如章學誠〈為畢制軍與錢辛楣宮詹論續通鑑書〉云：「四庫搜羅，典章大備，遺文秘冊，有數百年博學通儒所未得見而今可借鈔於館閣者。」載（清）章學誠著，倉修良編注：《文史通義新編新注》（杭州市：浙江古籍出版社，2005年），頁653。

3　四庫館閉館後，《四庫全書》的底本、稿本與定本及其它四庫館書（如存目書）也有不少的私家錄副，如《四庫》提調官法式善，在四庫館閉館後抄了不少館書。至於南三閣《四庫全書》的錄副本則更多，吳哲夫曾指出，清後期藏書家中有不少抄本是抄自《四庫》本的（參吳哲夫：《四庫全書纂修之研究》〔臺北市：國立故宮博物院，1976年〕，頁266）。不過，本書只是探討《四庫》開館期間的錄副，此後的錄副現象不在本書討論的範圍之內。

一 館臣

　　四庫館館臣中的那些著名學者，他們對館書的稀見性與重要性比較瞭解，同時在接觸館書上也較為便利，自然錄副也最多，例如：

　　副總裁官彭元瑞（號芸楣）。彭氏知聖道齋抄本，存世者不少，其中有一些為四庫館書錄副本，如《五代史闕文》一卷，據《嘉業堂藏書志》載：「彭氏手跋曰：……是書從四庫館借鈔，乃虞山毛氏汲古閣鐫本，中多訛字。元瑞記。」[4]饒宗頤編《香港大學馮平山圖書館藏善本書錄》載：「《盤洲文集》八十卷，有拾遺及附錄，八冊，彭氏知聖道齋鈔本。彭氏首頁題記云：『是書世不多見，從館中稿本錄出，乃內府天祿琳琅所藏，虞山毛氏影宋鈔本也。……乾隆丙午秋分後三日，芸楣記。（按：此文已載入〈知聖道齋讀書跋〉卷二）後又有三行文字云：『師以晉唐筆法作小行楷，因借鈔斯集，展玩不能釋手，請余師而珍襲之，師命書此以補。嘉慶癸亥中秋前一日，受業汪守和謹識。』……附錄內有朱筆校改。」[5]又據湯蔓媛編《傅斯年圖書館善本古籍題跋輯錄》載：「《兩晉南北奇談》六卷六冊，明刊本，清乾隆四十六年彭元瑞、民國十三年鄧邦述手書題記。……聞武林尚有其本，已上之四庫館，還朝當借錄之。芸楣，辛丑三月六日吳淞舟次。」[6]乾隆四十六年（辛丑），彭氏正在浙江任上，聽說《兩晉南北

4　〔清〕繆荃孫等撰，吳格整理點校：《嘉業堂藏書志》（上海市：復旦大學出版社，1997年），頁253。

5　饒宗頤編：《香港大學馮平山圖書館藏善本書錄》（香港：龍門書店，1970年），頁186。

6　湯蔓媛纂輯：《傅斯年圖書館善本古籍題跋輯錄》（臺北市：中央研究院歷史語言研究所，2008年），冊1，釋文，頁162。另據臺灣「國家圖書館」特藏組編：《「國家圖書館」善本書志初稿》（臺北市：臺灣「國家圖書館」，1999年），集部，冊1，頁

奇談》已呈入四庫館，就準備回京之後借抄此書。可見其對於錄副館書之用心。

　　總纂官紀昀。據《嘉業堂藏書志》載：「《寶刻類編》八卷，近從《永樂大典》中錄出。……八月中，直閣紀曉嵐先生鈔以見貽，攜置行笈。……乾隆丁酉十一月十九日益都李文藻記於全州舟次。」[7]可知，紀昀曾錄副《寶刻類編》並贈送給李文藻。

　　總目協勘官程晉芳與校勘《永樂大典》纂修兼分校官周永年。程晉芳《勉行堂文集》卷五〈唐律疏義跋〉載：「余求其書二十年不可得，最後始於四庫館見之。讀之月餘，而後知天心之祚唐非無故也。若其刊刻次第及卷軸之多寡，則小長蘆朱氏言之詳矣。」〈周官新義跋〉載：「《周官》舊二十二卷，此吾友周書滄從《永樂大典》錄出者，得十六卷，而地官、夏官缺焉。末附《考工記》二卷，蓋鄭宗顏輯安石《字說》為之。……余與書滄、孔葒各抄一本，嗣是永清令周莨谷屬抄一本，而陳上舍竹廠又抄焉。行於世者有四本，亦難得之數也。」可知，《周官新義》是《永樂大典》纂修兼分校官周永年（字書昌，一作書滄）從《大典》中輯出的，程晉芳和周永年等均將此書錄副。《勉行堂文集》卷四〈書《春秋分紀》後〉又載：「癸巳之春，設《四庫全書》館，馬氏書大半進館中，余乃得見之矣。亟命抄胥錄之，三月而畢。覃溪學士亦抄焉。」卷五〈歸潛志跋〉載：「今外間所行《歸潛志》抄本止八卷，此余從四庫館抄出者，得十四卷，與錢氏《敏求記》卷數合，蓋完書也。」[8]據上述可知，程氏還錄副了

304載：「《嵩山景迂生集》二十卷十冊，清乾隆間南昌彭氏知聖道齋鈔本配補長沙郭氏鈔本，……卷首錄四庫提要。」《嵩山景迂生集》可能也是彭氏在館中的錄副本。

7　〔清〕繆荃孫等撰，吳格整理點校：《嘉業堂藏書志》，頁376。

8　據〔清〕程晉芳：〈元和郡縣圖志跋〉，《勉行堂文集》卷五載：「《元和郡縣圖志》四十卷，缺十九、二十、二十三、二十四、三十五、三十六凡六卷，今《永樂大

《春秋分紀》、《歸潛志》等書。另據《標點善本題跋集錄》載:「《斜
川集》六卷二冊,宋蘇過撰,周永年輯,清乾隆間濟南周氏林汲山房
鈔本,近人鄧邦述手書題記。……後於《永樂大典》中輯出,乃睹真
面,亦有生齋刻以行世。余得原刊本,為貝簡香千墨弆物,而鮑以文
校贈之者,所見鈔本則大半贋作,即前估竊錄欺世之書也。此鈔本兩
冊,有劉燕庭藏印,確非贋本,頃避兵歙浦,取以對校,則刻本所增
之文,有……凡五篇;詩則……類從他書增輯,而此本則五言多出二
十四題,凡四十一首,可謂富矣。疑趙氏所據吳君麗煌之鈔本,雖同
出一源,而互有詳略。……趙編詩先文後,此則文先詩後,然其分為
六卷則同,其以一篇為一葉,甚至詩亦一題為一葉,則足見傳鈔之
時,取其易辨,故前後不無重出及錯簡耳。……甲子九月廿一日,群
碧記於滬上。封面有林汲山房傳鈔字,林汲為山東周書昌先生齋名,
與邵二雲同在史館,同輯《永樂大典》,一時競寫未見之書,故往往
一書而互有詳略,不獨此書然也。乙丑春,群碧再記。」[9]可以看
出:周氏鈔本,可能更接近於原輯稿本(單篇為一頁,正說明大典本
原稿本情況);周氏與邵氏同錄副各種未見書,可能因抄手所見稿本
不同等,以致同錄副一書而互有詳略。

　　校勘《永樂大典》纂修兼分校官邵晉涵(字二雲)。國家圖書館
善本部藏清抄本《兩朝綱目備要》(又名《續編兩朝綱目備要》)[10],
是邵晉涵所負責纂辦的大典本,前有「晉涵之印」、「邵氏二雲」印,

　　典》中亦無之,蓋書缺久矣。」(《續修四庫全書》〔上海市:上海古籍出版社,
　　1996-2003年影印本〕,冊1433,頁342上)程氏也抄有四庫館書《元和郡縣圖志》。

9　中央圖書館特藏組編:《標點善本題跋集錄》(臺北市:中央圖書館,1992年),下
　　冊,頁525。

10　關於《續編兩朝綱目備要》的詳細情況,可參汝企和點校本:《續編兩朝綱目備要》
　　(北京市:中華書局,1995年),「前言」。

估計即為其最初辦理時錄副而得的。又據祝尚書《宋人別集敍錄》「大隱集」載，南京圖書館藏有邵晉涵舊鈔本《大隱集》，丁丙謂蓋其「在館時所鈔也」。[11]《傅斯年圖書館善本古籍題跋輯錄》載：「《京口耆舊傳》九卷六冊，舊鈔本，民國十四年鄧邦述手書題記。書有邵二雲先生印，疑即纂輯《永樂大典》時所鈔之本也。守山閣已梓入叢書，未知一校後有同異否？乙丑二月，正闇。」[12]可見，邵晉涵在館中還錄副了《大隱集》、《京口耆舊傳》。此外，據傅增湘《藏園群書經眼錄》載：「《張文忠公文集》二十八卷附錄一卷，清寫本，十行十八字。邵二雲（晉涵）據振綺堂本傳抄。羅有高以朱筆校過，並加評騭。邵氏、羅氏識語錄後：『乾隆四十二年春借汪氏振綺堂藏本映抄，晉涵記。』『柔兆涒灘辜月借振綺堂家藏張文忠集鈔本傭人影鈔，強圉作噩余月鈔畢，適有修志之役，未及校勘，深用為愧。晉涵識於宗陽道院。』……鈐有『藉書園本』、『林汲山房藏書』、『傳之其人』、『晉涵之印』、『邵氏二雲』各印。」[13]張孚敬《張文忠集》應該也是邵氏在館中錄副的，而且是雇人影抄的。

校勘《永樂大典》纂修兼分校官戴震。他為在外地的屈曾發（字魯傳）、段玉裁（字若膺）錄副過不少四庫館書。據戴震〈刊《九章算術》序〉載：「予訪求二十餘年不可得，……及癸巳夏，奉召入京師，與修《四庫全書》，躬逢國家盛典，乃得盡心纂次，訂其訛舛，審知劉徽所注舊有圖而今闕者，補之。書既進，聖天子命即刊行。……吾友屈君魯傳亦好是學，願得《九章》刊之，從予錄一本。」[14]《與段

---

11 祝尚書：《宋人別集敍錄》（北京市：中華書局，1999年），頁762。

12 湯蔓媛纂輯：《傅斯年圖書館善本古籍題跋輯錄》（臺北市：臺灣「中央研究院」歷史語言研究所，2008年），冊1，釋文，頁51。

13 傅增湘：《藏園群書經眼錄》（北京市：中華書局，1983年），冊5，頁1298。

14 〔清〕戴震：《戴震文集》，第130頁。

若膺書（乾隆四十一年十一月廿二日）》載，他抄寄給段玉裁四庫館書《水經注》等書；《與段若膺書（乾隆四十二年五月廿一日）》載，他又寄給段玉裁錄副本《九章算術》、《海島算經》二種[15]。以上所提到的《九章算術》等大典本，均是戴震負責校辦的，故能夠錄副自存，並抄寄給在外地的朋友。

校勘《永樂大典》纂修兼分校官鄒炳泰。據其《午風堂叢談》卷一載：「此帖（《同安帖》）雖未睹真跡，見《永樂大典》，敬錄之，以示子孫。」卷三載：「唐蘇鶚《演義》（《蘇氏演義》）於典制名物具有考證，……余從《永樂大典》中錄得十卷，藏之。」卷四載：「丹陽葛勝仲作《遂初亭記》，葛記不載邑乘，余官翰林，纂修《永樂大典》，見《丹陽集》，此記在焉，因錄之，以俟後之補邑志者。」卷七載：「宋熊蕃有《北苑貢茶錄》一卷，……此錄久佚，從《永樂大典》內纂輯成書，余錄有副本。」[16]可見，鄒氏錄副了不少大典本。

纂修官翁方綱。據盧文弨《十三經注疏正字跋（辛丑）》載：「是書八十一卷，嘉善浦君（鏜）所訂，仁和沈萩園先生（廷芳）復加審定，錄而藏之。其子南雷禮部（世煒）上之四庫館。大興翁覃溪太史（方綱）從館中鈔出一本，余獲見之。」[17]可見，翁氏曾錄副《十三經注疏正字》。

纂修官鄒奕孝。《標點善本題跋集錄》載：「《春秋經左氏傳句解》七十卷三十冊，宋林堯叟撰，元刊清乾隆間鄒奕孝抄補本。……

15 以上分別見〔清〕戴震《戴震全集》（北京市：清華大學出版社，1997年），冊5，頁2676、2677。亦可參《戴震全集》冊1，頁215《與段若膺書（乾隆四十二年正月十四日）》所載：「《割圓記》、《考工記圖》皆未有，其《九章算經》俟令人抄出並俟後寄。」

16 以上分別見〔清〕鄒炳泰：《午風堂叢談》，《續修四庫全書》（上海市：上海古籍出版社，1996-2003年影印本），冊1462，頁153下、頁182上、頁193下、頁222上。

17 〔清〕盧文弨：《抱經堂文集》（北京市：中華書局，2006年），頁106。

江南華姓攜此二十五冊，凡闕五冊，修書之暇，為補其闕，閱二年始
成全書。……浙省進遺書有此一部，板刻無二，取入內廷，外間蓋
尠，是可寶也。……時乾隆四十六年，歲次辛丑，仲春，祭酒鄒奕孝
書。乾隆四十七年，歲次壬寅，孟秋上浣，於京師重裝，……錫麓
記。……鄒念喬先生序稱簽為董宗伯所書，其原闕五冊，先生據浙省
所進鈔本，遂成完璧，……道光二十四年九月十六日，海虞翁同書識
於京邸。」[18]可見，鄒氏約於乾隆四十六年錄副《春秋經左氏傳句解》。

　　纂修官朱筠。《標點善本題跋集錄》載：「《斜川集》六卷二冊，
宋蘇過撰，清周永年輯，清乾隆辛丑大興朱氏椒花舫鈔本，清道光間
朱錫庚手書題記。……是本先大夫於乾隆辛丑之春，募人繕寫。是夏
先大夫見背，蓋未經手澤披尋矣。……錫庚謹識端末如右。……至鈔
胥每以單篇為率，未曾相接成集，雖短章絕句，亦獨佔一紙，殊不成
體，殆當時隨手摘錄，尚未編成卷帙。……道光庚寅九月廿一日，少
河山農又記。」[19]是書以單篇為單位來抄錄，體現了大典本稿本的特
點。朱氏所錄副的即為大典本稿本《斜川集》。

　　分校官沈叔埏。沈叔埏性好藏書，且勤於抄書。阮元稱其「篤情
孝養，樂志林泉，讀書萬卷，著書千篇，生平精力，盡於書焉」。[20]他
十分嚮往四庫館，希望能從中讀到秘書，因此，沈叔埏約在乾隆四十
五年任四庫館分校官後，即開始大量傳抄館書，其中絕大多數為大典

18　中央圖書館特藏組編：《標點善本題跋集錄》（臺北市：中央圖書館，1992年），上
　　冊，頁28。

19　中央圖書館特藏組編：《標點善本題跋集錄》（臺北市：中央圖書館，1992年），上
　　冊，頁526。

20　〔清〕沈叔埏《頤綵堂文集》附阮元〈敕授承德郎吏部稽勳司主事沈君墓誌銘〉，載
　　《續修四庫全書》（上海市：上海古籍出版社，1996-2003年影印本），冊1458，頁
　　533下。

本，如《老圃集》、《都官集》、《東堂集》等。[21]

分校官趙懷玉。趙氏在館期間，將《四庫全書簡明目錄》錄出，交由杭州鮑廷博於乾隆四十九年（1784）刊刻。[22]另據趙懷玉《亦有生齋集》《文》卷二〈徐氏五代史補注殘本序〉載：「……洎通籍，受知於南昌彭文勤公，公方從事此書，竊喜師資之得時。四庫館開，在事諸臣得《永樂大典》所引薛史，甄綜條係，排纂先後，又考宋人書之徵引薛史者，每條採錄，依原書卷數勒成一編，……余時司分校之役，亟錄其副而藏焉。」[23]可見，趙氏還錄副有《舊五代史》。

分校官馮敏昌。《美國國會圖書館藏中國善本書目》載：「《明儒言行錄》，殘存七卷，八冊一函，鈔本。……此本即從《四庫》底本出，末有馮伯子跋，謂在四庫館派校此書，因雇人寫此。伯子，馮敏昌字也。……『右《明儒言行錄》十卷，因分校《四庫》書，派校此部，隨於校時隨筆摘錄數百條，以便觀省。後因原書未全，究為缺略，因雇書手寫成此部，將存家塾，使我子弟他時各得披讀，以為入道之門，其益當為不少。故不惜典衣節食，抄成此書也。校官本時係壬寅七月上旬，訖今此書抄成，並書於後，為十二月十日，魚山伯子記。』」[24]可見，馮敏昌在館中錄副了《明儒言行錄》。

分校官王友亮（號葑亭）。《藏園群書經眼錄》載：「《舊五代史》一百五十卷目錄二卷。清乾隆四十七年壬寅寫本，有『乾隆壬寅二月

---

21 張升：〈沈叔埏與《四庫全書》提要稿〉，《圖書館研究與工作》2007年第2期（2007年6月），頁75-77。

22 杜澤遜：〈序論〉，《四庫存目標注》（上海市：上海古籍出版社，2007年），冊1，頁3。又可參永瑢等《四庫全書簡明目錄》「出版說明」，頁2。

23 《續修四庫全書》（上海市：上海古籍出版社，1996-2003年影印本），冊1470，頁24下。

24 王重民：《美國國會圖書館藏中國善本書目》（臺北市：文海出版社，1972年），頁207。筆者在美國國會圖書館查閱過此書的膠片，發現與此所述一致。馮敏昌跋在第七冊（卷七）末。此書本就為馮氏摘抄的，可能就只抄了這些，並非殘本。

鈔，藕亭』題記一行。……」[25]可見，王友亮曾錄副大典本《舊五代史》。

分校官祖之望。黃丕烈《蕘圃藏書題識》卷四〈何博士備論一卷〉載：「丁丑仲秋，湖賈以閩中所刻書數種求售，此《何博士備論》其一也。書為浦城祝氏留香堂開雕，首載《四庫》提要，末有祖之望跋，謂鈔自翰林院所藏《四庫》副本。取對此，大段相同，字句間有異耳。」[26]可見，祖氏曾錄副《何博士備論》。

以上所舉，並不全面。但是，從上述關於四庫館臣的錄副材料可看出：

其一，從副總裁官到分校官，均參與了錄副，可見館臣錄副是當時非常普遍的現象。不過，相對來說，總裁錄副很少，而館臣中的著名學者錄副較多。

其二，館臣錄副，以抄錄自己所經辦之書為主，但也有不少館臣抄錄他人經辦之書。這主要是因為在開館初期，借出《四庫》底本還是較容易的，據《翁方綱題跋手劄集錄》《致尹嘉銓》載：「前日在館中，見浙江進獻書目內有國朝嘉善葉鈐所著《小學續編》，於宋淳熙之後名言懿行，多所採錄。目內□□□□，而其時此庫之該管供事不在署中，故未得開看。……乃昨日至館，取此書觀之，係刊本，一函六卷，內、外篇皆有續編，甚可以裨補於先生之書。便欲借來觀之，而供事云：『此書是勵老爺所纂，非其本纂之人，則借不能多時。』云云。彼時自牧先生又未在署中，是以正擬今日往借，而今日弟又有事不能入署，而尊紀適來，……至於嘉善葉氏之書，先生必須借來一看，即鄙劄商之自牧，即云是弟所說。昨已問該供事，據云此

---

25 傅增湘：《藏園群書經眼錄》（北京市：中華書局，1983年），冊2，頁182。

26 〔清〕黃丕烈：《蕘圃藏書題識》（上海市：遠東出版社，1999年），頁248-249。

書早晚要交武英殿抄，如本纂者要看，則尚可借留旬時云云。」[27]此段話說明，本纂之人（指負責纂辦該書的館臣）借錄館書，固然十分方便，即便不是本纂之人，亦可借閱，只是不能太久。後來，發生了黃壽齡遺失《永樂大典》事件後，對私攜底本出館的控制稍嚴。[28]不過，其時分校、謄錄均可以攜館書歸家辦理，也為錄副提供了方便。當然，也有因時間緊迫而沒能錄副成功的，據四庫館分校官法式善《存素堂文集》卷一〈洞麓堂集序〉載：「余庚子年以庶起士分校《四庫全書》，得見明尚書尹公臺《洞麓堂集》十一卷，重其人並愛其文，私欲鈔藏，而迫於程限弗果。」[29]不過，這種情況應該比較少見。

需要注意的是，大典本在辦理過程中形成了各種稿本，這些稿本有的未交回館中，有的未被四庫館採用而留在原辦纂修官之手，因此，這些書並非是館臣特地錄副而來的。例如，邵晉涵所輯《九國志》，就自留有稿本，據傅增湘〈校《九國志》跋〉載：「宋路振《九國志》五十一卷，久亡佚，邵二雲從《永樂大典》抄出，周夢棠編為十二卷，刻入《守山閣叢書》中。」[30]

其三，館臣間的相互傳抄較為普遍。這一方面是因為許多館臣間存在有兄弟、同鄉、同年、親戚、師生、朋友等關係；另一方面是因為館臣的學術興趣較為接近，如前述程晉芳與周永年等同抄《周官新義》、程晉芳與翁方綱同抄《春秋分紀》[31]等。又如，大典本《斜川

---

27 沈津輯：《翁方綱題跋手劄集錄》（桂林市：廣西師範大學出版社，2005年），頁501。

28 參「寄諭《四庫全書》總裁各省進到到遺書及翰林院貯書不許私攜出外」（乾隆三十九年七月十八日），載張書才主編：《纂修四庫全書檔案》（上海市：上海古籍出版社，1997年），頁226-228。

29 《續修四庫全書》（上海市：上海古籍出版社，1996-2003年影印本），冊1476，頁675下。

30 傅增湘：《藏園群書題記》（上海市：古籍出版社，2008年），頁150。

31 關於館臣間普遍相互傳抄，還可參傅增湘：《藏園群書經眼錄》（北京市：中華書

集》是纂修官周永年從《大典》中輯出的，就目前所知，當時對此書錄副之館臣即有周永年、朱筠、翁方綱、孫溶等。

其四，當時館臣錄副，固然有時是他們自己謄抄，但更多的時候是雇抄手抄錄，故當時館臣家中活躍著眾多抄手的身影。據桂馥《晚學集》卷七〈周先生（書昌）傳〉載：「……借館上書，屬予為《四部考》，傭書工十人，日鈔數十紙，盛夏燒燈校治，會禁借官書，遂罷。」[32]當時助館臣校書的丁傑（號小雅）在致桂馥的兩封信中亦提到：「抄手一時難得其人，奈何？詹公有令侄，又有一胡公，向在東原先生家抄書，人甚妥當，何不向詹公說說」、「今有紹興朱公，係二雲先生同鄉。二雲出去，朱公手頭無書寫，特薦與先生試抄一二小冊」。[33]

四庫館謄錄，是否就是學者們提到的抄手？應該不是。謄錄是官家徵用的，沒有報酬，只有議敘，而抄手是私家所雇，有報酬。[34]替館臣錄副，應該是這些雇傭抄手的主要工作。其時錄副之書多，需求旺盛，抄手就不好找，而且價格高，據李文藻《嶺南詩集·桂林集》卷二〈六月十五日出都留別欽州馮伯求、季求、歷城周書昌，次伯求見贈韻二首〉載：「兩月住京華，與君無暫間。借鈔中秘笈，手少傭

局，1983年），冊5，頁1440所載：「《鮚埼亭集》三十八卷《經史答問》十一卷。清寫本，十行二十一字。舊人以刻本校過，注於欄上，用墨筆，文字異同極多。前有跋錄後：『乾隆庚子八月從程魚門先生處假鈔，未得善本，不能校也。蒔町識。』鈐有『王友亮印』，……」

32 〔清〕桂馥：《晚學集》（北京市：中華書局，1985年影印《叢書集成初編》本），頁202。

33 以上分別見王獻唐輯錄：《顧黃書僚雜錄》（濟南市：齊魯書社，1984年），頁5，丁小雅：〈致桂未谷書〉第二劄；頁8，丁小雅：〈致桂未谷書〉第七劄。

34 〔清〕張塤：〈偶成口號三首〉，《竹葉庵文集》卷6：「今年得奉君王詔，廡下傭書價值多。」《續修四庫全書》（上海市：上海古籍出版社，1996-2003年影印本），冊1449，頁151上。

為艱。同好周柱史,插架高難攀。萬卷不滿意,持錄愁攢顏。四庫寫未半,積債如層山。……」[35]從中可看出李氏雇用書手不易,而周氏則要舉債鈔書。但四庫館閉館後,需求沒有那麼旺盛了,抄手多賦閒,所以法式善說可以賤價雇用這些抄手:「借鈔官書,不得過多時日,攜歸又恐污損。是年因謄寫七閣書甫畢,書手閒居京師者甚多,取值特廉,余以提調院事,小史亦有工書之人,揀《永樂大典》中世所罕見而卷帙較略者,分日鈔繕,受業生徒十餘人亦欣然相助。」[36]

關於抄書的價格,據《標點善本題跋集錄》載:「《故唐律疏議》三十卷,唐長孫無忌等撰,清乾隆丁卯(十二年)曲阜孔氏傳鈔元至正本,清孔繼涵手書題記。乾隆丁卯,借陸耳山學士本,為魚門同年抄副,凡字廿六萬四千五百八十,寫工錢五千二百九十一。時八月之望,曲阜孔繼涵題記。」[37]如此看來,一文錢約可寫五十字。

另據傅增湘《藏園群書經眼錄》載:「《灤陽銷夏錄》三卷,清紀昀撰。紀氏原稿本,棉紙朱欄,半葉八行,後有手識四行,……按:此冊棉紙朱欄,寬行正楷,與《四庫全書》繕本無異,當是公修書時飭館中小史所寫。……藏園記」、「《知聖道齋讀書跋尾》一卷,紅格宣紙精寫,似清內府所書,或彭氏領閣事時屬胥史所錄也」[38]可見,館臣有時會用四庫館專用的紅格抄紙錄副,而且,有權力的館臣還可以指使館中的小吏替自己抄書(作私活)。

35 《續修四庫全書》(上海市:上海古籍出版社,1996-2003年影印本),冊1449,頁46。
36 〔清〕法式善:《陶廬雜錄》(北京市:中華書局,1997年),頁68。
37 中央圖書館特藏組編:《標點善本題跋集錄》(臺北市:中央圖書館,1992年),上冊,頁180。《故唐律疏義》孔氏抄本,曾經姚覲元收藏,據其《咫進齋善本書目》(《中國著名藏書家書目彙刊》本)頁61載:「《故唐律疏義》三十卷,舊抄本,唐長孫無忌等撰,有嚴長明校藏印、師竹齋齋藏二朱記。『……曲阜孔繼涵題記。』」
38 以上分別見傅增湘:《藏園群書經眼錄》(北京市:中華書局,1983年),冊3,頁796;冊5,頁1441。

其五，當時館臣錄副，除了滿足自己的需要外，還大量地為館外之人錄副。如前述的戴震、紀昀等人即曾為在外地的朋友錄副。又如館臣周永年，也給在館外的朋友錄副《四庫》書，其〈致桂未谷函〉云：「宋元人醫書，《大典》甚多，不知何者為外間所無。求陳先生速開一單，從莊谷處寄來。此刻王史亭先生現辦此門故也。要先開其最難得者。」[39]

二　四庫館外之人

四庫館外之人，在四庫館開館期間亦有多種途徑得以獲見四庫館書，從而錄副。這些人又可分為以下兩類：

其一，助館臣校書者（即助校）。《四庫》開館，吸引著全國許多士子來北京投機，而館臣則乘機延致士子於家中以助校勘。館臣得士子襄助，而士子亦得間接參與修書之事。這種情況在當時非常普遍，諸如翁方綱請陸鎮堂、丁傑助校，朱筠、戴震請丁傑助校，程晉芳請沈叔埏（未出任《四庫》分校官之前）助校，周永年請桂馥助校，楊懋珩請楊芳燦助校，等等。這些助校者均可以利用自己校勘館書的機會錄副，例如，戚學標《鶴泉文鈔續選》卷八〈石屏續集跋〉載：「《戴石屏續集》四卷，曲阜孔一齋孝廉為周林汲太史校書時，從《永樂大典》中錄出。」[40]周永年為大典本纂修與校勘官，請孔廣栻（號一齋）為助校，則孔氏所錄，應為從大典本錄副，而非直接從《大典》中錄出（當時很多人稱從大典本錄副為從《永樂大典》錄

---

39 王獻唐輯錄：《顧黃書僚雜錄》（濟南市：齊魯書社，1984年），頁3。王史亭，名嘉曾，號史亭，為大典本纂修兼分校官。

40 《續修四庫全書》（上海市：上海古籍出版社，1996-2003年影印本），冊1462，頁521上。

出，如沈叔埏）。王欣夫《蛾術軒篋存善本書錄》載，《佩觿》一書，翁方綱錄本，桂馥、丁傑均借臨之。[41]余集《秋室學古錄》卷五〈宸垣識略序〉載：「太初氏（指《宸垣識略》作者吳長元）客京師十年，以著述自娛，間佐公卿讎校秘冊，輒錄副藏篋，衍為隨筆若干卷。」[42]可見，有些助校還據所錄副材料著書立說。

又如，助校者桂馥在離京之時，也念念不忘錄出稀見的大典本，其《晚學集》卷六〈與龔禮部麗正書〉載：「今將遠別，有望於足下者三事，幸留意：⋯⋯《永樂大典》引《玉篇》，分原本、重修本，⋯⋯而《大典》存翰林院，尚可依韻錄出，此又小學家所深望也。⋯⋯此三事皆留京所急，他日違去無能為矣。足下官事餘閒，願一涉足之。如不能，則勸同志。」[43]

其二，與館臣交好之人。例如，朱文藻客居京師，從館臣邵晉涵處獲見館書，得以錄副。[44]吳長元也因客居京師，從館臣餘集處獲見大典本《平庵悔稿》，得以錄副。[45]不過，這方面成績最突出的要數孔繼涵。孔繼涵是一位藏書家，頗好異書，勤於抄校，而且他當時正在京城任職，雖不得入四庫館，但與諸多館臣關係頗為密切（如與大典

---

41 王欣夫：《蛾術軒篋存善本書錄》（上海市：上海古籍出版社，2002年），頁64-65。

42 〔清〕吳長元：《宸垣識略》（北京市：古籍出版社，1983年），頁3。

43 〔清〕桂馥：《晚學集》（北京市：中華書局，1985年影印《叢書集成初編》本），頁179-180。

44 〔宋〕張鎡《南湖集》附朱文藻《書南湖集後》載：「己亥仲冬藻客京師，從邵太史二云得見四庫全書館裒集《永樂大典》中所載張鎡詩詞，編定為《南湖集》十卷。傳抄副本，攜歸虎坊寓齋，粗校一過，而未能詳考也。」張鎡：《南湖集》（北京市：中華書局，1985年《叢書集成初編》本），頁217。

45 張人鳳編：《張元濟古籍書目序跋彙編》（北京市：商務印書館，2003年），中冊，頁702「平庵悔稿十四卷丙辰悔稿一卷悔稿後編六卷」條載：「《四庫》未收。⋯⋯卷末仁和吳元長跋謂：『餘集由《永樂大典》摘出。因誤傳全集已鈔入《四庫》，遂未編錄。後元長客余氏京邸，獲見存稿，手錄副本，《悔稿》十五卷，詩八百六十餘首，《後編》六卷，詩五百五十餘首。』」案：吳元長，應為吳長元。

本纂修兼分校官戴震既是執友又是兒女親家）。通過向館臣借抄，他錄副的四庫館書非常多。例如，他抄錄了戴震所輯出的多種大典本及邵晉涵所輯的《舊五代史》等大典本。館臣楊昌霖負責纂辦的大典本《春秋會義》，孔繼涵亦從其借鈔。此外，孔繼涵還分別從館臣周永年、徐天柱處借抄得四庫館書《東國史略》[46]及《大金國志》。[47]傅增湘《藏園群書經眼錄》一書對孔氏錄副本有較多著錄，如「《丹陽集》二十四卷」：「舊寫本，孔葒谷繼涵手寫目錄。」「《閻風集》十二卷」：「舊寫本，孔葒谷繼涵手寫目錄。」「《牆東類稿》二十卷」：「舊寫本，孔葒谷繼涵手寫目錄。」「《小亨集》六卷」：「舊寫本，孔葒谷繼涵抄目。」「《張大家蘭雪集》二卷」：「舊寫本，……版心下方有『知不足齋正本』六字。孔葒谷繼涵手抄目錄，朱筆校。」[48]另外，當孔繼涵離京到外地時，還通過在京的朋友轉錄四庫館書，據國家圖書館善本部所藏《文莊集》三十六卷（清抄本，孔繼涵跋，四冊）書後題：「乾隆辛丑春三月二十三日，丁孝廉傑小山自都中抄貽。」可見，孔繼涵錄副的四庫館書是非常多的。[49]

46 中央圖書館特藏組編：《標點善本題跋集錄》（臺北市：中央圖書館，1992年），上冊，頁131。

47 傅增湘：《藏園群書經眼錄》（北京市：中華書局，1983年），頁298，「大金國志四十卷」條載：「舊寫本，……杭世駿、孔繼涵跋附後……『乾隆卅八年借鈔自徐灝云編修處，己亥三月廿八日復鈔杭跋於末。誧孟記。』」誧孟，即孔繼涵；徐灝云，即《四庫》纂修官徐天柱。

48 以上分別見傅增湘：《藏園群書經眼錄》（北京市：中華書局，1983年），頁1208、頁1279、頁1304、頁1309、頁1375。

49 孔繼涵的錄副本流傳至今者還有不少，如國家圖書館善本部所藏《呂忠穆公年譜》一卷《勤王記》一卷《遺事》一卷《逢辰記》一卷（清乾隆四十二年孔繼涵家抄本，孔繼涵抄並跋，一冊）即為其中一種，後有孔氏跋語：「右《永樂大典》五語韻呂字下所載全書四篇，銜名小即是冊後福（副）頁上者，在《大典》一萬七百七十四卷八頁起，至十九頁，頁十六行，行十字，皆夾行細字，頁得三十三行。一萬七百七十五卷，全卷行同。同年周林汲編修抄付者。孔繼涵記。」此外，據臺灣

　　以上所提到的錄副者，儘管身在館外，但均在京城，與館臣交往方便，故得以錄副館書。其實，即使是在外地者，也可以在《四庫》修書期間通過各種關係獲得四庫館書的錄副本，例如前述段玉裁、屈曾發通過戴震錄副館書就是這種情況。又如，邵晉涵《南江文鈔》卷六〈霍尊彝遺詩序〉載：「……又掇其遺言軼事為《姚江詩話》，寓書京師，□余鈔宋孫燭湖、元宋庸庵遺詩，至再三不倦。」[50]可見，霍氏寫信給邵氏，請其代為抄錄圖書。另據錢大昕〈世緯序〉載：「今天子右文稽古，特命儒臣編次《四庫全書》，是書始復顯於世，而吳中藏書家尚以未得見為憾。於是先生之族孫又愷貽書京都預館局者，假鈔其副藏篋中，以為家寶。」[51]《世緯》為明袁胥臺著，袁氏族孫又愷家中也沒有此書，只好託人從四庫館抄出。李調元《童山文集》卷三〈函海序〉載：「余適由廣東學政任滿，蒙特恩監司畿輔，去京咫尺，而向在翰院同館諸公，又時獲鱗素相通，因得以借觀天府藏書之副本。每得善本，輒雇胥鈔之。始於辛丑秋，迄於壬寅冬，裒然成帙，真洋洋大觀矣。」[52]辛丑、壬寅分別為乾隆四十六、四十七年。

「國家圖書館」特藏組編：《「國家圖書館」善本書志初稿》（臺北市：國家圖書館，1999年），史部，冊1，頁72載：「《舊五代史》一百五十卷十四冊，舊抄本。……此書為邵二云自《永樂大典》輯出，經孔繼涵手校，……卷末記『乾隆丁酉八月十七日同孫庶常寄圃晤莊谷戶部得見此書，因記歲月於後，吳興陳焯暎之。』」孫寄圃，即孫玉庭。此書也可能是孔氏的錄副本。

50　《續修四庫全書》（上海市：上海古籍出版社，1996-2003年影印本），冊1463，頁444下。

51　陳文和主編：《嘉定錢大昕全集》（南京市：江蘇古籍出版社，1997年），冊9，頁403。

52　《續修四庫全書》（上海市：上海古籍出版社，1996-2003年影印本），冊1456，頁510上。據〔清〕章學誠《章學誠遺書》，頁179〈周筤谷別傳〉載：「永清去京一舍，購書都市，兼車累篋，或借鈔館閣，縣吏無事，多役使繕書。」由於永清離北京較近，甚至可以借出館書到永清來錄副。另據（清）王昶編《湖海詩傳》卷七袁枚《聞魚門吏部充四庫館纂修喜寄以詩》載：「不能從子為書奴，願抄書目逐寄

「天府藏書」應主要是指四庫館書。可見，李調元可以通過館臣借抄
得四庫館書。

在這些外地者中，獲得四庫館書錄副本數量最多的應數鮑廷博
（字以文）。四庫館開館，鮑廷博一家獻過不少圖書。《四庫》修書期
間，他又通過各種關係從館中錄副。其時助鮑氏知不足齋抄書的館臣
應有不少，如《南湖集》書前鮑廷博《刻南湖集緣起》載：「恭遇聖
天子右文稽古，命儒臣檢集《永樂大典》中遺籍，匯入《四庫全
書》。於是歷代名家詩之散見於各韻者，俱得裒錄成帙，而約齋之詩
始出。……向者張助教潛亭（引者案：即館臣張羲年）入都，曾以搜
求未備為托。閱歲書來，以館中新得《南湖集》見報。未幾助教忽歸
道山，繼而邵太史二雲聞之，赴官之後，亟求館中校定副本，傳抄一
編。適沈侍御蘆士南歸，寄以相示。」[53]《知不足齋叢書》《金樓子》
附汪輝祖〈書金樓子後〉載：「太史（案：指周永年）從《永樂大
典》輯錄《金樓子》六卷，命致鮑君以文者，亦儼然在焉。」[54]筆者
估計，鮑氏之錄副，與雍正年間藏書家馬曰琯兄弟托全祖望在京輯抄

　　予。俾得約略知些須，此身不負生唐虞。」（《續修四庫全書》〔上海市：上海古籍
　　出版社，1996-2003年影印本〕，冊1625，頁602）可見，袁氏不能入館，希望程晉芳
　　能抄些書目給他。

53　〔宋〕張鎡：《南湖集》（北京市：中華書局，1985年《叢書集成初編》本），頁1。據
　　《標點善本題跋集錄》（臺北市：中央圖書館，1992年），下冊，頁607載：「《松雨軒
　　集》八卷四冊，明平顯撰，清咸豐丁巳仁和勞權手鈔本，勞權自校並跋兼過錄鮑廷
　　博題識，近人鄧邦述手書題記。……〔過錄〕（卷一）乾隆乙未閏十月二十八日燈
　　下校於知不足齋，是日得國子監助教張君書云，四庫館所辦各省遺書，臘月可以藏
　　事，書目已辦五千五百餘篇矣。」張君即為張羲年。可見，張氏與鮑氏多有聯繫。

54　另據中央圖書館特藏組編：《標點善本題跋集錄》（臺北市：中央圖書館，1992
　　年），上冊，頁312載：「《金樓子》六卷三冊，舊鈔本，清謝章鋌手校並跋。鮑本每
　　葉行數、每行字數與此本俱同。……鮑本末有汪輝祖跋，謂是書乃周書倉於《永樂
　　大典》中錄寄鮑以文，刻入叢書。此本殆亦同時並錄，錄者未知為何人，實非書倉
　　之本，故按語有詳略歟？」可見，當時一書有多種錄副本。

《大典》佚書的做法相似,即他專門提供資金與抄紙請在京之友人幫忙錄副。又據嚴紹璗《日藏漢籍善本書錄》載:「勞權手校《四庫》未收宋詞八種,舊寫本,勞權手識文本,⋯⋯『咸豐壬子八月朔,據知不足齋魏柳州先生鈔本校。柳州名琇,工詩精醫,曾校定《名醫類案》,鮑氏刊行。所著《續名醫類案》,收入《四庫全書》。⋯⋯』、『柳州寫此詩,烏絲欄中知不足齋正本字跡,似主人委鈔也。』」[55]可見,鮑氏多委人鈔書,用知不足齋正本紙,例如,國家圖書館善本部藏孔繼涵抄校《蘭雪集》二卷,抄紙版心下方有「知不足齋正本」六字,此書可能即為孔氏替鮑廷博抄的。

目前存世的諸多知不足齋抄本中,有不少是當時的錄副本。這些鮑氏錄副本一般使用的是專門的知不足齋抄紙。不過,有的書在錄成後,可能並未交給鮑氏,而是流入他人之手。由於這些書往往不標明為鮑氏抄本,所以,目前要對這種知不足齋抄本的數量作出準確的統計是非常困難的。[56]不過,我們可以據上述推測,鮑氏知不足齋錄副的四庫館書應是相當多的。

第二節　錄副本的傳播與整理

由於《四庫全書》及其它四庫館書在當時不是一般人所能看到

---

55 嚴紹璗:《日藏漢籍善本書錄》(北京市:中華書局,2007年),頁2025。

56 據王重民:《美國國會圖書館藏中國善本書目》,頁682載:「《景德庵叢抄》二十種,二十冊,三函,鈔本。不著編輯人姓氏,景德庵亦不詳為何人齋名。《待清軒遺稿》卷末有:『嘉慶三年歲次戊午五月初四日重鈔並校,知不足齋識。』筆跡與全書同,蓋因從知不足齋鈔本出,書手遂並錄鮑氏題記也。」因此,有的書雖題為知不足齋抄本,實非真正的知不足齋抄本,而是轉抄的。關於知不足齋抄本的存世情況,可參丁學松輯、季秋華補:《鮑氏知不足齋抄校本書輯目》(合肥市:黃山書社,2010年),載劉尚恒〈鮑廷博年譜〉,附錄四,頁329-352。

的，因此，這些錄副本甫一流入社會，即通過傳抄、售賣、刊印等方式很快在社會上廣為傳播。而在傳播過程中，有的錄副本還不斷地得到經手學者的校訂整理，遠勝於四庫館書原本及《四庫》本。

一　傳抄

《四庫》錄副本一經流入社會，往往廣為傳抄。當時傳抄大典本者甚多，有的書在很短的時間內即有幾十部抄本。例如，宋林之奇《尚書全解》為《尚書》研究之重要文獻，被認為得理學正傳，然其中〈多方〉篇久佚，「惟《永樂大典》修自明初，其時猶見舊刻，故所載之奇《書解》，此篇獨存」。清修《四庫》時，將此篇「錄而補之，乃得復還舊觀」。當時學者紛紛轉抄，「戊戌春，寶應劉君端臨（臺拱）借抄再校一過，朋儕先後傳寫者可數十本矣」。[57]

沈叔埏所錄副的四庫館書（尤其是大典本），在當時是比較多的，故有不少人借去傳抄、校勘，其中：為孔繼涵借抄者有《守城錄》二卷、《西陲筆略》一卷、《紹興採石大戰始末》一卷；為鮑廷博借校的有《溪堂集》十卷[58]、《東齋紀事》五卷補遺一卷[59]、《東堂集》

---

57 轉引自王世偉：〈傳抄自《永樂大典》的清抄稿本《尚書全解》〈多方〉及附錄考略〉，見中國國家圖書館編：《《永樂大典》編纂600週年國際研討會論文集》（北京市：北京圖書館出版社，2003年），頁204-205。

58 《溪堂集》十卷，宋謝逸撰，清乾隆五十四年鮑氏知不足齋抄本（鮑廷博批校並跋）。鮑氏跋云：「乾隆己酉仲冬，借沈比部叔埏本對錄，是月二十日校於青淮寓廬。」己酉，為乾隆五十四年。

59 《東齋紀事》五卷、補遺一卷，宋范鎮撰，清抄本（清鮑廷博校）。鮑氏跋云：「嘉慶辛酉三月借嘉禾沈比部帶湖先生藏本對寫，十三日校於知不足齋。」辛酉，為嘉慶六年。

十卷[60]、《老圃集》二卷[61]、《彝齋文編》四卷。[62]趙氏錄副本中，以《四庫全書簡明目錄》影響最大，故傳抄者也最多，據趙懷玉《亦有生齋集》文卷七〈欽定四庫全書簡明目錄恭跋〉云：「臣懷玉幸預分校之役，嘗就全書處恭錄副墨以歸。東南士林借鈔接踵，時恐不給。」[63]

鮑廷博的錄副本也常被人傳抄，據臺灣《國家圖書館善本書志初稿》載：「《五代史記纂誤》三卷一冊，清乾隆壬寅顧沅請張充之手鈔本，……目錄後有《四庫全書》原書提要（與《總目》提要不同）。末卷尾題下記『乾隆壬寅三月借武林鮑氏本勻張君充之鈔』。《四庫》原書提要進呈時間為四十七年五月。……此書本為四庫館臣輯自《永樂大典》，鮑氏本當自此出。」[64]需要注意的是，壬寅為乾隆四十七年，顧沅從鮑氏借抄此書在乾隆四十七年三月，而文淵閣《四庫全書》該書提要所署恭校上時間為乾隆四十七年五月，因此，鮑氏本是抄自於四庫館大典本稿本，故其提要與正本提要有不同。

---

60 《東堂集》十卷，知不足齋抄本。鮑氏跋云：「乾隆庚戌借□比部□□本對錄，明年辛亥二月初一日校訂一過。」所缺三字，據該卷一鮑氏題記：「癸卯六月二十三日秀水沈叔埏用底本校。詩用《檇李詩繫》校補。」可知即為沈叔埏。

61 張玉範整理：《木犀軒藏書題記及書錄》（北京市：北京大學出版社，1985年），頁291載《老圃集》二卷，舊抄本（清傳抄《四庫全書》本，鮑以文校）。鮑氏跋：「乾隆己酉（五十四年）孟冬傳嘉興沈比部叔埏本並校。」

62 張玉範整理：《木犀軒藏書題記及書錄》（北京市：北京大學出版社，1985年），頁305載《彝齋文編》四卷補遺一卷，鮑廷博輯，末有跋，「右《彝齋文編》四卷，乾隆辛亥（五十五年）正月假於秀水沈帶湖先生叔埏，抄錄甫竟，旋毀於火。明年冬，為重錄焉。補遺一卷，則葺自他者也。」

63 《續修四庫全書》（上海市：上海古籍出版社，1996-2003年影印本），冊1470，頁84下。

64 國家圖書館特藏組編：《國家圖書館善本書志初稿》（臺北市：國家圖書館，1999年），史部，冊1，頁76。

二　售賣

　　四庫館書的錄副本，有的很快就流入京城琉璃廠書肆。例如，前述的《尚書全解·多方》一篇，丁傑於乾隆丁酉（四十二年）秋「在京師從琉璃廠五柳居書肆借抄此卷，乃《永樂大典》本也」。丁傑跋云：「其年（指乾隆四十三年）八月，始見官本，遂手自校訂。有新抄誤者，有舊抄誤者，亦有林氏自誤者，悉皆改正，不暇分別標識也。編修鄒公玉藻纂修，大總裁劉文正公尚在列，蓋癸巳（乾隆三十八年）秋從《永樂大典》纂出者。」[65]新抄指的是錄入《四庫》的大典本定本（官本），而舊抄指的是大典本初輯本。此書是乾隆三十八年秋館臣從《大典》中輯出的，乾隆四十二年即已出現在琉璃廠書肆中，故丁傑得以從書肆借抄。過了一年，亦即乾隆四十三年八月，丁傑又看到了《四庫》定本，因而將舊抄本與《四庫》定本作校對，修正了不少錯誤。據上述《尚書全解·多方》流入書肆公開售賣的情況可看出，那些《四庫》錄副本有很高的商業價值，在社會上有很大的需求。[66]

　　正因如此，有的館臣看到了錄副本的市場價值，甚至直接錄副而售賣，如邵晉涵校《東南紀聞》跋云：「辛丑夏，館臣錄副本求售，因留之。」[67]

65　孫殿起：《琉璃廠小志》（北京市：古籍出版社，1982年），頁398。

66　又可參孫殿起《琉璃廠小志》（北京市：古籍出版社，1982年），頁427引傅增湘《四庫館寫本春秋會義跋》云：「原書有鄂人鄒道沂跋，言此為《永樂大典》輯出之本，得之京師廠肆。」

67　黃云眉：《史學雜稿訂存》（濟南市：齊魯書社，1980年），頁98。

三　刊行

　　如前所述，鮑廷博所獲得的《四庫》書錄副本，有不少被收入《知不足齋叢書》中得以刊刻流傳於世。該叢書所收的《四庫》大典本之錄副本即有：《南湖集》十卷附錄三卷、《金樓子》六卷、《江南餘載》二卷、《慶元黨禁》一卷、《逍遙集》一卷、《百正集》三卷、《五代史纂誤》三卷、《嶺外代答》十卷、《灊山集》三卷補遺一卷、《藏海詩話》一卷、《畫墁集》八卷補遺一卷、《斜川集》六卷附錄二卷訂誤一卷。例如，大典本《斜川集》，鮑氏在獲得此錄副本後，即將其校訂後刻入叢書中，據法式善《斜川集補遺序》載：「乾隆四十七年，仁和吳君長元鈔得《斜川集》零篇於孫中翰寓齋，武進趙味辛先六年冬集大興翁學士齋，亦見此書。請急南下，未及錄稿。蓋兩家本皆採自《永樂大典》中者。吳君寄其鄉人鮑氏，屬刻於知不足齋。是時味辛適在杭，篤愛斯集，……遂獨任剞劂役，商榷體例，訂證訛誤，釐成六卷，鮑氏與有力焉。」趙懷玉〈校刻斜川集序〉載：「越六年丙午，客授桐鄉，偶語鮑君以文，則以文已先屬其友人仁和吳君麗煌錄寄。喜極欲狂，亟索校閱，有可據引者，條疏於下。……乾隆丁未四月付梓，中間作輟，涉冬而後蔵事。商榷讎勘，以文一人而已。」[68]

---

68 以上分別見舒大剛等：《斜川集校注》（成都市：巴蜀書社，1996年），頁816、頁814。又可參該書頁813，吳長元〈校刊斜川集原序〉載：「歲在癸巳，朝廷開館纂修《四庫全書》，特詔儒臣從《永樂大典》中搜羅遺籍，時山左周編修永年於各韻下得先生詩文散片，共若干首，緣《全書提要》將外省所進《斜川集》贗本駁去，乃留笥不辦。繼予妹婿余編修集於孫中翰溶齋偶見稿本，亟以告予，予驚喜過望，借歸錄副。從《宋文鑒》、《東坡全集》、《播芳大全》諸書考訂訛舛，增補闕遺，釐為六卷。又採他書所載遺聞逸事輒附焉。……友人鮑以文氏嗜奇好古，先世所藏兩宋遺集多至三百餘家，亦以未見先生詩文為憾。會有南鴻之便，即以錄本寄之。」

吳麗煌即吳長元（號麗煌），孫中翰即四庫館分校官孫溶。吳長元從
孫氏家中抄得此書後即寄回給鮑廷博，而趙懷玉（味辛）亦曾在翁方
綱家見到過此書的另一錄副本，從上述可看出，當時錄副之人確實很
多，而且當時也確實有不少人替鮑廷博錄副四庫館書。此外，鮑廷博
還於乾隆四十九年（1784）刊刻了分校官趙懷玉錄副的《四庫全書簡
明目錄》（這是所有《四庫全書簡明目錄》刊本中最早的一種）。

　　孔繼涵對戴震輯佚錄副的大典本《海島算經》等書進行整理，刊
入其《微波榭叢書》中。此外，孔氏還刊刻有錄副本《春秋長曆》，
據盧文弨《春秋長曆書後（乙巳）》載：「此杜元凱所撰《春秋長曆》
也，學者不得見久矣。曲阜孔君漢谷始梓而傳之，殆亦從《永樂大
典》中出也。」[69]

　　國家圖書館古籍部藏孫葆田校刻本《春秋會義》二十六卷，亦是
據《四庫》錄副本校勘後刊行的，該書孫葆田序稱：「其全書不知亡
於何時，國朝朱錫鬯氏《經義考》以為久佚。乾隆中詔修《四庫全
書》，館臣始從《永樂大典》輯出。書已成而《總目》失收。聞當時
吾鄉孔葓谷戶部曾錄有副本，今流傳至江南為某氏所藏。此本乃鄒孝
廉道沂家存故籍，予聞諸蔣性甫太史，因亟從借鈔。會歸安陸存齋至
濟南，於予齋中見此書，詫為未有，並屬傳鈔一部。原本首行標四庫
全書，疑即館中擬進本。……予既喜得是書本末，思廣其傳，乃捐貲
付梓，以公諸同人。……予深愧弇陋，輒就目前所見，略為編訂，並
附校刊略例。」

---

69 〔清〕盧文弨：《抱經堂文集》（北京市：中華書局，2006年），卷12，頁167。

四　校訂

　　由於《四庫》錄副本所據的原本可能有訛誤，錄副本在傳抄的過
程中也可能產生新的訛誤，而且大典本還存在著普遍漏輯現象，因而
許多學者在獲得這些錄副本後往往會對其進行校勘、訂補。例如：

　　前述大典本《斜川集》錄副本流入社會後，即先後經趙懷玉、唐
仲冕、鮑廷博刊行，而在每次刊刻時該書都經過精心的校訂，增補了
不少內容。[70]

　　沈叔埏所錄副的四庫館書（尤其是大典本）較多，但是，由於其
錄副所據的底本往往不是定本，因而存在較多的問題，如國家圖書館
善本部藏《彭城集》四十卷，乾隆四十八年沈叔埏校，每卷皆有其校
語。從校語可看出，沈氏所作的校勘包括文字的是正、前後順序的調
整、補入新的內容、對其中的一些文句作修正、對內容提出疑問等，
其中最主的是文字的是正，大的改動很少。如：卷七「夷門城東門一
首」，沈氏校：「疑是夷門行」；卷十一「將赴官廬州……」，沈氏校：
「此詩應移在前卷九洞庭□張四一首後」；「挽慶壽詩」，沈氏校：「慶
壽挽詩」；卷二十四「貢舉議」，沈氏校：「水西家集尚有〈論更學校
貢舉法〉一篇，應抄附此篇之後」；卷四十「設常侍郎對」，沈氏校：
此篇移至卷首；等等。此外，據其《頤綵堂文集》卷九〈書都官集
後〉載：「乾隆辛丑冬，余從《大典》抄得僅十四卷，因取一時贈
答、哀挽諸篇並後世懷古之作悉附焉。」《書東堂集後》載：「余既抄
自《大典》，為補〈回應山禱雨寄東坡〉五古一首，附以坡詩〈銅山

---

70 四川大學古籍研究所編：《宋集珍本叢刊》（北京市：線裝書局，2004年），冊108
　　《書目提要》，頁90-91「《斜川集》提要」。

寺〉七絕一首，並附後人詩紀以資參考。又補入〈驀山溪詞序〉一篇、〈月波樓記〉、〈寒穴銘〉各一首，並毛刊〈六十家詞〉而別為附錄一卷，共十三卷，仍符陳氏《解題》之數云。」[71]可知，沈氏在校勘時還補入了不少內容。而沈氏所補的內容，《四庫》本均沒收，因此，沈氏的校補本在一定程度上要優於《四庫》本。

鮑廷博錄副《四庫》書，主要是為了編入其《知不足齋叢書》而予以刊行。在刊行前，他都要親自或請人作一番精心的校勘。現存的知不足齋錄副本中多可見有鮑氏或他人校訂的痕跡，例如，鮑氏知不足齋抄本《彝齋文編》四卷補遺一卷，書後有題記：「乾隆乙卯七月廿八日，偕趙晉齋詣文瀾閣檢《四庫全書》本校正一過，補詩三首文一篇，歙鮑廷博記。」該書中多有校改痕跡。鮑氏抄校本《公是先生文集》不分卷，內中亦有校改痕跡，但校改的內容很少。鮑氏抄校本《老圃集》二卷，鮑氏題記云：「乾隆己酉（五十四年）孟冬傳嘉興沈比部叔埏本並校」、「乾隆乙卯八月初四日文瀾閣《四庫全書》本恭校」、「嘉慶戊午四月十四日重抄完，次日校訖」。[72]又如臺灣《國家圖書館善本書志初稿》載：「《日涉園集》十卷二冊，清乾隆間歙西鮑氏知不足齋鈔校本。……全書有綠色標點，朱筆手校，為嘉慶五年（1800）鮑廷博所校。」[73]傅增湘《藏園群書經眼錄》「老圃集上下

---

71 以上分別見《續修四庫全書》（上海市：上海古籍出版社，1996-2003年影印本），冊1458，頁441下、頁442下。

72 張玉範整理：《木犀軒藏書題記及書錄》（北京市：北京大學出版社，1985年），頁291。

73 國家圖書館特藏組編《國家圖書館善本書志初稿》（臺北市：國家圖書館，1999年），集部，冊1，頁311。嚴紹璗：《日藏漢籍善本書錄》（北京市：中華書局，2007年），頁1556載：「《日涉園集》十卷，宋李彭撰。古寫本。云泉居士、鮑廷博、陸心源手識本。靜嘉堂文庫藏。〔按〕：此本係樂易居士寫本，然居士姓氏無考，卷中有云泉居士手識記其事。其文曰：『樂易居士於《永樂大典》中錄出，時乾隆辛丑之秋。嘉慶二年丁巳閏六月，借喜稻堂鈔本互校。另又錄八詩於各體卷

卷」載：「舊寫本，十行二十一字。前錄《四庫》提要，是仍出於《大典》輯本也。卷末小識三行錄如左：『乾隆己酉孟冬傳嘉興沈比部叔埏本並校。』『乾隆乙卯八月初四日文瀾閣四庫本書本恭校。』『嘉慶戊午四月十四日重抄完，次日校訖。』按：新刻《西渡集》後錄有鮑廷博跋，亦借沈叔埏本對錄，正為乾隆己酉仲冬，其閣本再校亦與此同，是此本即鮑氏原鈔也。眉間藍筆校語余識為鮑廷博手跡，則更可無疑矣。沇叔。」「巴西文集一卷」載：「知不足齋寫本，十行十九字，計一百二十七番。鮑以文廷博手校。」[74]前引《南湖集》附朱文藻《書南湖集後》載：「傳抄副本，攜歸虎坊寓齋，粗校一過，而未能詳考也。鮑君以文增輯遺文逸事，為附錄、外錄，合刻竣工，復受而讀之。」可見，朱文藻在錄副此書後先替鮑氏校過一遍，鮑氏在此基礎上作增補後而予以刊行。

　　孔繼涵對自己錄副的《四庫》書也作過不少校勘，而現存之孔氏校抄本中亦多可見其校書痕跡。例如孔氏抄本《呂忠穆公年譜》一卷《勤王記》一卷《遺事》一卷《逢辰記》一卷、《紹陶錄》二卷等，均有孔氏的校勘。又據傅增湘《藏園群書經眼錄》「禮記句解」載：「(孔繼涵校語)『戊戌二月初十日大風，十一日壬寅早起天晴，餘風未息，從堯峰侄處校訖東原先生纂出未竟之書，《永樂大典》內朱申《禮記句解》凡十冊，惜其全部缺佚少半，所引鄭注僅十之三四耳』、『戊戌二月十三日甲辰送董符三旋都後，校竣戴氏輯《永樂大

末，並為書後題識。云泉居士。』卷中又有鮑廷博手識，其文曰：『嘉慶五年庚申閏四月，借嘉興沈帶湖比部(叔埏)本對寫，五月初四日畢。端午日校於知不足齋。』又有陸心源手識文，其文曰：『同治八後，從蔣慈軒茂才借鮑淥飲舊藏本，屬友人汪蘭舟影寫畢，校讀一過，駁正鮑說一條。陸心源識。』」據此看，此本應為陸氏過錄的鮑氏本，並不能算是什麼善本、古寫本。叔斑為叔埏之誤。

74 以上分別見傅增湘：《藏園群書經眼錄》(北京市：中華書局，1983年)，頁1208、頁1305。

典》彭氏《禮記纂圖注義》凡十四冊,所引鄭注與朱氏略等,缺佚者
十亦一二』。」「春秋繁露十七卷」載:「明刊本,九行十七字,孔荭
谷繼涵以錢獻之校《永樂大典》本重校,又以蘭雪堂活字本校。」
「爾雅注疏十一卷」載:「武英殿本,孔荭谷繼涵以元本手校。」「五
經文字三卷等四種」載:「清孔氏紅棚書屋刊本。全書用朱筆點定,
後有孔繼涵跋,刪改甚多,當是孔氏筆也。」[75]《標點善本題跋集
錄》載:「《舊五代史》一百五十卷十四冊,清四庫館輯,舊抄
本。……壬子九月,群碧樓收得邵本一帙,檢一百三十一卷、一百五
十卷後觀款,知校勘出孔荭谷戶部手。……惟孔戶部校此書時,尚非
據邵氏原稿,……是孔校外尚有傳抄,恨無從縱跡也。……長洲章鈺
記。」「《東國史略》六卷二冊,朝鮮不著撰人,舊鈔本,清乾隆間孔
繼涵手校並跋,又乾隆五十年戚學標手跋。〔卷四末〕乾隆丁酉二月
廿九日午後雷雨校,翌日丙寅晦朝晴校竟。〔朱筆〕。丙申八月廿七日
校,次日微寒小雨。〔墨筆〕。〔後序末〕乾隆丙申八月廿九晦新晴
校,是日戊辰。〔墨筆〕。」[76]可見,孔氏之錄副本多經其手校。

　　丁傑曾對《四庫》本《方言》的錄副本進行過校勘,據盧文弨
《重校方言序(壬寅)》載:「《方言》至今日而始有善本,則吾友休
寧戴太史東原氏之為也。……乾隆庚子,余至京師,得交歸安丁孝廉
小雅氏,始受其本讀之。小雅於此書採獲裨益之功最多,戴氏猶有不
能盡載者,因出其鈔集眾家校本凡三四,細書密劄,戢薅行間,或取
名刺餘紙反覆書之。其已聯綴者,如百納衣;其散庋書內者,紛紛如
落葉。勤亦至矣。以余為尚能讀此書也,悉舉以畀餘。」[77]

75　以上分別見傅增湘:《藏園群書經眼錄》(北京市:中華書局,1983年),頁56、頁
　　89、頁121、頁134。

76　以上分別見中央圖書館特藏組編:《標點善本題跋集錄》(臺北市:中央圖書館,
　　1992年),上冊,頁68、頁131。

77　〔清〕盧文弨:《抱經堂文集》(北京市:中華書局,2006年),卷3,頁31。

　　彭元瑞所抄的四庫館書不少，亦多經其手校，據《傅斯年圖書館善本古籍題跋輯錄》載：「《慶元黨禁》一卷一冊，清乾隆間彭氏知聖道齋鈔本。《慶元黨禁》，《宋史》〈藝文志〉、馬氏《經籍考》俱不著錄，乃四庫全書館從《永樂大典》輯出。甲辰閏三月鈔校，芸楣。……乙卯長至，再校。」[78]《標點善本題跋集錄》載：「《舊聞證誤》四卷一冊，宋李心傳撰，清嘉慶間南昌彭氏知聖道齋鈔本，清彭元瑞手書題記。……此書從《永樂大典》輯出，原書先舉舊聞，後申謬誤，惜鈔胥不知體例，間有脫處，今逐條校注，信為言宋事者萬不可少之書。……嘉慶丁巳八月朔日，身雲居士識。庚申重陽，重閱一過，內舊聞闕三條，證誤闕十一條，其闕所出書者，尚可查補。再識。」「《江淮異人錄》二卷一冊，宋吳淑撰，清南昌彭氏知聖道齋鈔本，清彭元瑞手校並題記。此從《永樂大典》散篇輯，非舊本也，鈔備五代史記注，內李夢符、李勝、司馬郊、劉同圭、千大、洪州書生，可入吾郡志書。戊申仲秋五日，芸楣。綿州李氏刻入《函海》，取校數字。壬戌清和五日。」[79]

第三節　研究錄副現象的意義

　　通過上述的考察可以看出，四庫館中確實存在著非常普遍的私家錄副現象，並因此產生了大量的四庫館書錄副本。筆者認為，深入探討四庫館錄副現象及錄副本對推進四庫學研究有十分重要的意義。

---

78 湯蔓媛纂輯：《傅斯年圖書館善本古籍題跋輯錄》（臺北市：中央研究院歷史語言研究所，2008年），冊1，釋文，頁38。

79 分別見中央圖書館特藏組編：《標點善本題跋集錄》（臺北市：中央圖書館，1992年），上冊，頁229、頁404。

一　充分認識錄副本的價值

當時私家錄副之書，主要是大典本、《四庫》底本、存目書及其它採進本。這些錄副本對我們研究四庫學具有重要的參考價值。例如：存目書及其它採進本在後來散佚較嚴重，錄副本可以在一定程度上彌補這方面的缺憾。《四庫》書錄副本保留了較多《四庫》底本的特色，可與《四庫》定本作比較，以考察《四庫》刪改、校勘的問題。

在所有的四庫館書中，相對來說，大典本更為珍貴、難得，故錄副也最多。因此，下面以大典本的錄副本為例，來說明其在四庫學研究中的價值。

其一，瞭解大典本的刪改詳情，以校勘大典本定本。《四庫》所收大典本，是在大典本初輯本的基礎上歸併、刪削而成的。通過錄副本（多為據初輯本錄副的）與定本的比較，可以瞭解其刪改內容、刪改原因，並據以校勘定本存在的錯訛。例如，《藏園群書題記》「校鈔本公是集跋」載：「余嘗謂宋元人集，凡輯自《永樂大典》者，多苦無舊本可校，然若得當時四庫館鈔本，於文字必多所補正。蓋館中初輯出時，猶是《大典》原文，指斥之語不及芟除，忌諱之詞未加修。及經館臣輯編，則有移易卷第，刪落文字（如青詞之類刪至全卷，防禦、邊夷之屬刪及全篇及數百字者），及修飾詞句之弊，已非本來面目矣。十餘年前，曾見得法梧門家鈔錄宋元人集數十家，余曾校十數種，所獲佳勝至多。嗣得孔漢谷、李南澗家鈔本亦然，可知鈔本之可貴。」「雪山集殘本跋」載：「此本為初輯時所錄副本，非有舊槧可據也。頃以聚珍本對勘之，略披一卷，凡觸冒時忌處略有改竄，其餘字句初無大異，而編次則殊有不同。……四庫館自《大典》鈔出時，初編為十二卷，旋經奉旨刪青詞一類，令總裁重加釐定，改為十六卷，

文字視初本為減，而卷數則轉增矣。設非存此鈔本，後人竟不知刊本視原編其大相逕庭至如此也。余嘗謂《大典》輯出之書要以得館中初編本為貴，緣尚未經館臣之筆削，則去古猶未遠耳。」[80]

其二，錄副本保留了大典本初輯本的特點，有助於我們瞭解《四庫》修書之詳情。例如：大典本初輯本的錄副本，保留有各條佚文的出處。前述孔繼涵校抄本《春秋會義》即為據大典本初輯本錄副的，書中保留了每條佚文在《大典》的出處，不但標明卷數，還標明頁數（有極個別沒標明頁數，可能是抄者遺漏的），如：卷一魯隱公，頁一，「《史記·世家》，孝公二十五年，……聖人作《春秋》之始也」一條，後面有小字注：「一萬一千二百三十六卷，第一頁。」意思是指此條佚文出自《永樂大典》卷一萬一千二百三十六的第一頁。又如卷一，頁十一，「……因以見筆削之旨」一條，後面有小字注：「卷一萬一千二百三十八，第五至第九頁。」是指此條佚文出自《永樂大典》卷一萬一千二百三十八的第五至第九頁。又如孔繼涵錄副本《春秋釋例》，也保留有一些《大典》出處的記載：（卷）一五〇二一、一五〇五九、二〇九五、一七〇四〇、一〇六二三（共七頁）、一六三一（共三頁）、二〇四八（共十二頁）、二〇二四（共四頁）等。薛居正《舊五代史》的大典本初輯本，也是注明原卷數的：「近人南昌熊氏得《四庫全書》寫本（指《舊五代史》），據以景印。所注原輯卷數尚存。余友劉翰怡得甬東抱經樓盧氏藏本，亦當時所傳錄者，並已版

---

80 以上分別見傅增湘：《藏園群書題記》（上海市：古籍出版社，2008年），頁657、頁731。還可參該書頁747「校鈔本山房集跋」條載：「此書前集八卷，後稿一卷，乃從《永樂大典》中輯成者，……近頃北平趙萬里君自南中搜得四庫館原稿本，因假歸校勘，改訂殆千餘事，補文九首。蓋青詞疏文之類為當時奉命所刪削，經解一首，緣中多觸忌之語，故不得不概從刊落。余嘗言凡《大典》輯出之書苦無別本可校，若能得館中初錄原本，未經館臣潤色者，其視後來流傳聚珍、七閣之本必有佳勝可尋。」

行。所列附注獨多，原輯卷數亦未刪削。」[81]由上述資料可以證明，大典本的初輯本應該均注明每條佚文在《永樂大典》中的出處（包括卷數與頁數）。可惜的是，初輯本所注明的卷數、頁數，在後來抄成定本或刊入《武英殿聚珍版叢書》時均被刪棄：「薛氏原書今已散佚。此輯自《永樂大典》，《四庫全書》寫本均注原輯卷數。其採自他書者同。存闕章句，藉可考見。後武英殿鐫板一律芟削。彭文勤當日屢爭不從，薛氏真面遂不復見，人多惜之。」[82]

其三，有的錄副本還保留了《四庫》提要稿的原貌。這些提要稿，不但與《四庫總目》提要及《四庫》書前提要有區別，而且與該纂修官現存的提要稿也頗有異同。例如，《知不足齋叢書》本《江南餘載》二卷為錄副本，其書前提要與《四庫總目》提要、《四庫》書前提要、陳昌圖纂《江南餘載》提要稿（收入其《南屏山房集》卷二十四）均有不同；邵晉涵錄副本《兩朝綱目備要》書前提要，與《四庫總目》提要、《四庫》書前提要、邵晉涵纂《兩朝綱目備要》提要稿（收入其《南江書錄》）亦均有不同。[83]可以說，錄副本提要及館臣

---

81 張人鳳編：《張元濟古籍書目序跋彙編》（北京市：商務印書館，2003年），上冊，頁120「嘉業堂劉氏刊本勝於殿本及四庫寫本」條。

82 張人鳳編：《張元濟古籍書目序跋彙編》（北京市：商務印書館，2003年），上冊，頁980「《舊五代史》吳興劉氏刊原輯大典本」條。又可參同書頁119「四庫輯本」條載：「《四庫》館開，餘姚邵晉涵取《永樂大典》所引薛《史》，掇拾成文，冀還真面。不足，以《冊府元龜》所引補之，均各記其所從出卷數。又不足，則取宋人所著如《太平御覽》、《五代會要》、《通鑑考異》等書數十種，或入正文，或作附注，亦一一載其來歷。《四庫》館臣復加參訂。書成奏進，敕許刊行。最先刻者為武英殿本，主其事者盡削其所注原輯卷數。彭元瑞力爭不從，人皆惜之。」

83 國家圖書館特藏組編：《國家圖書館善本書志初稿》（臺北市：國家圖書館，1999年），集部，冊1，頁428載：「《冷然齋集》八卷二冊，舊鈔本配補近鈔本。……開卷即總目，後接《四庫全書》冷然齋集提要，然文字內容顯經更動，與10664《四庫》提要所述不盡全同。……另，卷八末尾題前題有『嘉慶庚午（十五年，1810）正月下瀚通介叟過眼時年八十有三』。……書中鈐有……『知不足齋鈔傳秘冊』朱

文集中所收的提要稿，均反映了較早的提要稿原貌，而《四庫總目》提要、《四庫》書前提要則是在它們的基礎上修改而成的。

此外，有的大典本在輯出後因各種原因未被收入《四庫》中（如《春秋會義》、《斜川集》等），更有賴於錄副本得以保存下來。而對這些未入《四庫》之大典本的考察，可以有助於我們分析《四庫》收書的標準及館臣的失誤等問題。

二　深入瞭解館臣入館的動機及其對修書的影響

四庫館臣入館的動機，除了一般所謂的寄託名山事業、編織官場關係網、獲取晉身之途、學術交流、邀取名譽等外，其實還有很重要的一點，就是可以獲讀並錄副館中秘書。例如，沈叔埏性好藏書，且勤於抄書，阮元稱其「篤情孝養，樂志林泉，讀書萬卷，著書千篇，生平精力，盡於書焉」。[84]他十分嚮往四庫館，希望能從中讀到秘書。因此，他利用在北京與四庫館臣接觸的機會及後來入館任分校的機會，抄錄出了不少《四庫》書。

事實上，館臣入館搜書及搜羅學術資料的想法是如此普遍，以至於目前所見的館臣文集、筆記、書信中大量談論的都是他們在獲抄館書及有關資料的興奮，而不是他們如何投入到《四庫》修書的具體工作中。館臣的這種動機與想法，自然會給集體修書工作帶來諸多負面影響。例如，館臣花更多的時間、精力來滿足自己的私心，大量地進行私家錄副，而無暇顧及集體修書；為了錄副，館臣任意攜帶館書出

白文方印。……」10664，指此書的另一傳抄《四庫》本。傳抄時所據的底本不同，書前提要也可能各有不同。

84　〔清〕沈叔埏：《頤彩堂文集》附阮元〈敕授承德郎吏部稽勳司主事沈君墓誌銘〉，見《續修四庫全書》（上海市：上海古籍出版社，1996-2003年影印本），冊1458，頁534上。

外，容易造成遺失；在錄副後，館臣花太多時間來校勘自己的錄副
本，而對《四庫》本的校訂則顯得敷衍了事；館臣在工作之餘更多地
投入到自己的學術研究中（如翁方綱與丁傑相約補正朱彝尊的《經義
考》，每天從館中鈔錄數條材料回家與丁傑相商榷[85]；周永年每天借抄
館書，與桂馥共編《四部考》[86]），相互間較少商議解決修《四庫》中
遇到的問題。我們以往對《四庫》修書品質的批評，多歸咎於乾隆皇
帝催促進程太急，館臣為了完成自己的任務往往只好避重就輕、貪圖
方便，以至於難以做到精校。但是，通過對四庫館私家錄副現象的考
察可以看出，館臣入館之動機顯然也是影響《四庫》品質的重要原因
之一。

三　探討《四庫》書的傳播與影響

首先，在《四庫》修書期間不斷地大量出現並流入社會的四庫館
錄副本，很快就受到當時學者們的普遍重視，有的據以校勘別本，有
的彙編刊行，有的輾轉傳抄，有的在圖書市場上出售，對保存古籍、
傳播文化思想及促進學術研究起到了重大的推動作用。其時很多藏書
家都提到其藏書得益於傳抄四庫館書[87]，如前述的翁方綱、鮑廷博、

---

85 參〔清〕翁方綱《復初齋文集》，卷十三「丁小疋傳」，載《續修四庫全書》（上海
　市：上海古籍出版社，1996-2003年影印本），冊1455，頁471。

86 〔清〕桂馥：〈周先生（書昌）傳〉，《晚學集》，卷七載：「……後成進士，欲入山
　治儀禮，被徵纂修《四庫》，……然深相知者新安程晉芳、歸安丁傑、虞姚邵晉涵
　數人而已。借館上書，屬予為《四部考》，傭書工十人，日鈔數十紙，盛夏燒燈校
　治，會禁借官書，遂罷。」卷8〈王太宜人墓誌銘〉載：「余舊主書昌家，習見太宜
　人行事。」以上分別見〔清〕桂馥：《晚學集》（北京市：中華書局，1985年影印
　《叢書集成初編》本），頁202、頁214王太宜人，即周永年之母。

87 吳哲夫：《四庫全書纂修之研究》（臺北市：國立故宮博物院，1976年），頁266指
　出，清後期藏書家中有不少抄本是抄自《四庫》本的。

彭元瑞、孔繼涵等等，又如朱方增《求聞過齋文集》卷三〈張氏詁經堂續經解序〉載：「恭遇高宗皇帝詔開四庫全書館，徵天下遺書，文學之士獻書闕下，以備廣內延閣之儲，鑴雕撫刻，發覆殆盡，海內士大夫得以互相繕撮，以恢插架。琴川張君幸值其時，好古媚學，家錄而外，鈔之秘閣，假之他氏，藏書至與傳是樓相等。」[88]羅汝懷《綠漪草堂文集》卷二十九〈羅府君行略〉載：「公諱修源，字星來，又字碧泉。……中間屢充日講起居注官、文淵閣校理、國史館纂修、方略館協修、《四庫全書》分校、續繕四庫全書館提調。……生平酷嗜古書名拓，自與四庫館編校以後，藏貯益富，蓋典質服物以得之者為多。」[89]

其次，由於《四庫全書》及其它四庫館書在清代並不是一般人所能看到的，因此，這些錄副本及其傳抄本、刻本自然就成為了當時學者認識與研究《四庫全書》的主要途徑與資料。也可以說，當時社會上大多數學者對《四庫》的最初認識是通過錄副本而獲得的。

最後，《四庫》錄副本在社會上經過不斷傳抄、校補、刊印，又形成了一套自己的版本體系。它與《四庫全書》閣本、《四庫薈要》本、武英殿聚珍本及《四庫》底本頗有異同，可以互相參證、校勘，共同構成完整的《四庫》書版本系統。

本章小結

四庫館中存在著普遍的私家錄副現象，本章主要從錄副者、錄副

88　《續修四庫全書》（上海市：上海古籍出版社，1996-2003年影印本），冊1501，頁337下。

89　《續修四庫全書》（上海市：上海古籍出版社，1996-2003年影印本），冊1531，頁132下-頁133上。

本的整理與傳播、研究錄副現象的意義三個方面對此一現象作初步的
探討：

一、四庫館的私家錄副者可分為兩類：其一為館臣。四庫館中任
事之館臣，在接觸館書上最為便利，自然錄副也最多；館臣錄副，以
抄錄自己所經辦之書為主，但也有不少館臣抄錄他人經辦之書；館臣
錄副，主要是雇抄手抄錄，故當時館臣家中活躍著眾多抄手的身影；
除了滿足自己的需要外，館臣還大量地為館外之人錄副。其二為四庫
館之外的人員。這些館外之人又可分為兩類：助館臣校書者（即助
校）；與館臣交好之人。

二、錄副本的傳播與整理。由於私家錄副的四庫館書都是外間罕
見或已失傳的珍本秘笈，因此，這些錄副本甫一流入社會，即通過傳
抄、售賣、刊印等方式很快在社會上廣為傳播。而在傳播過程中，有
的錄副本還不斷地得到經手學者的校訂整理，遠勝於四庫館書原本及
《四庫》本。

三、深入探討《四庫》錄副現象及錄副本，對推進四庫學研究有
十分重要的意義，包括：（一）充分認識錄副本的價值，如瞭解大典
本的刪改詳情，以校勘大典本定本；錄副本保留了大典本初輯本的特
點，有助於我們瞭解《四庫》修書之詳情；有的錄副本還保留了《四
庫》提要稿的原貌。（二）深入瞭解館臣入館的動機及其對修書的影
響。從錄副現象的普遍性可以看出，館臣花更多的時間、精力來滿足
自己的私心，大量地進行私家錄副，而無暇顧及集體修書，必然會給
《四庫》修書帶來諸多負面影響。（三）探討《四庫》書的傳播與影
響。首先，流入社會的四庫館錄副本很快就受到當時學者們的普遍重
視，有的據以校勘別本，有的彙編刊行，有的輾轉傳抄，有的在圖書
市場上出售，對保存古籍、傳播文化思想及促進學術研究起到了重大
的推動作用。其次，錄副本及其傳抄本、刻本成為當時學者認識與研

究《四庫全書》的主要途徑與資料。最後,《四庫》錄副本在社會上
經過不斷傳抄、校補、刊印,又形成了一套自己的版本體系,可與
《四庫全書》閣本、《四庫薈要》本、武英殿聚珍本及《四庫》底本
互相參證、校勘。

第九章
《武英殿聚珍版叢書》

四庫館認定的應刊之書，最初是發下武英殿雕版印刷的。到乾隆三十九年，四庫館採納了金簡的建議，改用聚珍版排印，前後共印行了百餘種，合稱《武英殿聚珍版叢書》。到目前為止，我們對《武英殿聚珍版叢書》的認識還相當模糊，還存在著很多疑問，例如，四庫館所定的應刊之書，是否都用聚珍版印刷呢？《武英殿聚珍版叢書》究竟有多少種呢？聚珍本所收的一般是被認為特別有價值的書，那麼，它的收書標準是什麼？與《四庫薈要》的收書標準有何區別呢？按理說，聚珍本都應入《四庫薈要》，但《四庫薈要》所收的聚珍本恰恰很少，為什麼？纂修官所擬定的應刊之書中，實際上印行的並不多（總共才一百多種），例如，據翁方綱擬的提要稿可看出，他所擬定的應刻之書，有很多並未印行，這是為什麼呢？聚珍本分校官、纂修官與四庫館的分校官、纂修官是什麼關係呢？本章擬對以上問題作初步的解答。

第一節　聚珍本的數量與印行時間

一　數量

武英殿聚珍版書，原來並不是一個叢書的名稱，而是指乾隆年間武英殿木活字印刷之書。這些書是隨到隨印的，一共印了一百多種。後人將彙編起來的這一百多種書合稱為《武英殿聚珍版書》或《武英

殿聚珍版叢書》。那麼，這套叢書一共有多少種呢？關於這一點，歷來說法不一。[1]

　　陶湘據內府藏《武英殿聚珍版書目錄》及原武英殿聚珍版書作考察[2]，認定這套叢書有一百三十八種：其中一百二十六種是原目中有的，其餘十二種是後印的。這一數位被廣泛採用，現在談《武英殿聚珍版叢書》，一般就說一百三十八種。其認定聚珍本（除初刻四種外）的標準為：其一，首頁首行有「武英殿聚珍版」字樣[3]；其二，書前有高宗御題十韻詩；其三，每頁十八行，行二十一字。此外，還有一些內府聚珍板書，其板式與此不同，而且都是嘉慶年間所印，則為聚珍版單行本，與前述的聚珍本書不同。陶湘將其研究結果寫在《武英殿聚珍板書目》中，並說：「初次進單共輯一百二十六種（朱格寫本）。……《續宮史》書籍門有聚珍板書一百二十六種之詳目，即其明證。《續宮史》又稱尚有印者，厥後又加《夏氏尚書詳解》、《西漢會要》、《唐會要》、《農書》，此四種為後輯者。《詩經樂譜》附《樂律正俗》、《明臣奏議》、《淳化閣帖釋文》、《四庫全書考證》、《武英殿聚珍板程序》、《悅心集》、《十全老人集》、《萬壽衢歌樂章》，此

1　因為聚珍本曾發下一些省份翻印，所以又有外聚珍與內聚珍之分。這裏主要談的是內聚珍。外聚珍的情況大體為：江寧八種，浙江三十九種，江西五十四種，福建一百二十三種。福刻本後陸續續修板增刻，至光緒年間增至一百四十八種。因此，外聚珍以福刻本最多，但這並不能作為《武英殿聚珍版書》收書種數的標準。

2　陶湘編，竇水勇校點：《書目叢刊》（瀋陽市：遼寧教育出版社，2000年），頁2，《本書說明》引陶湘按語云：「古物陳列所之《武英殿聚珍版叢書》遷自避暑山莊，現儲體仁閣。甲子冬進閣縱覽，均開花紙印，裝訂畫一，實為海內獨一無二之寶笈，共計一百三十八種。」

3　據「四庫全書處總裁王際華等奏請再領刻字刊書銀兩並給擺版供事分例飯食摺」（乾隆三十九年四月二十六日）載：「仰蒙欽定嘉名為武英殿聚珍版，實為藝林盛典。擬於每頁前幅版心下方，列此六字。」（載張書才主編：《纂修四庫全書檔案》〔上海市：上海古籍出版社，1997年〕，頁203）原來是計劃將此六字印於版心的。

八種為新輯者。行款相同,是一百三十八種,為確定之數。」[4]

陶湘認定的總數是正確的,但其中有一些觀點則值得商榷。例如,陶湘所說的續印十二種,似乎這十二種書是在一百二十六種之後印的,但查《國朝宮史續編》,除一百二十六種外,並沒有說明續印是何書,只是說:「武英殿聚珍版印行書一百二十六種(諸書續有排印,先列現行書目)。」[5]因此,以上所補的十二種,是陶湘自己作的。事實上,從下文所述印行時間看,《欽定重刻淳化閣帖釋文》十卷、《武英殿聚珍版程序》一卷都是在乾隆四十二年前就印行了,並不是後來續印的。

需要注意的是,聚珍本是陸續印行的,故前後不同時期所編的聚珍本目錄所收數量會有差別:

一、一百二十六種。陶湘說:「初次進單共輯一百二十六種(朱格寫本)。」可見,陶氏看到的武英殿聚珍版書目錄共收書一百二十六種。《國朝宮史續編》所載也是一百二十六種,應與陶湘所看到的目錄相同。這一書單包括有《詩倫》,而此書應是閉館後印的,因此,此書單只是擬印單,並非是印成之書的目錄單。

二、一百二十九種。國圖善本部藏乾隆武英殿活字本《武英殿聚珍版叢書》收書一百四十一種,二千六百零五卷,九百六十四冊。每種前有御製十韻詩,各書首行有「武英殿聚珍版」。叢書卷首有「欽定武英殿聚珍版書目錄」,共著錄一百二十九種(包括初刻四種)。此外,後人在目錄中又以墨筆添加了十種,連前共為一百三十九種。這添加的十種為:《尚書詳解》二十六卷,《續琉球國志略》五卷卷首一卷,《唐會要》一百卷,《西漢會要》七十卷,《四庫全書考證》一百

---

4 陶湘編,竇水勇校點:《書目叢刊》(瀋陽市:遼寧教育出版社,2000年),頁93。

5 〔清〕慶桂等編纂:《國朝宮史續編》(北京市:古籍出版社,1994年),下冊,頁919。

卷，《淳化閣帖釋文》十卷，《農書》二十二卷，《御製詩文十全集》五十四卷，《悅心集》四卷，《詩倫》二卷。還有，國圖本又將《八旬萬壽盛典》、《西巡盛典》、《千叟宴詩》三種添入叢書（原叢書目錄中並無這三種之名），這樣一共應有一百四十二種。國圖定為一百四十一種，是將《續琉球國志略》與《琉球國志略》合併統計為一種。這一百四十二種，包括陶湘所說的一百三十八種，再加上《續琉球國志略》、《八旬萬壽盛典》、《西巡盛典》、《千叟宴詩》。國圖本「欽定武英殿聚珍版書目錄」所載的一百二十九種，較陶湘所看到的目錄（一百二十六種）少了《詩倫》一種，而多了《詩經樂譜》、《明臣奏議》、《萬壽衢歌樂章》、《武英殿聚珍板程序》四種。《武英殿聚珍板程序》是在乾隆四十二年前印行的，而《明臣奏議》是在乾隆四十七年二月發下印行的[6]，《詩經樂譜》是乾隆五十三年編的，《萬壽衢歌樂章》是乾隆五十五年編的，因此，國圖本的《欽定武英殿聚珍版書目錄》應該是編於乾隆末年。[7]

　　三、一百三十八種。向斯《清宮武英殿刻本》載：「據清乾隆年內府朱格抄本《欽定武英殿聚珍版書目錄》記載，到乾隆三十九年，聚珍版書籍已刊刻了一百二十九種，包括：經部三十一種，史部二十六種，子部三十三種，集部三十九種（《欽定武英殿聚珍版書目錄》，清乾隆年內府朱格精抄本）。武英殿聚珍版叢書始印於乾隆三十八年十月，止於乾隆五十九年，歷時二十餘年，……共計一百三十八種，

6　「諭《明臣奏議》著交武英殿寫入《四庫全書》交聚珍版處排印」（乾隆四十七年四月二十五日）載：「著交武英殿寫入《四庫全書》，並交聚珍版處排印。欽此。」載張書才主編：《纂修四庫全書檔案》（上海市：上海古籍出版社，1997年），頁1571。

7　另外，國圖普通古籍部藏《欽定武英殿聚珍版書目》，〔清〕佚名編，抄本一冊，朱絲欄。八行，二十一字。卷首有乾隆御製十韻詩。該目錄收書包括：經部三十一種，史部二十六種，子部三十三種，集部三十九種，共計一百二十九種，二百二函。這冊目錄與國圖善本部藏乾隆武英殿活字本《武英殿聚珍版叢書》卷首所附「欽定武英殿聚珍版書目錄」完全相同。

二千四百十四卷（《欽定武英殿聚珍版書目錄》，清嘉慶年內府朱格精抄本）。……清宮遺存的聚珍版叢書非常精美：《武英殿聚珍版書》一百三十種，一千三百六十八冊，清乾隆三十八年至五十九年武英殿聚珍版木活字本，現存於（北京）故宮博物院。」[8]前一目錄所收一百二十九種，應與國圖本「欽定武英殿聚珍版書目錄」相同。不過，向斯說「到乾隆三十九年，聚珍版書籍已刊刻了一百二十九種」，這是不對的（參下文）。而後一目錄收書一百三十八種，應該是嘉慶初年編定的。據此也可證明，陶湘認為《武英殿聚珍版叢書》共收書一百三十八種是正確的。

二 校上年月

「軍機大臣奏《浮溪集》《簡齋集》於三月完竣進呈片」（乾隆四十六年二月十九日）載：「現今擺印《浮溪集》計三十二卷，《簡齋集》計十六卷，於三月間完竣，回鑾後進呈。其餘應擺各書，俱係隨校隨發，上緊擺印，不致有誤。謹奏。」[9]據以上兩書聚珍本書前提要可知，兩書均為乾隆四十六年二月校上的，計劃在三月印成進呈。可見，聚珍本的校上時間應與印行時間不遠。因此，儘管校上時間並不能代表印行的準確時間，但校上時間可以作為印行時間的一個參考。那麼，在這一百三十八種書中，哪些是四庫館開館期間印的？哪些是閉館後印的？

8 向斯、林京：〈清宮武英殿刻本〉，《東方藝術》2006年第18期，頁12-23。另據「熱河總管世綱等奏查明文津閣並園內各殿宇書籍摺（附清單二）」所收「附二·園內各殿宇陳設書籍數目清單」（載張書才主編：《纂修四庫全書檔案》〔上海市：上海古籍出版社，1997年〕，附錄一，頁2641-2674）可知，避暑山莊各園共收聚珍版一百三十二種。其中有一百三十種在陶湘的一百三十八種之中。

9 張書才主編：《纂修四庫全書檔案》（上海市：上海古籍出版社，1997年），頁1295。

　　從本書附表二看，聚珍本書前提要大多署有校上年月[10]，只有
《詩經樂譜》、《明臣奏議》、《淳化閣帖釋文》、《武英殿聚珍板程
序》、《四庫全書考證》、《易原》、《誠齋易傳》、《禹貢說斷》、《春秋經
解》、《元朝名臣事略》、《元豐九域志》、《輿地廣記》、《琉球國志
略》、《東漢會要》、《五代會要》、《建炎以來朝野雜記》、《周髀算
經》、《九章算術》、《能改齋漫錄》、《張燕公集》、《祠部集》、《柯山
集》、《乾道稿、淳熙稿、章泉稿》、《牧庵集》、《詩倫》、《夏氏尚書詳
解》、《西漢會要》、《唐會要》、《農書》、《悅心集》、《十全老人集》、
《萬壽衢歌樂章》沒有校上年月。這些書可以分為兩種情況來分析：

　　其一，沒有提要者為：《詩經樂譜》、《明臣奏議》、《琉球國志
略》、《淳化閣帖釋文》、《武英殿聚珍板程序》、《四庫全書考證》、《十
全老人集》、《萬壽衢歌樂章》、《悅心集》、《詩倫》、《能改齋漫錄》。
這其中《詩經樂譜》、《琉球國志略》、《四庫全書考證》、《十全老人
集》、《萬壽衢歌樂章》為《四庫》不著錄之書，當然就沒有提要。此
外，《明臣奏議》、《淳化閣帖釋文》、《武英殿聚珍板程序》為新編訂
之書，《悅心集》是雍正御製之書，沒有提要也可以理解。但《能改
齋漫錄》沒有提要，不好理解。其中《明臣奏議》、《淳化閣帖釋
文》、《武英殿聚珍板程序》是閉館前校印的（參上文）。除此之外，
其它書可能都是閉館後印的。

　　其二，有提要者為：《易原》、《誠齋易傳》、《禹貢說斷》、《春秋
經解》、《元朝名臣事略》、《元豐九域志》、《輿地廣記》、《東漢會
要》、《五代會要》、《建炎以來朝野雜記》、《周髀算經》、《九章算
術》、《張燕公集》、《祠部集》、《柯山集》、《乾道稿、淳熙稿、章泉

---

10 書前提要有校上年月，一般也署有纂修官姓名（有校上年月而不署纂修官的只是少
　數），而沒有校上年月的，則不署纂修官。本書附表中沒有校上年月而有纂修官的
　情況，該纂修官是筆者根據其它材料補入的。

稿》、《牧庵集》、《夏氏尚書詳解》、《西漢會要》、《唐會要》、《農書》。這些書可能均為閉館後校印的。據許嘉猷編《許順庵老人自述年譜》（譜主：許嘉猷）載：「（乾隆）五十五年，……六月間，為漆林太史校閱《九章算法》。五十六年，仍館錢太史宅。……是歲校閱《平定金川方略》，三十一卷起至六十卷止，及《九章算術》並《建炎以來朝野雜記》五卷，並勘《四庫全書簡明目錄》史部七、八、九各卷。」[11]漆林即錢開仕，為聚珍本校對官。可見，聚珍本《九章算術》、《建炎以來朝野雜記》的校對是在四庫館閉館後進行的。其時已有定本提要，所以就直接用《總目》提要，沒有必要署校上年月及纂修官。

　　除以上沒有校上年月之書外，其它有校上年月之書，最晚的校上時間是乾隆四十七年十二月，即使其印行時間稍晚，該聚珍本也應該是在閉館前印行的。因此，有校上年月的聚珍本共一百○六種（《易緯》八書合為一種），均是在閉館前印行的。再加上沒有校上年月但明確知道是在閉館前印行的《明臣奏議》等三種，共為一百○九種。因此，閉館前印行的有一百○九種，其它二十九種可能均為閉館後印行的。

　　關於這一點，既可以與下文翁方綱所記錄的時間相印證，也可以與下文的校對官署名相印證（乾隆四十九年之後為庶起士和翰林官者，他們所校之書，均為沒有校上年月的。這說明這些書都是在閉館後校辦、印行的）。

11 北京圖書館編：《北京圖書館藏珍本年譜叢刊》（北京市：北京圖書館出版社，1999年），冊121，頁15-17。

三 翁方綱「武英殿聚珍版書目」

《翁方綱纂四庫提要稿》「武英殿聚珍版書目」記錄有其購買聚珍本（包括初刻四種）之書單[12]，其中一些還附有購買時間，可以作為我們分析聚珍本印行時間的參考。當然，購書時間也不能代表印行時間，印行時間應在購買時間之前。如果結合前述的校上時間來分析，印行時間應該是正好在校上時間與翁氏購買時間之間。

茲據翁方綱「武英殿聚珍版書目」所載整理出其購書記錄如下：

第一次，兩種：《易象意言》、《春秋辨疑》。

第二、三次，五種：《直齋書錄解題》、《禹貢指南》、《蠻書》、《春秋繁露》、《鶡冠子》。

第四次，四種：《郭氏傳家易說》、《老子》、《農桑輯要》、《明本釋》。

第五次（乾隆四十一年三月出），五種：《水經注》四十卷、《傅子》一卷、《五經算術》二卷、《雲谷雜記》四卷、《歲寒堂詩話》二卷。

第六次（乾隆四十一年七月出），五種：《融堂書解》二十卷、《儀禮識誤》三卷、《敬齋古今黈》八卷、《浩然齋雅談》三卷、《欽定重刻淳化閣帖釋文》十卷。

第七次（乾隆四十二年正月出），十一種（其中《易緯》八書，應合為一種，因此，此十一種，實則四種）：《漢官舊儀》一卷補遺一卷、《帝範》四卷、《魏鄭公諫續錄》二卷、《乾坤鑿度》二卷、《易緯稽覽圖》二卷、《易緯辨終備》一卷、《周易乾鑿度》二卷、《易緯通

---

12 吳格整理：《翁方綱纂四庫提要稿》（上海市：科學技術文獻出版社，2005年），頁1219。

卦驗》二卷、《易緯乾元序制記》一卷、《易緯是類謀》一卷、《易緯
坤靈圖》一卷。

　　第八次（乾隆四十二年六月買到），九種：《嶺表錄異》三卷、
《金淵集》六卷、《甕牖閒評》八卷、《考古質疑》六卷、《夏侯陽算
經》三卷、《鄴中記》一卷、《澗泉日記》三卷、《拙軒集》六卷、《文
恭集》五十卷補遺一卷。

　　第九次（乾隆四十二年十二月買到），九種：《武英殿聚珍版程
序》一卷、《春秋傳說例》一卷、《絜齋毛詩經筵講義》四卷、《麟臺
故事》五卷、《茶山集》八卷、《絜齋集》二十四卷、《墨法集要》一
卷、《孫子算經》三卷、《海島算經》一卷。

　　第十次（乾隆四十三年閏六月買到），四種：《續呂氏家塾讀詩
記》三卷、《蒙齋集》十八卷、《陶山集》十六卷、《五曹算經》五卷。

　　第十一次（乾隆四十三年八月買到），四種：《儀禮釋宮》一卷、
《鄭志》三卷、《後山詩注》十二卷、《文苑英華辯證》十卷。

　　第十二次（乾隆四十四年二月買到），四種：《宋朝事實》二十
卷、《五代史纂誤》三卷、《南陽集》六卷、《蛩溪詩話》。

　　第十三次，三種：《涑水紀聞》十六卷、《學易集》八卷、《公是
先生弟子記》四卷。

　　第十四次，三種：《大戴禮記》十三卷、《雪山集》十六卷、《兩
漢刊誤補遺》十卷。

　　第十五次（乾隆四十五年八月買到），二種：《元和郡縣志》四十
卷、《項氏家說》十卷附錄二卷。

　　第十六次，二種：《攻媿集》一百十二卷、《簡齋集》十六卷。

　　第十七次，七種：《儀禮集釋》三十卷、《華陽集》六十卷附錄十
卷、《浮溪集》三十六卷、《文子纘義》十二卷、《唐書直筆》四卷、
《方言注》十三卷、《歸潛志》十四卷。

第十八次，四種：《山谷詩注》三十九卷、《寶真齋法書贊》二十八卷、《東觀漢記》二十四卷、《絳帖平》六卷。

以上（指後三次）為丙午（乾隆五十一年）二月十六日記。

以上共計八十三種。但是，若將《易緯》八書算為一種，則只有七十六種。據翁氏所記可看出：其中所記「…年…月出」、「…年…月買到」，應該都是指翁氏購得這些書的時間。翁氏所記的購買時間，應該較實際的印行時間晚不少，例如，《易緯》等初刻四種，應該是在乾隆三十八年就已印行，但翁氏卻是記為「乾隆四十二年正月出」。另外，據國圖藏《武英殿聚珍本叢書》（一百四十一種）所收《水經注》書前朱筠手寫題識：「歲乙未，餘購得此本於武英殿中。」乙未為乾隆四十年，可見此書應是在乾隆四十年或之前就已印行，而翁氏記為「乾隆四十一年三月出」。因此，翁氏所記之時間，只能作為聚珍本印行時間（主要是先後）的參考。也就是說，這些聚珍本印行時間應在翁氏購買時間之前。這一點可以與校上時間相較可得到印證：翁氏所記時間，均沒有早於校上時間的，而且多與校上時間相近。另外，翁氏購書是分很多次陸續進行的，這正好與聚珍本陸續發印的情況相吻合。還有，據購書單可證明：《淳化閣帖釋文》、《武英殿聚珍板程序》兩書，確實是在閉館之前印行的。

四　印行進度

四庫館中裁定的應刊之書，發下武英殿雕版刊印[13]，於乾隆三十八年四月刻印首批四種（即《易緯八種》、《漢官舊儀》、《魏鄭公諫續

---

13 〔清〕于敏中《于文襄手劄》第7通載：「凡奉御題之書，應刊者即在京城辦理，不必發往各省刻版。（乾隆三十八年六月十五日）」可能當時已有人提出將應刊之書發往各省刊刻。此存以待考。

錄》、《帝範》)。乾隆三十八年十月,金簡上奏請改用木活字印刷,經
乾隆同意後,即著手籌辦木活字印刷所用字模等材料。乾隆三十九年
四月,字模等已製作完成,可以進行擺印圖書。[14]聚珍本是陸續發下
印行的,張書才主編《纂修四庫全書檔案》中的一些檔案可以有助於
我們分析聚珍本的印行進度:

　　乾隆三十九年五月已有印好進呈之書。[15]

　　乾隆三十九年十月:《禹貢指南》、《春秋繁露》、《書錄解題》、
《蠻書》共四種。

　　十二月:《鶡冠子》。[16]

　　乾隆四十一年十二月:三年以來,排印過書籍約共三十餘種。[17]

　　乾隆四十二年十二月:自乾隆三十九年至今,幾及四載,業經排

14　以上進展過程,可參〔清〕金簡《武英殿聚珍版程序》「奏議」,陶湘編《書目叢
　　刊》頁277-283。

15　「軍機大臣奏《浮溪集》、《簡齋集》於三月完竣進呈片」(乾隆四十六年二月十九
　　日)載:「臣等遵旨查得聚珍館所擺各書,自乾隆三十九年五月間進書起,至四十
　　五年十二月,陸續進過各書六十五種,業經呈覽。」(載張書才主編:《纂修四庫全
　　書檔案》〔上海市:上海古籍出版社,1997年〕,頁1295)儘管從校上時間看,有不
　　少聚珍本在乾隆三十八年已校上,但真正印成呈進,是從乾隆三十九年五月開始
　　的,這主要是因為聚珍本排印的準備工作較複雜。

16　「四庫全書處正總裁王際華等奏用聚珍版排印《鶡冠子》情形摺」(乾隆三十九年
　　十二月二十六日)載:「所有應用武英殿聚珍版排印各書,今年十月間曾排印《禹
　　貢指南》、《春秋繁露》、《書錄解題》、《蠻書》共四種,業經裝潢樣本呈覽。今續行
　　校得之《鶡冠子》一書,現已排印完竣,遵旨刷印連四紙書五部、竹紙書十五部,
　　以備陳設。謹各裝潢樣本一部,恭呈御覽外,又刷印得竹紙書三百部,以備通行。
　　其應行帶往盛京恭貯之處,照例辦理。為此謹奏。」載張書才主編:《纂修四庫全
　　書檔案》(上海市:上海古籍出版社,1997年),頁315。

17　「四庫全書處副總裁金簡奏請旨排印聚珍版刻法摺」(乾隆四十一年十二月二十二
　　日),載張書才主編:《纂修四庫全書檔案》(上海市:上海古籍出版社,1997年),
　　頁563。

印過書四十餘種。[18]

乾隆四十四年十二月：「隨奉分發《直齋書錄解題》等書三十九種到閩，至續奉發到《蒙齋集》等書十五種，臣現飭上緊刊刻。」可證當時已印成的書有五十四種。[19]

乾隆四十六年三月：共印成六十七種。[20]

乾隆四十六年十二月：共印成七十種。[21]

從乾隆三十九年至乾隆四十六年十二月，聚珍館共印過七十種書。可以看出，聚珍館印書的速度並不快，效率不高，成績不大。

翁氏至乾隆四十五年八月共購得書六十三種，而至乾隆四十五年十二月聚珍館共印過六十五種，兩者相較僅差二種。這相差的二種有

---

18 「大學士阿桂等題請將武英殿修書處額外供事從優議敘本」（乾隆四十二年十二月十七日），載張書才主編：《纂修四庫全書檔案》（上海市：上海古籍出版社，1997年），頁762。

19 「福建巡撫富綱奏初發聚珍板各書翻刻完竣情形摺」（乾隆四十四年十二月初一日），載張書才主編：《纂修四庫全書檔案》（上海市：上海古籍出版社，1997年），頁1130。另據「浙江巡撫王亶望奏孫仰曾等人請翻刻聚珍版書籍摺」（乾隆四十三年正月初九日）載：「竊臣接準武英殿修書處諮文內開：本處總裁臣董誥奏請將聚珍版排印各書發給江南等五省翻刊通行一摺。奉旨：好。知道了。欽此。欽遵。抄錄原奏並排印得《直齋書錄解題》等書三十九種，頒發到臣。」（載張書才主編：《纂修四庫全書檔案》〔上海市：上海古籍出版社，1997年〕，頁768〕乾隆四十三年，即已發下浙江三十九種。現存浙江翻刻的三十九種聚珍本，即是第一次發下的聚珍本，《中國叢書綜錄》有著錄。現存江西印行的五十四種聚珍本，即是第一、二次共發下的聚珍本，北京師範大學圖書館有藏（同治年間江西書局重修本《武英殿聚珍版叢書》）。以上五十四種聚珍本是乾隆四十四年十二月就印好發下的）

20 「軍機大臣奏《浮溪集》、《簡齋集》於三月完竣進呈片」（乾隆四十六年二月十九日）載：「乾隆三十九年五月間進書起，至四十五年十二月，陸續進過各書六十五種。現今擺印《浮溪集》、《簡齋集》，於三月間完竣。」載張書才主編：《纂修四庫全書檔案》（上海市：上海古籍出版社，1997年），頁1295。

21 張偉仁主編：《明清檔案》（臺北市：中央研究院歷史語言研究所，1995年），A236-83，金簡等「為奏聞事」（乾隆四十六年十二月二十四日）載：「查自乾隆三十九年起扣至本年十二月，其擺印過書七十種，現在陸續交到者約計四十餘種。」

可能是在乾隆四十五年八月至十二月間印行。由此可以證明，至乾隆
四十五年八月為止，聚珍館所出的書，翁氏應該是基本都買了。乾隆
四十五年八月之後，翁氏又分三次購得聚珍本十三種。這三次購書沒
有注明時間，但據翁氏在此書單後所署時間（乾隆五十一年二月十六
日）可知，以上三次應是在乾隆五十一年二月前購得的。其中最後一
次所購之書《山谷詩注》三十九卷，其校上時間已是乾隆四十七年十
二月。因此，翁氏這次購書應該是在乾隆四十八年或之後了。

關於首次（乾隆四十三年）發下江南各省翻刻的三十九種聚珍本
的書單，傅以禮《華延年室題跋》「欽頒武英殿聚珍版書浙刻本」條
有詳細記載：「右武英殿聚珍版書三十九種，一百二十四冊，二十
函，浙江重刊本也。卷首無總目而有書單，本記各書價值，今藉以考
其種數。每種附督撫學政司道等恭紀一篇，後載承刊校對諸臣職名。
先是，乾隆癸巳詔以《永樂大典》中散見諸書裒輯成編者，用排字板
印行，賜名'聚珍版'，從侍郎金簡之請也。越五載，頒其書於東南五
行省，俾所在覆鐫，廣厥流傳。一時承命開雕，踴躍從事。此本而
外，曾見江南、福建兩槧。江南本未睹其全，不知共如千種，其板亦
袖珍式，視此稍闊。各種亦綴以恭紀特（詩？）文，乃駢體耳。……
此本初分三次授梓，故俗有初、二、三單之稱。嗣以初、二單卷帙較
簡，而巨編咸萃三單，前後不稱，於是復加排比，都為一集。各單之
原目知者遂尠，賴恭紀文內在事諸人名姓互有異同，得以辨別其次
序。姑以首列之督臣證之，凡署鍾音名者，初單也，其書為《欽定武
英殿聚珍板程序》、《易象意言》、《儀禮識誤》、《漢官舊儀》、《鄴中
記》、《嶺表錄異》、《老子道德經》、《海島算經》、《澗泉日記》、《浩然
齋雅談》、《歲寒堂詩話》、《茶山集》、《拙軒集》共十三種。易三寶名
者，二單也，其書為《禹貢指南》、《春秋傳說例》、《春秋辨疑》、《帝
範》、《傅子》、《農桑輯要》、《墨法集要》、《五經算術》、《孫子算

經》、《夏侯陽算經》、《甕牖閒評》共十一種。三寶兼閣銜者，三單
也，其書為《易緯》、《郭氏傳家易說》、《融堂書解》、《絜齋毛詩經筵
講義》、《魏鄭公諫續錄》、《麟臺故事》、《水經注》、《直齋書錄解
題》、《明本釋》、《雲谷雜記》、《考古質疑》、《敬齋古今黈》、《文恭
集》、《絜齋集》、《金淵集》共十五種。重訂後通題第一單，蓋此以為
初編。餘書嗣出，惜時局變遷，從此輟工，遂不逮閩槧之富。而讎勘
之精詳，雕造之工緻，則遠過之。時董其役者為振綺堂汪氏、壽松堂
孫氏、大知堂汪氏、知不足齋鮑氏，皆吾鄉藏書家。……考是書頒
刻，在乾隆丁酉戊戌間，迄今已逾百稔，即歸餘齋亦垂四十年。」[22]
這裏所說的初次、二次、三次刊印之書單，是指三十九種聚珍本發下
浙江後，浙江依據篇幅大小（卷數少者先印）分三次印成。

　　後來（約在乾隆四十四年），又續發下十五種，連前共計五十四
種，這就是江西翻刻的聚珍本所保留下來的五十四種。據傅以禮《華
延年室題跋》「欽頒武英殿聚珍版書閩刻本」（代）載：「謹案：乾隆
甲午五月，詔儒臣彙集《永樂大典》內散見之書重輯成編者，及世所
罕覯秘笈，以活字版印行，賜名《聚珍版書》。每種冠以御題五言詩
十韻，前係小序。越三載，丁酉九月，頒發其書於東南五省，敕所在
鋟勒通行，用廣流佈。一時承命開雕者，浙江刊袖珍本三十九種。江
南所刊板式同浙，共計若干，未睹其全。江西亦僅見近刻五十四種。
惟福建舊刻一百二十三種為最夥，即此本也。當時內府排字成書，其
字旋即改排他印，所印行者自亦無多。」[23]至於福建所翻刻的達到一
百二十三種，則是在此之後又有一些聚珍本陸續發下被翻刻所致。

五 雕板與聚珍板

---

22 〔清〕傅以禮：《華延年室題跋》（上海市：古籍出版社，2009年），卷上，頁95-97。
23 〔清〕傅以禮：《華延年室題跋》（上海市：古籍出版社，2009年），卷上，頁98-99。

　　除初刻四種外，一般人會以為四庫館所定應刊之書都用聚珍板印行。事實上，當時所定的應刊之書中，有一些是用雕板印行的。[24]

　　據金簡等「為奏聞事」（乾隆四十六年十二月二十四日）載：「竊查辦理四庫全書處交到應用武英殿聚珍版排印各書，其卷帙浩繁如《舊五代史》、周必大集等書，擺印需時，必致多刻木子。前經臣董誥奏明擬刊整板，業蒙允准在案。查自乾隆三十九年起扣至本年十二月，其擺印過書七十種，現在陸續交到者約計四十餘種，內中除有圖者五種應刊整板，其篇帙在四、五十卷者，現俱交總校彭紹觀隨校隨擺，此外有自六、七十卷至百卷以上者十餘種，即交總校劉躍雲專司校閱，刊刻整板。如此分別辦理，則應擺、應刊各書，自可與繕寫處《四分全書》後先蕆事。」[25]可知，四庫館應刊之書（除初刻四種外），原計劃都是用活字印行的，但是，有的書太大或有圖，擺印太麻煩，館臣提議將這些書改用雕板。可見，當時對應刊之書是分雕板（應刊）與活字（應擺）來印行的，而且還分別由不同的總校負責：彭紹觀負責活字，劉躍雲負責雕板。雕板之書，包括有圖之書及篇幅較大之書，如《舊五代史》（有的學者將此書的武英殿版視為聚珍本，其實是不瞭解其時仍有雕板印刷之書）、周必大集。

　　除《舊五代史》、周必大集外，四庫館開館期間還有不少書是在武英殿雕板印刷的，例如，乾隆四十年刻《光祿寺則例》八十四卷，乾隆四十二年刻《欽定太常寺則例》一百一十四卷，乾隆四十六年刻《欽定戶部則例》一百二十六卷首一卷、《欽定熱河志》一百二十卷，乾隆四十八年刻《欽定吏部則例銓選滿官品級考蒙古品級考》四卷、《欽定續通典》一百四十四卷等，乾隆四十九年刻《欽定禮部則

---

24 為了區別雕板與活字印本，一般的目錄書會將其分別著錄為武英殿版及聚珍版。

25 張偉仁主編：《明清檔案》（臺北市：中央研究院歷史語言研究所，1995年），A236-83。

例》一百九十四卷、《欽定續文獻通考》兩百五十二卷等。另外,當時新編之書(如方略等),也多是雕板印行的。以上這些書,有的並沒被收入《四庫》。

　　據上述可以看出:其一,四庫館開館期間武英殿仍雕板印行不少書籍,而且四庫館應刊之書中,也有一些是雕板印行的。其二,四庫館開館期間武英殿雕板印行之書,有一些並不入《四庫》,因此,其時武英殿的工作並非都與《四庫》有關。其三,《四庫》應刊之書,不只是包括武英殿聚珍板書,還應包括那些雕板印刷之書(收入《四庫》者)。

　　據前引金簡奏摺可知,將某些應刊之書改為雕板印刷大概是在乾隆四十六年,而之前的應刊之書,儘管有的篇幅較大,也用的是聚珍本(除初刻四種外),如《攻媿集》一百十二卷。在這之後,那些六七十卷以上的大書才用雕板。不過,據「軍機大臣和珅為奉旨垂詢《通鑒輯覽》《全書考證》刻板刷印事致四庫館總裁函」(乾隆五十一年六月十三日)載:「……王太嶽等所辦《全書考證》,曾否刻板?如尚未動工,即用聚珍板排印。欽此。」[26]按照金簡的奏摺,《四庫全書考證》有一百卷,自然應用雕板。但是,乾隆五十一年此書又臨時改用活字印刷(此活字本後收入《武英殿聚珍版叢書》中),這是為什麼呢?筆者推測,其時四庫館已閉館,活字印行的書已不多,聚珍館任務不重,所以可以接辦一些大書或有圖之書。《武英殿聚珍版叢書》中印行時間在乾隆四十六年之後的六十卷以上大書還有:《西漢會要》七十卷、《唐會要》一百卷;有圖之書有:《農書》。以上這些書均是在四庫館閉館之後印行的。據此也可以進一步證實上述的推測。

---

26 張書才主編:《纂修四庫全書檔案》(上海市:上海古籍出版社,1997年),頁1943。

第二節　聚珍本的選取

一　收書標準

　　一般來說，聚珍本所收是四庫館裁定的應刊之書，應該是《四庫》所收之書的精品。那麼，聚珍本的收書標準是什麼呢？據「諭內閣《永樂大典》體例未協著添派王際華裘曰修為總裁官詳定條例分晰校核」（乾隆三十八年二月十一日）載：「其有實在流傳已少，其書足資啟牖後學、廣益多聞者，即將出（書）名摘出，撮取著書大指，敘列目錄進呈，候朕裁定，匯付剞劂。」[27]此諭雖針對於大典本而言，其實也可以適用於其它《四庫》書，因此，應刊之書的標準可概括為：其一，流傳少；其二，內容特別好（即「啟牖後學、廣益多聞者」）。相對來說，乾隆應該更看重的是第一條。關於這一點，我們從聚珍本的來源亦可推知。

　　筆者通過考查聚珍本的來源發現，在所有一百三十八種（《易緯》八書合算為一種）中，其中大典本占九十種（其中只有《小兒藥證真訣》一種為《四庫》未收，《總目》也不著錄。其實此書原來也是想收入《四庫》的，否則不用寫提要。後來不知什麼原因失收了），非大典本有四十八種（《四庫》不著錄的共有六種）。

　　在非大典本中，採進本有十八種[28]：湖北巡撫採進本一種、江西

27　張書才主編：《纂修四庫全書檔案》（上海市：上海古籍出版社，1997年），頁57-58。

28　非大典本的來源，除敕撰本及最後兩種外，其它都不好定，因為如《吳園易解》，《四庫》用湖北巡撫採進本，查《四庫採進書目》可知，還有浙江巡撫採進本，但不知聚珍本所據是何本？不過，因為這裏只是分析其大致來源，只要能判定其為採進本與內府本、敕撰本的區別就可以了，不必細究。另外，有些非大典本，也參考過大典本，如《鶡冠子》、《大戴禮記》等。還有，有一些雖用採進本，但原來也有

巡撫採進本兩種、兩淮鹽政採進本三種、兩江總督採進本四種、浙江
巡撫採進本五種、江蘇巡撫採進本二種、安徽巡撫採進本一種；家藏
本有十八種：浙江鄭大節家藏本一種、編修汪如藻家藏本一種、浙江
吳玉墀家藏本兩種、兩淮馬裕家藏本四種、大學士于敏中家藏本一
種、浙江鮑士恭家藏本兩種、浙江范懋柱家天一閣藏本兩種、浙江汪
啟淑家藏本一種、兵部侍郎紀昀家藏本三種、副都御史黃登賢家藏本
一種；內府本（內府藏本）有兩種；敕撰本（包括《御製悅心集》
等）有八種。此外，還有《琉球國志略》十六卷、《詩倫》二卷兩
種，來源不明，可能也是採進本。

從上可看出，聚珍本所收，以大典本為主，其次是採進書（包括
家藏本），再次是敕撰書，最少是內府本。但是，如果從其在《四
庫》書中所佔比例來看，則並不是如此，而應是以大典本為主，其次
是敕撰本，再次是內府本，最少才是採進本。當時採進之書有一萬多
種，聚珍本只收入三十六種，可見是太少了。所以，聚珍本主要關注
的是大典本與敕撰本。大典本是輯佚書，是世間僅存之書，正符合聚
珍本收書的第一個標準；而敕撰本是清朝皇帝之作或皇帝指示編纂
的，當然都是「內容特別好」的書，正符合聚珍本收書的第二個標
準。從這也可看出，採進書纂修官擬定的應刊之書，被採用的就肯定
非常少。我們從翁方綱所撰提要稿中也可看出這一點。據翁方綱提要
稿可知，其擬定應刊之書有五十四種，但只有一種為聚珍本所收。[29]
也就是說，他提出的應刊之書，真正被採納的可能性只有百分之二。
因此，總體來說，採進本被收入為聚珍本的非常少。

大典本，可能是後來舍大典本而用採進本，如《郭氏傳家易說》（參史廣超：《《永
樂大典》輯佚述稿》〔鄭州市：中州古籍出版社，2009年〕，頁133）等。

29 吳格整理：《翁方綱纂四庫提要稿》（上海市：科學技術文獻出版社，2005年），頁
242，「山谷集」。

　　為什麼館臣擬定的應刊之書有些未能收入為聚珍本呢？除上面提到的聚珍本更多地關注大典本及敕撰書外，筆者認為其原因還有：

　　其一，按規定，應刊之書中的一些篇幅較大之書或有圖之書並沒有用聚珍本，而用雕板印行（參上文）。因此，聚珍本只能選擇一些篇幅小的書來印行，而這在一定程度上影響了聚珍本的收書數。

　　其二，纂修官提出的應刊之書，還要經總纂、總裁甚至乾隆作裁定。[30]據《于文襄手劄》載：「《漢秘葬經》、《吳中舊事》、《金碧故事》三種並諭皆非要書，勿庸刊刻，則《吳中舊事》亦可無須再行繕進。」[31]可見，一些纂修官提出的應刊之書被乾隆否決了。

　　其三，從聚珍本的印行進度看，聚珍館的辦書效率並不高，無法滿足所有應刊之書的需要，因此，總裁在裁定應刊之書時必然會有意識地削減其數量。

　　其四，四庫館當然是以辦《四庫》為主，而聚珍本只是其附加的工作，這一工作甚至會妨礙《四庫》修書的進度（一般需要先辦擺印，才能抄入《四庫》），因此，館臣不願過多擬定應刊之書；即便擬定了，也會在後來做適當削減。

　　其五，應刊之書是陸續發下聚珍館的，因為聚珍館辦書較慢，到四庫館閉館時（乾隆五十年）仍有一些書待聚珍館擺印，但因為逐漸無人督促管理（其時《四庫》已修好），所以也就不了了之。

　　總之，聚珍本的收書標準是：外間流傳稀少、內容特別好。大典本大多能符合這一標準，故收入聚珍本為最多。儘管聚珍本所收均為四庫館裁定的應刊之書，但由於數量上的限制等，聚珍本無法完全反映《四庫》編修時館臣對應刊之書的選擇與要求。

30　有的書是乾隆直接指示要用聚珍版印刷的。

31　〔清〕于敏中：《于文襄手劄》（北京市：國立北平圖書館，1933年影印本），第4通。

二 聚珍本與薈要本

由於擔心《四庫全書》編纂時間過長，乾隆三十八年五月一日乾隆命于敏中、王際華等擷取《四庫全書》中菁華之書，先編成一部小型全書，名為《四庫全書薈要》。可以說，《薈要》與聚珍本同為《四庫》菁華之選。那麼，薈要本與聚珍本應多有重複，但是，事實上，兩者相重複的書並不多，為什麼呢？

茲將薈要本與聚珍本相重複的書列於下表：

書名	聚珍本校上時間	聚珍本來源	薈要本校上時間	薈要本來源
郭氏傳家易說	乾隆四十年正月	浙江鄭大節家藏本	乾隆四十一年五月	聚珍本，據大典本校[32]
易象意言一卷	三十八年六月	大典本	四十二年元月	聚珍本，據大典本校
乾坤鑿度二卷等共八書	三十八年四月	大典本	四十一年八月、四十二年八月	聚珍本，據大典本校
禹貢指南四卷	三十八年六月	大典本	四十二年六月	聚珍本，據大典本校
禹貢說斷四卷		大典本	四十三年正月	大典本
詩總聞二十卷	四十六年七月	內府藏本	四十年五月	採進本
春秋辨疑四卷	三十八年四月	大典本	四十二年四月	聚珍本，據大典本校

---

32 是指薈要本據聚珍本繕錄，而以大典本參校。下同。來源信息，出自吳哲夫：〈四庫全書薈要簡明目錄〉，《四庫全書薈要纂修考》（臺北市：國立故宮博物院，1976年），附錄三。

書名	聚珍本校上時間	聚珍本來源	薈要本校上時間	薈要本來源
春秋繁露十七卷	三十八年十月	大典本	四十一年二月	聚珍本，據大典本等校
水經注四十卷	三十九年十月	大典本	四十二年五月	聚珍本，據大典本等校
直齋書錄解題二十二卷	三十八年七月	大典本	四十一年七月	聚珍本，據大典本校
傅子一卷	三十九年十月	大典本	四十二年八月	聚珍本，據大典本校
帝範四卷	三十八年四月	大典本	四十二年十一月	聚珍本，據大典本校
農桑輯要七卷	三十八年六月	大典本	四十一年三月	聚珍本，據大典本校
周髀算經二卷音義一卷		大典本	四十三年四月	採進本，據大典本校。薈要本為：周髀算經三卷音義一卷
五經算術二卷	三十九年十月	大典本	四十二年五月	聚珍本，據大典本校
墨法集要一卷	四十年四月	大典本	四十三年二月	聚珍本，據大典本校
冠子三卷	三十八年六月	兩淮馬裕家藏本	四十年十二月	聚珍本，據大典本等校
老子道德二卷	四十年正月	兵部侍郎紀昀家藏本	四十一年三月	聚珍本，據大典本校
欽定重刻淳化閣帖釋文十卷		敕撰本	四十三年二月	聚珍本，據內府石刻本校

書名	聚珍本校上時間	聚珍本來源	薈要本校上時間	薈要本來源
武英殿聚珍版程序一卷		敕撰本	四十三年二月	聚珍本

據上表可看出：

有校上時間的聚珍本，除《詩總聞》外，其校上時間一般較薈要本為早，而且這些薈要本一般是繕錄自聚珍本；相反，沒有校上時間的聚珍本，除《淳化閣帖釋文》、《武英殿聚珍版程序》（此兩書實際校上時間較薈要本早，可參本書附表二）之外，其印行時間都是在閉館之後（參上文），較薈要本校上時間晚很多，所以這些薈要本就繕錄自其它本子，而不是聚珍本。

《薈要》與聚珍本同為菁華之選，但為何重複者少？筆者認為，其原因主要有：

其一，相對來說，聚珍本選書更注重稀見性（大典本當然能符合這種要求），而《薈要》更注重品質（符合乾隆閱讀需要）。據「諭內閣編《四庫全書薈要》著于敏中王際華專司其事」（乾隆三十八年五月初一日）載：「著於《全書》中擷其菁華，繕為《薈要》。其篇式一如《全書》之例，蓋彼極其博，此取其精，不相妨而適相助，庶縹緗羅列，得以隨時流覽，更足資好古敏求之益。」[33]《薈要》〈凡例〉載：「是書編輯，於《四庫全書》中取其尤醇者，務在簡而能賅，寧嚴毋濫，……擷著述之菁華，作藝林之珍秘。」[34]可見，《薈要》的收書標準只有一個，就是品質。這與聚珍本的收書標準稍有不同。例如，《薈要》選擇內府本及採進本較多，而選擇大典本很少，但聚珍

本主要選擇的是大典本。其中集部之書，聚珍本主要是大典本，而《薈要》集部則不收一部大典本，只收採進本等。

其二，《薈要》是《四庫》之縮影，收書要兼及四部，而且還盡可能兼及各小類，因此各類的收書量較為平均，而聚珍本不會顧及各部各類，主要以稀見為主，所以集部較多。

其三，聚珍本因活字擺印的技術限制，承辦能力有限，主要收篇幅小的書，而且不收有少數民族文字的書（不便擺印），而《薈要》只需抄錄，則不會過多考慮篇幅的大小，而且也收有少數民族文字的書。

第三節　聚珍本底本與校樣

一　底本

聚珍本所收主要為大典本，故以下所論之底本一般是指大典本底本。

在《四庫》修書過程中，那些擬定的應刊之書，在校定之後要發交武英殿印行（最初用雕版印刷，後來改用活字）。為防止原書的污損，必須另錄副本付排。據「多羅質郡王永瑢等奏擬派肄業貢生校錄《永樂大典》應刊書籍並再添擺板供事摺」（乾隆三十九年二月二十三日）載：「臣等辦理《四庫全書》，所有《永樂大典》內採出散篇匯輯成部者，頗有堪以刊行之書，應行刊刻。……因此等散篇原錄草本，移改增易，行字參差，難以照式排板，而正本又不便令其校對，致有污損，臣等公同酌議，此等應刊書籍，非另辦副本不可。擬於國子監揀派現食膏火之內肄業貢生十名到武英殿，照現在行走貢生例，專供校錄刊本之用，並擬派原任翰林院編修祥慶承辦擺板之事。」[35]

---

35 張書才主編：《纂修四庫全書檔案》（上海市：上海古籍出版社，1997年），頁200。

也就是說，《四庫》大典本稿本有刪改，不宜用來進行排版印刷，而正本又容易污損，最好是用錄副本來排版。《四庫》總裁官于敏中在乾隆三十九年六月初五的信中也提到：「應刊各種，自應交武英殿錄副。其應抄各種，亦應隨時辦理也。」[36]可見，大典本除正本外，還要錄一副本，以為擺版之用。這錄副本，其實就是聚珍本的底本。

應刊之書的錄副是在武英殿辦理的，由國子監揀派的十名肄業貢生負責。[37]這些錄副本，大概是按照聚珍本的版式，抄在方格紙上的。例如，國家圖書館善本部藏武英殿聚珍本底本《東觀漢記》即是方格紙抄寫的。該書二十四卷，清抄本，四冊，半頁九行，行二十一字，小字雙行，小紅格，白口，四周單邊。書中有不少改動痕跡，一般是直接在原書相應文字上改，有個別在欄外注明。這些改動主要針對：文字訛錯，順序顛倒，文字遺漏，提示擺印格式。這些校改，應該是聚珍本分校官所作的。

此書抄寫在帶方格的紙頁上，大概是為了方便活字印刷時配字模。其格式與聚珍本完全相同，首行亦有「武英殿聚珍版」六字。書中幾乎每頁書欄左邊下部空白處都有墨筆標記，如：「又三月廿四，

---

36 〔清〕于敏中：《于文襄手劄》（北京市：國立北平圖書館，1933年影印本），第29通。
37 校錄，即謄錄，據〔清〕錢陳群：〈恩准第七子汝器在四庫全書處校錄恭謝奏摺〉，《香樹齋文集》〈續鈔〉卷5載：「……《四庫全書》復以在館校錄需人，並敕分纂各臣以次遴舉所知，薄海士林莫不聞聲鼓舞。」載《四庫未收書輯刊》（北京市：北京出版社，1997-2000年影印本），第9輯，冊19，頁418上。：〈庚辛之間亡友列傳〉〈顧九苞〉，《章學誠遺書》（北京市：文物出版社，1985年），頁193載：「夫君性至孝，家有老母，不欲久羈京師，自戊徂丑四閱年，充《四庫》校錄，冀敘銓得一學職，即謀歸侍。」校錄，也可指校對，例如，據《日下舊聞考》書前所列的纂修名單看，校錄即指校對，在校錄外，另還有人負責謄錄。但是，聚珍本另有分校官，而且一一署於每頁書口上，因此，那些校錄應該與這些分校官不同。例如，一些分校官校對一書的目錄、提要，本來內容就不多，應該不需要校錄再校對。也許是因為聚珍本底本的謄錄較為嚴格（將每字抄在格子中），所以將其謄錄也稱為校錄。此存以待考。

劉」、「三月十五，□起風」、「三月十七，謝熊」、「三月十七，羅風岡」、「三月初六，秦」、「三月初六日，柯」、「三月初六，增」、「三月初六，桂」、「三月初七，熊」、「三月初七，侯」、「三月初七，俊」、「三月初七，俊（代一版）」、「三月初七，馬」、「三月初七，瓚」、「三月初七，映」、「三月初七，崇」、「三月廿七，映」、「三月廿七，牛」、「三月廿八，柯」等（因為原書裝訂的關係，有的字已看不太清楚）。這些應為擺板者的標記。從時間看，擺此書若需一個月時間。此外，書中又有個別地方在地腳有墨筆注：「九，板心，魁」、「十，板心，秦」等。這些字跡與上述的字跡相近，均較草。這些也應為擺板者的標記。

　　卷六、七、八、九、十二、十三、十四、十五、十六、二十一、二十二各卷每頁欄外左邊下部的空白處均有墨筆注：「校錄黃繩祖」或「黃繩祖」，其字跡與書內正文的字跡相近，而與上述擺板者標記的字跡是不一樣的。因此，這些標注應該是錄副者的署名。

　　綜上所述，筆者推測聚珍本的辦理程序為：由校錄據發下的定本用方格紙抄成副本（即聚珍本底本），並在上面作署名標記，然後交聚珍本分校官、總校官校對。因底本抄成時是散頁，分派時也是散頁發下的，所以在聚珍本中我們可以發現有些分校官只是負責校對一卷中的數頁。校完之後，由擺板者據此擺印。因擺印時也是散頁進行的，分派給不同的人負責，並在頁邊上用墨筆標記（署名），所以，後來將這些散頁裝訂成冊時，邊上所注的字有的就看不到了。

　　需要注意的是，有個別大典本沒有另錄副本，而是直接用大典本稿本供擺印。例如，復旦大學圖書館藏有一部《四庫》底本《九章算術》（也是大典本），史廣超《《永樂大典》輯佚述稿》認為是聚珍本

底本，因為其中有「……照擺」的校語。[38]據此校語看，確實是為活字印刷而言的，因而定為聚珍本底本是有道理的。但是，復旦大學圖書館將此書定為《四庫》底本，又是什麼依據呢？據史氏書中所引，該底本還有不少其它校語及標示，例如，將全書開頭改為《四庫》正本的格式，有「欽定四庫全書」之語等。聚珍本開頭的格式與《四庫》正本不同，《四庫》正本開頭為「欽定四庫全書」，而聚珍本是沒有的。因此，這些校改顯然是針對抄寫《四庫》正本而言的。另外，書中校語還提到「將案語排勻，勿空前後兩行，仍作九行，每行十字寫」[39]，既然是聚珍本，為什麼還說「寫」呢？這顯然是針對謄寫正本而言的。因此，此書也可視為《四庫》底本。那麼，這兩個底本之間是什麼關係呢？筆者認為，此書為《四庫》之底本（即大典本稿本），先供錄成正本（有相關的校語可證），然後，再將此底本發下供聚珍館擺印，又成為聚珍本之底本（亦有相關校語可證）。[40]此書雖為戴震所初校，但其正本最終校上時間卻很晚（文淵閣本校上時間為乾隆四十九年十月），而其聚珍本之擺印更在正本抄成之後（此書為聚珍本中有提要而沒有署校上年月及纂修官者，據前文推測，應是在閉館之後印行的）。也許因為此書辦理較遲，所以沒有另錄副本，而是直接用其底本供聚珍本擺印。

---

38 史廣超：《《永樂大典》輯佚述稿》（鄭州市：中州古籍出版社，2009年），頁70。

39 該書聚珍本排作九行、每行十一字；文淵閣本抄作九行，前三行十一字，後六行十字。據校語可知，原是打算每行十字的，但九行抄不下，只好有一部分抄成十一字。到印聚珍本時，則統一排成每行十一字。

40 書中的文字校改，聚珍本與文淵閣本均遵照改正，而且完全一樣，亦可證兩者的底本是相同的。

二　校樣

　　除了上述的底本校對，聚珍本在擺好板後還會先印出一個樣本，由分校官校對，是為聚珍本校樣。據金簡《武英殿聚珍版程序》〈校對〉載：「每版墊平之後，即印草樣一張校閱。或有移改以及錯字，即時抽換，再刷清樣復校妥，即可刷印。」[41]可見，聚珍本有時還有復校校樣。

　　美國國會圖書館所藏武英殿底本《簡齋集》就保留有聚珍本的校樣。[42]此書一函四冊，第一冊正文第一頁有印：「古潭州袁臥雪廬收藏」、「翰林院典簿廳關防」滿漢朱文印。[43]此書第三冊為印本，每半頁九行，行二十一字，與聚珍本相符。另外，此冊亦有不少墨筆添加的符號，如卷十二上欄外墨筆：「作字往右少移」、「不正」（此指該行「年」字擺字不正，稍偏。「年」旁有墨筆一豎標示）。此冊中所有字體不正、顏色深淺不一，或者缺筆、排行不齊、字距疏密不均、字體粗細不均，等等，均用墨筆標示，說明要在擺印時糾正。其指出的問題不同，標示的符號也不同。王重民曾針對此冊說：「每葉首有畫押，為負責人所簽署；尾有蘇州字碼所記全葉字數。其校例凡用△，表示刻字欠美觀（如太粗，太細，或不正應別刻者）；用—表示應移下或推上（即橫列要整齊）；用|，在字左表示應左推，在字右應右移（即直行要整齊）。此等校印樣方法不見記載，今賴此猶可窺見一二。」[44]此冊每卷每頁書口下方均印（不是手寫）有校對官的姓名

41　〔清〕金簡：《武英殿聚珍版程序》，頁309。

42　筆者於二〇〇九年七月在美國國會圖書館檢閱過此書。

43　查原書，「簿」字不太清楚，王重民以為「籍」字，不對。參劉薔：〈「翰林院印」與四庫進呈本真偽之判定〉，《圖書館工作與研究》2006年第1期，頁61-62。

44　王重民：《美國國會圖書館藏中國善本書目》（臺北市：文海出版社，1972年），頁875

「某某校」，如卷九「吳樹萱校」，卷十「范鏊校」，卷十一「朱攸校」，卷十二「關槐校」。可見，此冊應為聚珍本的校樣。

需要注意的是，此書第一、二、四冊與第三冊有顯著的不同：此三冊均為抄本，朱欄，每半頁八行，行二十一字；其字體有楷書、有行書，不是很工整（王重民說：「字體草率，不及庫本之整齊美觀」）；沒有第三冊中所出現的有關活字擺印的術語及符號，只有一些針對謄寫所作的校改標記；與第三冊的用紙也不一樣。顯然，這三冊並不是聚珍本校樣。那麼，為什麼要將這三冊與聚珍本校樣（第三冊）編在一起構成完整的《簡齋集》呢？

該書第一冊卷二開頭有墨筆改題「一行，欽定……」、「二行，……」。這些是館臣在此冊上所作的標記，指明如何謄抄。從其抄寫格式看，顯然是《四庫》正本的格式。其時（聚珍本《簡齋集》校上時間是乾隆四十六年）聚珍本的格式早定，若此冊為聚珍本底本，校對者不可能在前面加「欽定……」字樣。另外，此三冊還有「卷照原本」、「俱照原本」、「行勻寫」、「與前行平」等墨筆校改痕跡。尤其值得注意的是，第三冊（校樣）也有墨筆標記：「末行（謄錄）（引者案：此兩字塗去）低一格寫。以後照此。」這是針對謄寫而非擺印而言的。因此，筆者推測，此三冊是按《四庫》正本格式（指每半頁八行，行二十一字）抄成的稿本[45]，與第三冊（校樣）湊成完整的《簡齋集》一書，交四庫館謄錄成《四庫》正本。因此，此三冊與第三冊校樣一起又成為《四庫》之底本（實即稿本）。其時可

著錄有此書。另外，王重民：《中國善本書提要》（上海市：古籍出版社，1983年）「集部‧別集類‧簡齋集」亦著錄了此書，本節所引王重民之論述均出此。

45 前引王重民文說：「是集雖非輯自《大典》，付印前自應遵例錄副也」、「蓋武英殿校印時另繕的稿本」。可見，王重民認為此書應為校印聚珍本之前的錄副本。筆者認為此一說法不正確，因為若是錄副本，為何不依照聚珍本的格式（每半頁九行，行二十一字）來錄副？

能是因為趕辦續辦三份《四庫》，需要底本較多，而這種拼湊底本的方法是當時為解決底本短缺所採取的辦法之一。[46]

綜上所述，美國國會圖書館所藏「武英殿底本」《簡齋集》實則為《四庫》閣本之底本（但不能確定是哪一閣的底本），只有第三冊為聚珍本校樣。

第四節　聚珍本分校官與纂修官

一　分校

聚珍本校對官要對聚珍本進行校勘。據前引于敏中信可看出，應刊之書發下給武英殿錄副，這錄副本即為武英殿擺印的樣本或底本，之後還會產生校樣。因此，校對官校對的對象包括錄副本和校樣。

校對官在哪裏校書呢？據前引于敏中信看，應該是在武英殿，而不會在聚珍館，因為這些分校官其實絕大多數也是武英殿四庫館校對官，也校辦其它《四庫》書。

除初刻四種外，聚珍本一般會將校對官姓名印在版心後幅下方，據「四庫全書處總裁王際華等奏請再領刻字刊書銀兩並給擺版供事分例飯食摺」（乾隆三十九年四月二十六日）載：「……至此項書籍，既經頒發，嘉惠藝林，必須排列精審。現在已責成原任翰林祥慶、筆帖式福昌，專司其事。其原書樣本，尤須校對詳慎，應請即於每頁後幅

46　「多羅質郡王永瑢等奏遵旨酌定雇覓書手繕寫全書章程摺」（乾隆四十七年八月二十日）載：「……一、武英殿所有底本，現在趕辦第三、四分，一時未能交出。今添寫三分書，所需底本，應先盡官刻各書及《永樂大典》副本發寫，其在館貯有重本者，亦可陸續諮取發繕，約計可得十之四五。」載張書才主編：《纂修四庫全書檔案》（上海市：上海古籍出版社，1997年），頁1616。

版心下方，印某人校字樣，俾益專其責成，校對自更不敢草率。」[47]金簡：《武英殿聚珍版程序》〈套格〉載：「即將應擺之書名、卷數、頁數暨校對姓名先另行刊就，臨時酌嵌版心。」[48]可以說，書口署校對者是當時印聚珍本的規定，而且校對者姓名是預先刻好的，根據需要隨時可以擺入版心。查現存聚珍本可知，確實絕大多數聚珍本都是將分校者姓名印在每頁書口下方（在後半頁的這一側，也就是後幅）[49]，不過，也有一些聚珍本卻是在卷尾署校對者姓名（有個別是署在每卷目錄後，與卷尾署校者性質相同，故在此也一併稱為卷尾署校者），這是為什麼呢？筆者通過考察這些卷末署名情況發現，這些書均為沒有署校上年月之書，也就是前文所認定的四庫館閉館後印行的書。既然是閉館後印行的，這些書就未必會一一遵循原來的規定；而且，卷末署名相對更方便一些（不用每頁都印上）。至於有個別書根本就沒有校對者署名（如《西漢會要》、《唐會要》、《農書》、《萬壽衢歌樂章》、《悅心集》），它們也應該是閉館後印的，其原因和卷末署名的情況相近。因此，我們也可以反證，那些卷末署名或沒有校對官署名的聚珍本，不符合聚珍館原來的規定，肯定是後印的。

筆者認為，除初刻四種外，開館期間所印的聚珍本一般應符合以下條件：其一，書口署校者；其二，有校上年月。也可以說，四庫館開館期間所印聚珍本一般是既有校上年月又是書口署校者的。因此，在有校上年月的聚珍本中，均為書口署校者，而在書口署校者的聚珍本中，除四種之外均為有校上年月者。那麼，為什麼有四種例外呢？其中，《明臣奏議》、《淳化閣帖釋文》、《武英殿聚珍板程序》此三書

47 張書才主編：《纂修四庫全書檔案》（上海市：上海古籍出版社，1997年），頁205。

48 〔清〕金簡：《武英殿聚珍版程序》，頁304。

49 這是據乾隆年間木活字本《武英殿聚珍版叢書》得出的結論。至於後來的翻刻本和外聚珍本，則未必都如此。

為新辦之書，在印聚珍本時還未有寫提要，當然也沒有署校上年月。
另外，《琉球國志略》一書為不收入《四庫》之書，也未寫提要，當
然也沒有校上年月。[50]此四種中，前三種為開館期間印行的，而最後
一種是閉館後印行的（可據其校對者看出）。除以上四種書外，其它
聚珍本，只要有校上年月，就是書口署校者；只要是書口署校者，就
有校上年月。據此可統計出，共有一百○九種聚珍本為閉館前所印
的。與此相對，既無校上年月又非書口署校者的聚珍本（包括卷末署
校者、無校者署名兩種情況），就肯定是閉館後所印的。因此，我們
談四庫館開館期間的聚珍本以及聚珍本的總校、分校，就應以這一百
○九種為對象。

分校官對聚珍本的校對，可分為下面幾種情況：

其一，一人校一書，即本書附表二所列校對者只有一人的情況。
這種情況多見於那些篇幅較小的聚珍本。

其二，多人校一書，每人一至數卷。這種情況在聚珍本中最多。
也就是說，若是多人校一書，一般是整卷整卷地分派給不同的人，而
不是將一卷拆分給數人。各卷是隨機分發的，不一定按順序分派，所
以校對者有時會穿插於書中各卷（即某人負責書中數卷，但這數卷不
一定是相連在一起的）。

其三，多人校一書，既有一人校一至數卷者，又有兩或三人共校
一卷者。例如，聚珍本《郭氏傳家易說》序文、目錄、提要這幾頁，
是項家達校的，以下正文校對者分別為：項家達、裴謙、王福清、朱
攸。其中很多情況下是兩人或三人同校一卷的，如卷二，其校對者依
順序分別為：項家達、朱攸、項家達、裴謙、朱攸，每人只是校對其
中的數頁；卷三，其校對者依順序分別為：項家達、王福清、裴謙，

---

50 《小兒藥證真訣》一書雖然也不入《四庫》，但其有校上年月、提要，原來肯定是計
　劃收入《四庫》的。而且，此書也是書口署校者，肯定是開館期間印的。

每人也只是校對其中的數頁。不過，總的來看，將一卷拆分給不同的人來校對的情況在聚珍本中並不多見。

另外，需要注意的是，在聚珍本中，提要、目錄這部分往往是作為獨立的一部分由專人負責的。在大多數情況下，其負責人為總校官，即劉躍雲與彭紹觀（本書附表二校對者署名一欄中，若開頭列此二人者，均為這種情況）。

還有，聚珍本的分校也存在有助校現象，這與四庫館的助校是一樣的。據《標點善本題跋集錄》「《意林》五卷二冊，唐馬總撰，清乾隆四十七年武英殿聚珍本，清周廣業手校並跋」條所收周廣業跋載：「甲辰春，余在京師，行篋攜手校《意林》三冊，蓋自庚寅迄癸卯，閱十四年而始定者，適聚珍館欲刊此書，王疏雨方為起土董其事，中秘獨有天一閣本、廖氏刊本，錯謬殆不可讀，疏雨以屬沈嵩門，嵩門與余友善，遂借余本照改，數日而畢。」[51]疏雨為王朝梧之號，曾為聚珍本校對官。王朝梧請沈嵩門助校，而沈嵩門借周廣業校本以資校勘。又如前引《許順庵老人自述年譜》（譜主：許嘉猷）亦提到許嘉猷在乾隆五十五年、五十六年替聚珍本分校官錢開仕校對聚珍本《九章算術》、《建炎以來朝野雜記》。可見，聚珍本校對官也請人助校，而且應該還相當普遍。

---

51 臺灣中央圖書館特藏組編：《標點善本題跋集錄》（臺北市：中央圖書館，1992年），上冊，頁349。需要說明的是，《標點善本題跋集錄》將聚珍本《意林》定為乾隆四十七年武英殿聚珍本是不對的，因為乾隆四十九年春，聚珍館要刊此書，王朝梧才請沈氏校此書。因此，聚珍本印行此書肯定是在乾隆四十九年春之後。聚珍本《意林》書前有乾隆四十七年校上的提要，《標點善本題跋集錄》大概是據此推定的。

二 總校

據前引金簡等「為奏聞事」（乾隆四十六年十二月二十四日）可知，聚珍館的總校有劉躍雲與彭紹觀。

如前所述，聚珍本提要（包括目錄）往往是與正文作為兩部分分派校對的，有時與卷一一起分給同一分校者，有時則分給不同的分校者。筆者通過對聚珍本原本考察後發現，聚珍本提要（包括目錄）往往是由彭紹觀與劉躍雲校對的，可見，校對此部分應該是總校的主要職責之一。在不少聚珍本中，總校往往只校一書的提要與目錄這幾頁，而以下正文，則由其它分校來校對，例如，《三國志辨誤》三卷，書前目錄與提要為劉躍雲校，而卷上為王朝梧校，卷中為陳嗣龍校，卷下為朱攸校；《五代史纂誤》三卷，書前目錄與提要為劉躍雲校，而卷上為繆晉校，卷中為谷際岐校，卷下為王元照校；《鄭志》三卷，書前目錄及提要為彭紹觀校，而正文卷上為劉躍雲校，卷中為谷際岐校，卷下為繆晉校；《唐書直筆》四卷，書前目錄與提要為彭紹觀校，卷一為朱攸校，卷二為關槐校；《周易口訣義》，原序為吳舒帷校（福刻本將原序放在書前，其實聚珍本原本應該是目錄、提要在前，之後才是原序），但目錄與提要還是彭紹觀校。

需要注意的是，雖然總校官主要負責聚珍本提要和目錄的校對，但是，我們不能反過來推理，即只要是校對提要與目錄這部分內容的都是總校官。例如，《東觀漢記》，書前目錄與提要是朱攸校，以下正文全書均是朱攸校；《御選明臣奏議》，目錄、凡例（沒收提要）、卷一，均為朱攸校；《春秋繁露》十七卷，目錄、提要、卷一為王福清校。以上所提到的朱攸、王福清均為分校官而不是總校官。因此，我們只能說，在很多情況下，聚珍本書前提要和目錄是由總校官負責校對的。

　　另外，彭紹觀與劉躍雲雖同為總校官，但是，通過比較可以發現，彭紹觀負責校對的目錄與提要較劉躍雲所校的要多不少，而且，彭紹觀可能還專門負責校對聚珍本書前的乾隆御題十韻詩。[52]除此之外，彭氏不校聚珍本中的正文，而劉氏則要校對正文。也就是說，彭氏主要負責目錄、提要、乾隆御題十韻詩的校對，而劉躍雲除了校對一部分聚珍本的目錄、提要外，還要校對一些聚珍本的正文。這說明彭氏應該是更主要、更純粹的總校官，而劉氏則兼任分校，作為總校官的地位應該較次要。這一點也可從前引奏摺得到印證：彭紹觀一直負責活字印刷，而劉躍雲後來則負責雕板印刷，而且彭氏在他們兩人中排序在前。

三　分校官名單[53]

　　如前所述，儘管我們習慣上把聚珍館看做四庫館的附屬機構，但是，它與四庫館其實是既有從屬又有相對獨立的關係，因此，我們並不能將開館期間聚珍本分校官均視為四庫館臣。至於閉館後印行的聚珍本，其分校官就更不應該被視為四庫館臣。但是，若是我們將聚珍本分校官均擯棄在四庫館之外，則無法反映其與四庫館臣的密切關係（如很多聚珍本分校官又是《四庫》分校官），而且，乾隆賞賜四庫館臣名單中就包括有聚珍本分校官，因此，筆者希望能在本書所附四庫館館臣表正編中將館臣兼任聚珍本分校官的情況反映出來，同時，將不入正編而在開館期間任聚珍本分校官者也收載在館臣表的附編

---

52 聚珍本書前均有乾隆御題十韻詩。這部分均是預先印好的，然後配置於各書書前。這部分一般沒有署校對者，只有極個別的御題十韻詩之書口署有彭紹觀。筆者推測：若是需要校對此部分，則由總校官彭紹觀負責。

53 此處討論分校官名單，包括劉躍雲（兼分校），但不包括彭紹觀。

中。為了將這些分校官分別統計出來，我們首先要考察一下哪些聚珍本分校官是開館期間任職的，哪些是閉館後任職的？

據前文可知，要考察四庫館開館期間的聚珍本及聚珍本的總校、分校官，應以那些書口署校者的聚珍本為研究對象，因為它們（除《琉球國志略》外）都是開館期間印行的，而其它聚珍本則是閉館後印行的。因此，據本書附表二所列可得出開館期間聚珍本分校官有：

王朝梧、吳舒帷、項家達、王福清、裴謙、朱攸、繆晉、於鼎、茅元銘、劉躍雲、谷際岐、曾燠、陸伯焜、吳鼎雯、蔣予蒲、謝墉、戴聯奎、陳嗣龍、蔡共武、阿林、費振勳、靖本誼、王元照、徐秉文、錢致純、丁履謙、石養源、王坦修、金簡、關槐、龔大萬、何循、沈步垣、吳蔚光、吳樹萱、范鏊、五泰。

以上名單中，本書附表一「館臣表·正編」中包括之人有：金簡、關槐、王朝梧、吳舒帷、項家達、王福清、裴謙、朱攸、繆晉、於鼎、茅元銘、劉躍雲、谷際岐、曾燠、陸伯焜、吳鼎雯、蔣予蒲、謝墉、戴聯奎、蔡共武、費振勳、王坦修、龔大萬、何循、吳蔚光、吳樹萱、范鏊、五泰。對於這些分校官，館臣表中會注明其兼任情況。

未入「館臣表·正編」者有：陳嗣龍、王元照、石養源、靖本誼、徐秉文、錢至純、丁履謙、沈步垣、阿林。以上這些分校官，均收入「館臣表·附編」中。

至於其它聚珍本（包括卷尾署校者的及《琉球國志略》）的分校官還有：

劉鳳誥、秦恩復、吳廷選、俞廷掄（掄）、王坦修、蔡共武、倪思淳、錢開仕、汪滋畹、程嘉謨、王宗誠、顧德慶、張鵬展、李均（鈞）簡、那彥成、陳嗣龍、祝坤、謝墉、戴聯奎、吳玉綸、甘立猷、徐立綱、潘曾起、馬啟泰、周興岱、吳裕德、王錫奎、玉保、吳璥、祝坤、崔景儀、蔣攸銛、文寧、吳鼎雯、周兆基、金簡、吳舒

帷、繆晉、朱攸、彭元琰、章宗瀛、龍廷槐、胡長齡。

與上述開館期間聚珍本分校官相較，刪除重複，共有：

劉鳳誥、秦恩復、吳廷選、俞廷掄（掄）、倪思淳、錢開仕、汪滋畹、程嘉謨、王宗誠、顧德慶、張鵬展、李均（鈞）簡、那彥成、祝坤、吳玉綸、甘立猷、徐立綱、潘曾起、馬啟泰、周興岱、吳裕德、玉保、吳璥、崔景儀、蔣攸銛、周兆基、王錫奎、文寧、彭元琰、章宗瀛、龍廷槐、胡長齡。

這些人中，其中俞廷掄（掄）、馬啟泰、祝坤、潘曾起、甘立猷、徐立綱、周興岱、吳裕德、程嘉謨、彭元琰、章宗瀛已見「館臣表・正編」，因而館臣表中會注明其兼職情況；其餘未見於「館臣表・正編」的有：蔣攸銛、王錫奎、文寧、周兆基、崔景儀、倪思淳、吳廷選、秦恩復、劉鳳誥、李均（鈞）簡、那彥成、顧德慶、錢開仕、張鵬展、汪滋畹、王宗誠、龍廷槐、胡長齡、玉保、吳璥、吳玉綸。

以上這些未見於「館臣表・正編」的分校官有一些共同的特點：其一，除玉保（乾隆四十六年進士）、吳璥（乾隆四十三年進士）、吳玉綸（乾隆二十六年進士）外，他們均為乾隆四十九年之後（包括乾隆四十九年）中進士者。即便是乾隆四十九年中進士者（這些人均改庶起士），但在乾隆五十二年散館授職翰林時，四庫館早已閉館。因此，他們任聚珍本分校，估計是在閉館之後[54]。其二，他們所校的書都是沒有校上年月的，據前文推測，這些書應該是在閉館後印行的。其三，除《琉球國志略》一書外，他們所校的書均為卷末署分校者姓名。據前文推測，這些書也是在閉館後印行的。其四，從相關檔案

---

54 以上名單中的乾隆四十九年中進士者，若在改庶起士後即任分校，固然能趕在閉館之前。但是，乾隆四十九年已接近於閉館，其時聚珍本所需分校不會很多，不太可能需要該科庶起士出任分校。

看，《元朝名臣事略》、《四庫全書考證》[55]兩書均為閉館後印的，此兩書既沒有校上年月，又是卷末署校者姓名，符合前面的推測。而且，此兩書的校對者中，就有上述乾隆四十九年後中進士者。[56]因此，以上這些未見於「館臣表・正編」的分校官辦理聚珍本都較晚，應該都在閉館之後，因此，不應將這些分校官列入四庫館臣表中。

四　纂修官名單

聚珍本所收可分為大典本與非大典本，據本書附表二可知：

大典本纂修官有：周永年、劉權之、勵守謙、閔思誠、鄒炳泰、邵晉涵、王增、余集、戴震、楊昌霖、程晉芳、陳初哲、任大椿、黃軒、陳昌齊、鄒奕孝、徐天柱、張羲年、陳昌圖、徐步雲、林澍蕃、秦泉、鄒奕孝、王嘉曾、平恕、王汝嘉、吳壽昌、彭元珫、黃壽齡、鄭際唐、汪如藻、周厚轅、黃良棟、周興岱、沈孫璉、勵守謙、吳典。

非大典本纂修官有：劉權之、翁方綱、莊承篆、季學錦、王增、戴震、任大椿、劉校之、程晉芳、彭紹觀、平恕、吳壽昌、王嘉曾、蕭芝、周永年、查瑩。

據此名單可以看出：

---

55 參「軍機大臣和珅為奉旨垂詢《通鑒輯覽》、《全書考證》刻板刷印事致四庫館總裁函」（乾隆五十一年六月十三日）、「軍機大臣奏查《元朝名臣事略》人名俱經改正情形片」（乾隆五十四年十二月二十九日），分別載張書才主編：《纂修四庫全書檔案》（上海市：上海古籍出版社，1997年），頁1943、頁2172。

56 由於聚珍本校對官均為進士出身，且絕大多數是翰林，而且，沒有發現校對官在中進士前校過聚珍本的情況，因此，中進士年份是我們考慮其分校聚珍本時間的一個參考。當然，乾隆四十九年前中進士者也有校對閉館後所印書的，而乾隆四十九年後中進士者則不可能參與乾隆四十九年前聚珍本的校對工作。需要注意的是，這與《四庫》本分校不同，《四庫》本的分校官有一些並不是進士出身，不能以中進士之年份作為其入館之時限。

其一，與「館臣表・正編」所錄大典本纂修官相較，其中絕大部分相同，正可相互印證。

其二，大典本纂修官與非大典本纂修官中有一些人是重複的（如鄒奕孝、戴震、劉權之、周永年等），說明他們既辦大典本，又辦非大典本（主要是採進書）。這與前述的四庫館纂修官存在交叉辦書的現象是相符的（即大典本纂修官有時會辦採進書，採進書纂修官有時也會辦大典本等）。

其三，與分校官的情況不同，聚珍本是由四庫館纂辦好後提供給聚珍館排印的，因此，聚珍本的纂修官肯定也是四庫館的纂修官。由於《四庫總目》職名表存在很多遺漏，我們可以據此補充《總目》職名表未收的纂修官如下：程晉芳、季學錦、劉權之、秦泉、任大椿、彭元玮、沈孫璉、汪如藻、王汝嘉、徐步雲、張羲年、周厚轅、周興岱、彭紹觀、查瑩、徐天柱、王汝嘉。因為這些人大多在原職名表中有著錄（如著錄為分校官等），所以，其纂修官的身份主要是通過在「館臣表・正編」備註中加以說明。

本章小結

綜上所述，茲總結如下：

一、武英殿聚珍本是陸續印行的，原來只稱為「武英殿聚珍版書」，後來才將其合稱為《武英殿聚珍版叢書》，共收書一百三十八種。

二、《武英殿聚珍版叢書》所收之書，在閉館前印行的有一百零九種，閉館後印行的有二十九種。

三、從乾隆三十九年至乾隆四十六年十二月，聚珍館共印過七十種書。因此，聚珍館印書的速度並不快，效率不高，成績不大。

四、除初刻四種外，四庫館所定應刊之書中還有一些是用雕版印行的，主要是篇幅特別大或有圖之書。

五、聚珍本的收書標準為：流傳少；內容特別好。聚珍本所收之書以大典本為主；其次是敕撰本；再次是內府本；最後是採進本。因此，聚珍本主要關注的是大典本與敕撰本。聚珍本無法完全反映《四庫》編修時館臣對應刊之書的選擇與要求。

六、《薈要》與聚珍本都是《四庫》之菁華，但兩者相重複的書並不多，其原因主要有：其一，相對來說，聚珍本選書更注重稀見性，而《薈要》更注重品質。其二，《薈要》是《四庫》之縮影，收書要兼及四部，而且還盡可能兼及各小類，因此各類的收書量較為平均，而聚珍本不會顧及各部各類，主要以稀見為主，所以集部較多。其三，因聚珍館承辦能力有限，聚珍本主要收小篇幅的書，而且不收有少數民族文字的書，而《薈要》則不會過多考慮篇幅的大小，而且也收有少數民族文字的書。

七、聚珍本的辦理程序為：校錄據發下的定本用方格紙抄成副本（即聚珍本底本），並在上面作署名標記，然後交聚珍本分校官、總校官校對；校完之後，擺版者據此擺印，並在頁邊上用墨筆標記（署名）。

八、分校官負責校對聚珍本底本（錄副本）和校樣。聚珍本一般會將校對官姓名印在版心後幅下方。可以說，四庫館開館期間所印聚珍本一般是既有校上年月又是書口署校者的。與此相對，既無校上年月又非書口署校者的聚珍本（包括卷末署校者、無校者署名兩種情況），就肯定是閉館後所印的。

九、聚珍館的總校有劉躍雲與彭紹觀。總校主要負責校對聚珍本提要（包括目錄）。相對來說，彭氏應該是更主要、更純粹的總校官，而劉氏則兼任分校，作為總校官的地位應該較次要。

　　十、通過統計聚珍本書口所署的校對者可以得出未入「館臣表・正編」的分校官有：陳嗣龍、王元照、石養源、靖本誼、徐秉文、錢至純、丁履謙、沈步垣、阿林。以上這些分校官，均收入「館臣表・附編」中。

　　十一、聚珍本的纂修官也是四庫館的纂修官。通過考察聚珍本纂修官，可以補充《四庫總目》職名表未收的纂修官如下：程晉芳、季學錦、劉權之、秦泉、任大椿、彭元珫、沈孫璉、汪如藻、王汝嘉、徐步雲、張羲年、周厚轅、周興岱、彭紹觀、查瑩、徐天柱、王汝嘉。

總結與思考

一　總結

　　由於本書各章均有小結，因此，這裏只是摘要談談全書最主要的一些創新點。

　　一、明確提出了開、閉館時間。《四庫全書》是乾隆三十八年二月二十一日正式開始編修的，稍後四庫館正式開館（約在乾隆三十八年二月底）；前四部《四庫》修成時間是在乾隆四十九年十一月，隨後四庫館正式閉館（約在乾隆五十年正月）。

　　二、清晰地揭示出四庫館由兩大系統組成。四庫館分為翰林院與武英殿兩大系統：翰林院四庫館，即是辦理四庫全書處，而武英殿四庫館，主要是指繕寫四庫全書處。翰林院系統，是負責纂辦《四庫全書》的，以纂修官為代表。武英殿系統，是負責繕寫、分校、刊印、裝潢《四庫全書》的，以分校官為代表。兩大系統涇渭分明，又互相配合，統轄於正總裁與副總裁。四庫館中各館職分工清晰，統屬明確，環環相扣，構成一個有機的整體，有利於四庫館的良性運作，保證《四庫全書》編修的順利完成。

　　三、初步描述清楚四庫館的辦書流程。四庫館採進書、內府書的辦書流程為：採進書、內府書送進翰林院後，由提調分給纂修辦理，纂修擬寫提要並提出圖書處理意見；其中定為應刊、應抄者，經總纂、總裁乃至送呈御覽裁定，然後發回原纂修詳校；校勘後，要經總纂、總裁審閱，即於原書內改正；然後，發下武英殿校正，謄成正

本。大典本的辦書程序為：簽出佚文──謄錄出散片──黏連成稿本──纂修官校對、補輯──謄錄出修改稿──原纂修校對──總纂校正──總裁校正──謄錄成正本。從上述可以看出，兩者最明顯的區別是：大典本從輯佚到寫成正本，都是在翰林院四庫館進行的，而採進書、內府本等則是在翰林院四庫館辦理，而在繕書處校正、謄錄成定本。正因為大典本從纂辦到校對都是在翰林院四庫館進行的，因而大典本的纂修官往往也兼校勘，這就是《四庫》職名表將這些館臣均著錄為校勘《永樂大典》纂修兼分校官的原因。

武英殿四庫館的辦書程序為：武英殿提調將底本分下給分校，分校校好後，分給自己負責的謄錄，謄錄抄好後，再交回分校，分校再校此謄抄稿。分校校好後，再交復校（後改為總校），復校校好後匯交提調，若沒有問題就裝訂成正本。這些抄成的正本還要由總閱或總裁抽閱，然後進呈乾隆御覽。最後，經各環節修補好的《四庫》正本交武英殿收掌官收掌。其流程也可以簡單描述為：提調─分校官─謄錄─分校─復校（或總校）─提調─總裁或總閱─乾隆─武英殿收掌官。

四、提供最新的館臣統計數，並對《四庫總目》職名表遺漏現象作了較為合理的解釋。據本書所附新「館臣表」可知，四庫館前後在館館臣共有四百七十六人。當然，這一統計數也不可能是完全準確的，只能說其較之以前的統計數更接近於真實情況。原職名表的遺漏較為嚴重，包括顯性遺漏與隱性遺漏兩方面，這主要是四庫館臣兼職、館職變化的普遍性造成的。也可以說，原職名表無法反映四庫館的動態變化情況。

五、對各類館職的分工情況作了盡可能清晰的描述，並首次詳細地論述了《四庫全書考證》一書的形成及主要內容。例如，總裁分為不閱書之總裁與閱書之總裁。前者以滿人為主，管理四庫館雜務；後

者主要出身翰林，負責審查圖書。相對來說，後者更重要。總裁多兼任，就兼職總裁而言，儘管其一般會盡力兼顧各方面工作，但相對來說，其工作重心還是在行政事務而不是辦書。黃簽是指選取原有的校簽中較合適的，用黃紙謄抄清楚，黏於進呈本相應校改之處的眉端，專供進呈御覽之用的校簽。《四庫全書考證》即是彙編、加工上述黃簽而成的。其所收的考證，既包括訛、衍、闕、倒置等一般問題的校正，也包括史實、觀點等的校正。有關《四庫》書的考訂，經歷了從校簽到黃簽再到《考證》的過程，在每個階段，校簽都有可能被加工、修改過。

六、重新統計了日常在館及前後在館謄錄數。四庫館日常在館謄錄的數量大約是七百一十六人（不包括在四庫館額外抄書的候補謄錄），其中翰林院四庫館大典處額定為六十人，聚珍處謄錄額定為十人，繕書處謄錄額定為四百人，薈要處謄錄額定為兩百人，篆隸及繪圖謄錄額定為十六人；總目處、考證處謄錄額定為三十人。四庫館前後在館謄錄的總數為三千餘人，其中武英殿四庫館繕書處及薈要處前後在館謄錄為兩千八百四十一人，大典處、聚珍處、總目處與考證處前後在館謄錄有兩百人以上。四庫館中謄錄人數最多，管理上問題也最大，其中較為突出的是賄買與傭書現象。

七、首次全面揭示了助校現象。《四庫》編修中存在著普遍的助校現象。助校分為居家助校和遊走於各家的助校。前者往往為館臣家處館或入幕者，助主人校書是其處館或入幕的分內工作。他們與館臣的助校關係較為緊密、明確。後者輾轉於各家，為多人校讎，與館臣的助校關係較鬆散。《四庫》助校的普遍存在，是清朝興盛的幕府文化的一個縮影；對其作深入的探討，可以在很大程度上推進學界對清代幕府現象的研究。通過對助校現象的深入分析，有助於我們更好地認識及解決四庫學研究中的一些疑難問題：其一，只有從助校的角

度，我們才能解釋為何有的館臣的工作量大得驚人。其二，《四庫》修書的成果中，有相當大一部分應算在助校名下。當然，與此相對應，《四庫》中存在的一些問題，也應與助校有關。其三，助校的普遍存在，促進了館內外的學術交流，也促進了各地學者間的交流。助校者一般都是學有專長的學者，而館臣請助校往往是有針對性的，因此，助校的廣泛存在，為四庫館彙聚群英、廣泛吸收民間學術研究成果提供了絕佳的機會。助校在校書的同時，也藉此機會搜集資料、釋疑解惑、著書立說。總之，助校體現了館外人員對《四庫》的參與，是從學術上溝通館內與館外的一座橋樑；助校為《四庫》編修貢獻了自己智慧與勞動的同時，也從參與編修過程中獲得了更多的學術資源與政治資源。可以說，《四庫》得益於助校者，而助校者也得益於《四庫》。

八、首次全面揭示了錄副現象。四庫館中存在著普遍的私家錄副現象。四庫館的私家錄副者分為兩類：其一為館臣；其二為四庫館之外的人員。由於私家錄副的四庫館書都是外間罕見或已失傳的珍本秘笈，因此，這些錄副本甫一流入社會，即通過傳抄、售賣、刊印等方式很快在社會上廣為傳播。而在傳播過程中，有的錄副本還不斷地得到經手學者的校訂整理，遠勝於四庫館書原本及《四庫》本。深入探討私家錄副現象及錄副本，對推進四庫學研究有十分重要的意義。

九、通過全面統計聚珍本書口、書尾校者署名及校上年月等材料，對《武英殿聚珍版叢書》的形成、印行時間、校對官及纂修官的數量等諸多問題提出了新觀點。例如，聚珍本的辦理程序為：由校錄據發下的定本用方格紙抄成副本（即聚珍本底本），並在上面作署名標記，然後交聚珍本分校官、總校官校對。校完之後，由擺版者據此擺印，並在頁邊上用墨筆標記（署名）。聚珍本校對官要對聚珍本底本和校樣進行校勘。聚珍本一般會將校對官姓名印在版心後幅下方。

四庫館開館期間所印聚珍本一般是既有校上年月又是書口署校者的。與此相對，既無校上年月又非書口署校者的聚珍本（包括卷末署校者、無校者署名兩種情況），就肯定是閉館後所印的。新統計出的聚珍本校對官與纂修官名單，可對《四庫總目》職名表有相當大的拾遺補闕的作用。

十、製作了新的館臣表。該表的主要創新之處在於：其一，對原《四庫》職名表有較大的補充與修正。例如，原職名表收錄的館臣為三百七十一人，而新館臣表（正編）收錄的館臣為四百七十六人。其二，通過備註的方式，盡可能地將館臣任職變化情況標示清楚。其三，增加「館臣表・附編」，對「館臣表・正編」作進一步的補充，更全面完整地展示四庫館的人員構成情況。

二 思考

在本書寫作過程中，筆者發現，要進一步加深對四庫館的研究，還應該從動態角度以及四庫館外的角度來考察四庫館。儘管在本書中筆者也嘗試這樣做[1]，但自覺做得遠遠不夠，因此在這裏提出來，用以自勉，並就教於方家。

（一）動態考察四庫館

錢穆曾指出：「研究制度，不該專從制度本身看，而該會通著與此制度相關之一切史實來研究。這有兩點原因，一因制度必針對當時

---

[1] 本書既有對四庫館靜態的分析，也有對其動態運作過程的分析；既注意四庫館的日常在館人數，又注意到其前後在館人數；既注意到館臣的分工及其本職工作，又注意其普遍的兼職情況（在館臣表中通過備註將其兼職及館職變化標示出來）；既注意館臣館內的工作，又注意到其館外的工作；等等。

實際政治而設立而運用。單研究制度本身而不貫通之於當時之史事，便看不出該項制度在當時之實際影響。一因每一制度自其開始到其終了，在其過程中也不斷有變動，有修改。歷史上記載制度，往往只舉此一制度之標準的一段落來作主，其實每一制度永遠在變動中，不配合當時的史事，便易於將每一制度之變動性忽略了，而誤認為每一制度常是凝滯僵化，一成不變地存在。」[2]錢穆的這一論述，對於我們進一步思考四庫館的運作及相關問題，富有啟發意義。以往對四庫館的研究存在的最大問題是將四庫館視為一個靜態的研究對象：纂修官就是纂修官，分校官就是分校官，提要就是提要，等等。其實，四庫館歷時長，前後多有變化，原來的纂修官後來並不一定是纂修官，原來的分校官後來也不一定是分校官，提要稿要經過多次的修改，等等。因此，我們必須從動態角度來考察四庫館的歷史，不能以一點而概其餘。那麼，如何對四庫館進行動態考察呢？筆者認為要處理好以下幾方面的關係：

其一，動態與靜態。四庫館不是一步到位的，而是逐步建立並完善的。其人員也不是一步到位的，在開館期間多有裁撤及增補。我們考察四庫館時，既要看到其靜態的一面，又要注意其動態的一面。例如，四庫館開館期間，館臣是動態變化的，這體現在：一方面，館臣中相當大一部分併不是自始至終都在館的；另一方面，館臣在館期間館職變化多。《四庫總目》職名表只能反映靜態的四庫館情況（館臣最後在館期間的館職），故遺漏頗嚴重。因此，我們只有從動態角度才能理解職名表中館臣遺漏嚴重的原因，才能解釋為什麼四庫館中交叉辦書普遍存在？為什麼有的人既是纂修又是分校？為什麼有的提要稿不是纂修官所擬？等等。可以說，動態變化展示了四庫館的複雜性、多變性。

2　錢穆：《中國歷史研究法》（北京市：三聯書店，2001年），頁33。

　　此外，要把握四庫館的動態變化特徵，還要特別重視其運作流程。以往我們由於不清楚四庫館的運作程序，因而對四庫館的認識往往流於簡單化，對很多問題的認識不夠深入。《四庫》書的辦理往往要經過複雜的流程，從辦理到校正、謄錄，書經多人之手，而且其工作往往不在同一地方進行。例如，採進本等在翰林院辦理，卻在武英殿校對與謄抄。因此，《四庫》編修中的很多問題，往往是程序本身造成的，而並不是某一點的問題。我們把這些問題放到運作流程中來認識才比較好理解。

　　其二，規則與規則外。四庫館若是在一開始就有完善的規則，館臣都照章辦事，那麼四庫館的研究就比較簡單了。但是，實際上並非如此：首先，四庫館在一開始並沒有制定完善的編修規則，而是邊辦書邊立章程。據「諭內閣著總裁大臣詳議校錄《四庫全書》章程」（乾隆三十八年十月初九日）載：「現在纂辦《四庫全書》，以廣石渠金匱之藏，自應悉心校繕，俾免魯魚亥豕之訛。今呈進已經繕成之《薈要》各卷內，信手翻閱，即有錯字二處，則其餘書寫舛誤者，諒復不少。若不定以考成，難期善本。其如何妥立章程，俾各盡心校錄無訛之處，著總裁大臣詳議具奏。欽此。」[3]可見，在這之前一直未訂立校書獎懲章程，而四庫館的校書獎懲條例是在此上諭敦促下才訂立的。[4]其次，據于敏中《于文襄手劄》第四十四通云：「前以檢查有無干礙之書，專仗足下及曉嵐先生。曾囑大農轉致，並劄致舒中堂知，以上諭稿交閱，恭繹聖訓，便可得辦理之道也。」「辦書之道」需要

3　張書才主編：《纂修四庫全書檔案》（上海市：上海古籍出版社，1997年），頁163-164。

4　張書才主編：《纂修四庫全書檔案》（上海市：上海古籍出版社，1997年），頁167-171，「多羅質郡王永瑢等奏議添派復校官及功過處分條例摺（附條例）」（乾隆三十八年十月十八日）。

揣摩聖訓來發現，可見其時辦書之隨意性。最後，有規則是一回事，是否遵從又是另一回事。四庫館中館臣違反規定的現象比比皆是，例如，私攜圖書出館，隨意更換底本，辦書拖沓、粗心，等等。因此，我們不能一味以當時的規則來解讀《四庫》修書關涉的所有問題。

其三，常態與非常態。常態下的四庫館與非常態下的四庫館是不一樣的，例如，四庫館日常在館謄錄的數量大約是七百一十六人（不包括在四庫館額外抄書的候補謄錄），四庫館前後在館謄錄的總數為三千餘人。同樣，四庫館前後在館館臣共有四百七十六人，而日常在館人員不會超過兩百人。那麼，四庫館有多少謄錄呢？又有多少館臣呢？那得看是指哪一種情況才能回答。

其四，專職與兼職。《四庫》之編修只是當時朝廷所辦大事之一而已，不是唯一的，更不是舉全國之力而辦之事。四庫館中許多人是兼職的，他們在辦《四庫》的同時，還要處理很多行政事務，而且，相對來說，行政工作更重要。因此，這些兼職肯定會對《四庫》編修有影響。此外，當時朝廷也不只是修《四庫》一部書，還有很多書館同時並開，因此，四庫館臣也多兼職其它書館，而這種兼職對《四庫》編修自然也有影響。

總之，我們應該從動態與靜態、常態與非常態、規則與規則外、專職與兼職等方面來綜合考察四庫館。

（二）官書私辦

《四庫》當然是一部官書，是官方開館編修的。但是，我們通過仔細分析四庫館及其運作後不難發現，四庫館具有明顯的官書私辦的特徵（館臣以私人的方式或者辦私事的方式處理館事，入館靠私人關係，館臣居家辦書，眾多的助校，大量的傭書現象，館臣入館幹私活，等等），《四庫》其實是官私合一的產物。四庫館中官私是相互滲

透的，相互影響的。因此，若要對四庫館有全面而準確的瞭解，就必須對官辦、私辦兩方面都予以足夠的重視，而事實上我們以往更多關注的是前者。[5]

筆者認為，四庫館的官書私辦特徵主要體現在以下三個方面：

1 助校與傭書

《四庫》編修中存在著普遍的助校現象，而這一現象正是官書私辦的具體體現。當時助校者很多，而且請助校的館臣也很多，包括總裁、總纂、總校、纂修官、分校官。助校者均為館外人員，他們的工作涉及《四庫》修書的方方面面：有的可能是編書，有的可能是查閱資料，有的可能是作考證，有的可能只是提供意見，有的可能撰寫提要，等等。助校現象給我們展示了館外人員對《四庫》編修的貢獻。

與助校相類，四庫館中還存在普遍的傭書現象。傭書，即雇抄，其實也可說是助抄。這一現象正可與四庫館中普遍存在的助校現象相互印證。這兩種現象是相輔相成的，其性質也基本是一樣的，均可以說明《四庫》修書官書私辦的特點。可以說，四庫館內外均辦書，館內外的工作沒有截然的區分：館內工作延伸到館外；館外學者研究與交遊，也影響到館內的工作。《四庫》是館內外人員合作的結果。

5　當然，四庫館的官方性肯定是最主要的、最突出的，正如向燕南先生在〈從國家職能看明清官修史學〉中指出的：「正是由於依靠強大的國家機器對行政權力的集中行使，才能最充分地發揮國家社會職能中文化建設的職能，動員和組織起各專業的知識分子，才能最有效地發揮集體力量進行大規模的修書、修史，才能完成對中國傳統文化的大規模總結。尤其是像《永樂大典》、《古今圖書集成》、《四庫全書》這樣的巨帙著作，假若沒有明清時期這樣完善的國家官僚體制，僅僅憑藉個人的力量是絕不能完成的。」（載《求是學刊》2005年第4期）筆者在這裏提出四庫館的官書私辦特徵，只是希望大家在重點關注官方性的同時，也要注意其私辦特徵。

2 利用辦官書而作私活

四庫館臣利用入四庫館之便而作私活的情況很多，其中最突出的是錄副《四庫》書。四庫館的私家錄副者分為兩類：其一為館臣；其二為四庫館外的人員。從錄副現象的普遍性可以看出，館臣花太多的時間、精力來滿足自己的私心，大量地進行私家錄副，而無暇顧及集體修書，必然會給《四庫》修書帶來諸多負面影響。

除了錄副之外，館臣也利用入館之機大量閱讀館書、摘抄材料，以便於自己著書立說或校書等。

那麼，當時有多少館臣是真正為了修好《四庫》而入館的呢？對於絕大多數館臣而言，修《四庫》只是一種手段，並不是目的。館臣更看重他們自己能從修《四庫》中獲得什麼好處，而不是《四庫》因他們而獲得什麼好處。[6]在修書期間，乾隆常常批評館臣辦書不夠認真，這是毫不奇怪的，因為大多數館臣並不會把修《四庫》當作為自己的名山事業。

我們還應注意到，一些在學術上較有成就的學者，在四庫館中作私活的情況也較嚴重，如戴震、翁方綱、周永年、程晉芳等。這種情況有助於我們反思對館臣的評價。[7]我們以往多認為一些有名的學者在四庫館中貢獻大。這種認識更多地是受當時學者私下評價的影響，

---

6 R.Kent Guy（蓋博堅）認為，四庫館開館期間，有不少學者（如朱筠、戴震圈子中的學者）利用修書為自己服務。參 R.Kent Guy（蓋博堅）*The Emperor's Four Treasuries: Scholars and the State in the Late Ch'ien-lung Period*（《四庫全書：乾隆晚期的文人與政治》）（Cambridge: Harvard University Pres, Gouncil on East Asian Studies, 1987），p.6。

7 Cheryl Boettcher Tarsala認為，不應該過高評價戴震在《四庫總目》編修中的作用。參 Cheryl Boettcher Tarsala, *What is an Author in the Sikuquanshu 彝 — Evidential Research and Authorship in Late Qianlong Era China, 1771-1795*, Ph.D. Dissertation (California: university of California, 2001), pp.172-173。

或者是一種想當然的看法，未必正確。事實上，對於館臣的貢獻，四庫館有自己的評價（是根據工作量及成績作出的，以為分等議敘之參考），相對來說更為客觀。例如，周永年在館中論功議敘只是列為二等[8]，但章學誠對其評價很高，認為其是大典本輯佚特別用功者。章是周的朋友，其評價不一定那麼可靠。

總之，《四庫》修書在不斷驗證著集體修書的一些優缺點。上述情況給我們的啟示是：有名氣的學者，在館中的表現並不一定突出；集體修書並無必要盡力搜羅社會上知名的學者；如何使修書者對集體修書有認同感，將修書作為修書者自己的名山事業，這是集體修書需要首先解決的問題。

3 普遍的關係網

四庫館就是一個小社會，也是個名利場，許多人多方鑽營，躋身其中。若深入分析他們的背景，我們會發現許多館臣間存在著千絲萬縷的聯繫。例如，館臣中存在著兄弟、師生、父子、同門、同年、同鄉等關係，而這些關係相互之間又構成多重的關係網。這些關係網的存在，從不同角度（如學術爭議、官場鬥爭、責任推諉、包庇放任等）給《四庫》編修帶來諸多影響。只有釐清其中的關係網，我們才能真正理解四庫館中諸多紛爭與問題的癥結所在。

（1）關係網的表現

四庫館中存在著普遍的私人關係網，有的是顯性的、表面的，如親戚、同年關係等；有的是隱蔽的、深層的，如輾轉的、延伸的關係

---

8 參「軍機大臣等奏遵旨擬賞《四庫全書》議敘人員及未經引見名單片（附單）」（乾隆四十七年二月初二日），載張書才主編：《纂修四庫全書檔案》（上海市：上海古籍出版社，1997年），頁1463。

等。要一一梳理清楚各種關係網是不太可能的，因而筆者在此只是簡單地列舉一些顯性的關係網。

A 親屬（家人、親戚）關係

劉統勳：劉純煒（弟），劉墉（子）。

劉綸：劉圖南（長子），劉躍云（次子）；于敏中（姻婭）。另外，劉種之是劉躍云族弟。同族之人為館臣者還有：劉汝諧、劉謹之。

曹文埴：曹振鏞（子）。歙縣雄村的曹姓子弟還有曹城，也是館臣。

戴衢亨：戴均元（叔父）和戴心享（兄弟）。

竇光鼐：竇汝翼（子）。

嵇璜：嵇承志（子）。

錢汝誠：錢世錫（子），錢載（侄）。

裘曰修：裘行簡（子）。

王際華：王朝梧（子）。

王燕緒：王慶長（子）。

汪廷璵：汪學金（子），錢東璧（女婿）。

曾廷標：曾燠（子）。

周煌：周興岱（子）。

莊存與：莊通敏（子）。

陸錫熊：曹錫寶（堂舅）。

李鎔：李汪度（子）。

葉佩蓀：葉紹楏（子）。

李友棠：李傳燮（子）。

朱筠：朱珪（弟）。

翁方綱：翁樹棠（子）。另外，翁方綱與朱筠是兒女親家。[9]

劉權之：劉校之（兄）。

彭元瑞：彭元珫（弟）。

汪如藻：汪如洋（弟）。

許兆椿：許兆棠（弟）。

彭紹觀與朱鈐為連襟。[10]

吳鼎雯之叔父吳玉綸與方煒、劉躍云、汪如藻是親家，並收養陸錫熊之幼女。[11]

趙懷玉與周興岱為親家。

李堯棟：梁國治（舅）。

紀昀：牛稔文（表兄）。

張若渟：張曾效（侄）。

單可基：劉墉表侄。

B 主賓（幕主與幕賓、館主與館師）關係

清代幕府盛行，但學界往往只關注京外的幕府，對京城中的幕府甚少留意。事實上，京城幕府也有很多幕賓，只不過一般來說規模沒有京外幕府那麼大。此外，京城中還有不少士子在大臣家中處館，與之結成館師與館主的賓主關係。例如，四庫館中主持具體編書的三位

---

9 沈津：《翁方綱年譜》（臺北市：中央研究院文史哲研究所，2002年），頁146，乾隆四十五年二月載，「長男樹端之婦朱氏來歸，同邑朱筠女，先生有詩〈大兒娶婦偕內子作〉。」

10 參〔清〕蔣基編：《肯庵自敘年譜》（譜主：蔣基），乾隆十四年，載北京圖書館編：《北京圖書館藏珍本年譜叢刊》（北京市：北京圖書館出版社，1999年），冊111，頁159。

11 參〔清〕錢棨編：《香亭先生年譜》（譜主：吳玉綸），載北京圖書館編：《北京圖書館藏珍本年譜叢刊》（北京市：北京圖書館出版社，1999年），冊108，頁27-28、頁77、頁89-90。

主要負責人之一——總校陸費墀，就是于敏中家的館師，曾在于敏中家處館。他出任提調，就是由於氏推薦的。戴震也曾在紀昀家處館，在紀家教書前後近十年，而戴氏之入四庫館，即為紀氏所舉薦。朱筠，曾處館劉統勳家。朱筠幕府是當時頗有名的幕府，入其幕府之著名學者相當多，其中一些人後來也成了四庫館臣，包括有戴震、邵晉涵、王念孫等。

C 師生、同年關係

館臣中的師生、同年之誼更普遍。科舉考試中的師生、同年關係，在當時是結成關係網的重要條件。例如，開館前期每科庶起士大多都為四庫館臣，他們之間即有同年之誼。又如，館職多由翰林官兼任，他們之間本就多為同年，而翰林官又多出任考試官或學政，與後來的翰林官（包括庶起士），又多有師生之誼。這方面的例子太多，要一一列舉清楚不容易，茲略舉數例，以窺其餘：余集，其師為裘曰修；梁國治，其師為于敏中；程晉芳與陸錫熊是同年；莊存與、王際華、李友棠、勵守謙、許葵等為同年。

此外，館臣中還有同鄉、同僚、世交、朋友等關係，例如，據易雪梅、曾雪梅〈閱微草堂收藏諸老尺牘〉一文[12]可知，紀昀與同時在館諸人關係密切，如朱筠兄弟與紀昀先後同年，又同為直隸人，兩家交誼頗深。朱珪在信中稱紀昀為四哥年大人。紀昀卒，朱珪為撰墓誌銘。又如紀氏與劉墉，關係極密切，稱兄道弟，交往頻繁。不過，最能反映館臣關係網的材料還是關於開館期間館臣聚會、交遊唱酬的詩文，從中可以看出很多館臣的私交很深，而且往來非常頻繁。

---

12 曾雪梅：〈閱微草堂收藏諸老尺牘〉，載《文獻》2005年第2期（2005年4月），頁23-41。

需要注意的是，以上這些關係網往往是交織在一起的，形成有多重性的關係網。以戴震為例，其與館臣的關係網為：金榜（同窗），紀昀（館主），朱筠（幕主），朱珪（交遊），姚鼐（交遊），邵晉涵（交遊），王念孫（學生），任大椿（學生）。

（2）關係網對《四庫》修書的影響

A 舉薦入館

許多人被舉薦入館，從表面上看，都是取之以才，其實背後多有關係。有關係者得以入館，沒有關係者或關係不夠深者則無法入館。那些不得其門而入的、有才能的人，如章學誠等，當然就會有怨言。

正因為入館需要關係，所以有人就要託關係以求入館，例如，四庫館開館，李文藻正在嶺南做官，對好友周永年得入館修書非常羨慕，故有向紀氏求薦之意。[13]王培荀《鄉園憶舊錄》卷二亦提到這一點：「益都李南澗文藻，好古，工篆隸，尤精經術，⋯⋯與周林汲、周蕭齋兩先生交好，修《四庫全書》，林汲被薦入館，賜編修，不能無望，嘗以詩寄蕭齋，歎無知己之援引也。」不過，李氏最終並未能如願入館。

---

13 參〔清〕李文藻：《嶺南詩集》《潮陽集》卷一〈周書昌被詔分校四庫全書特授館職〉云：「數行御劄下彤墀，檢點巾箱北上時。⋯⋯出山道為詩書重，拜爵名教婦孺知。我亦歸班前進士，甘迷簿領向南陲。」〈上紀曉嵐先生二首〉云：「⋯⋯同門袞袞多才士，盡被提攜到石渠」、「四庫全書管領新，揚雄劉向是前身。充庭縹帙方州貢，脫手丹鉛內府珍。仗節頻為乘傳使，宣麻正用讀書人。何年問字承明直，一坐前堂浩蕩春。」卷2〈寄周書昌〉云：「白日昇天信有諸，承明述作陋蟲魚。⋯⋯同鄉尚有梁丘賀（謂梁志南），老抱遺經歎索居。」卷3〈一墮〉云：「同人多館閣，未敢想追攀。」以上分別見《續修四庫全書》（上海市：上海古籍出版社，1996-2003年影印本），冊1449，頁18下、頁18下-頁19上、頁20、頁28上。

B 修書

四庫館總裁官于敏中在奉辦《日下舊聞考》時，就明確提出要官書私辦，並認為「此事私辦更勝於官辦」。[14]於氏的這種認識自然也會影響到其主持辦理《四庫》。於氏與總纂官陸錫熊關係密切，在修書期間有大量的書信往來，《于文襄手劄》所收即是其中的一部分。於氏在信中談到修書方方面面的問題，包括凡例、規則、選書、用人、校勘、提要撰寫等，可以明顯看出總裁以非常私人化的方式處理館事的特點：在管理上非常人性化、人情化，以商量的口吻徵詢手下的意見，辦事時充分考慮人際關係的因素，提意見也很委婉，即使有矛盾亦盡力調停，絕沒有以權壓人，以總裁官的身份指手畫腳的意味。另外，從於氏的信中也可看出，他非常會處理其與館中諸人的關係，與重要館臣多能保持良好的合作，而這顯然有助於《四庫》修書的順利進行。

C 矛盾

不同的關係網之間，也會形成不同的利益集團或不同的學術派別，而且，關係網之間也有一定的排他性，因而會產生矛盾。

朱筠（字竹君）在當時頗有名望，輯佚《大典》進而開館修《四庫》之事即發端於他，但在後來受貶入館之後，頗受制於人，鬱鬱不得志。時人及後人提及朱氏對修《四庫》之貢獻，多指出其最初之提議輯書，而對其入館之後的工作，卻很少提及。而且，他自己的文集中也很少提及修書之事，顯然他對修書之事有一些看法。個中緣由，筆者認為應與他和于敏中有矛盾相關。據朱珪《知足齋文集》卷三

---

14 〔清〕于敏中：《于文襄手劄》，第9通。

〈先叔兄朱公墓誌銘〉載:「……秋,以某生欠考事部議降級,得旨:朱筠學問尚優,加恩授編修,在四庫全書處行走。比歸,總辦《日下舊聞》纂修事。時金壇于文襄公敏中掌院為總裁,於公直軍機,凡館書稿本披核辨析,苦往復之煩,意欲公就見面質,而公執翰林故事,總裁、纂修相見於館所,無往見禮,訖不肯往。愛公者強拉公至西園相見,公持論侃侃不稍下。金壇間為上言朱筠辦書頗遲,上不之罪,曰:命蔣賜棨趣之。」[15]此外,李元度《國朝先正事略》卷三十五〈朱竹君先生事略〉亦載:「未幾,坐事左遷編修,入四庫館,纂修《日下舊聞》。時文正薨,金壇總裁館事,尤重先生。會以館書稿本往復辨析,欲先生往就見,而先生執翰林故事,總裁、纂修相見於館所,無往見禮,又時以持館中事與意忤,金壇大憾。一日見上,語及先生,上遽稱許朱筠學問文章殊過人,金壇默不得發,第言朱筠辦書頗遲。上曰:可令蔣賜棨趣之。時蔣方以舊侍郎武英殿也。尋督學福建。」[16]

另據《于文襄手劄》第四十通載:「昨得貴房師竹君先生劄,火

---

15 《續修四庫全書》(上海市:上海古籍出版社,1996-2003年影印本),冊1452,頁294。〔清〕朱筠:《笥河文集》(北京市:中華書局,1985年《叢書集成初編》本),頁5-9,卷首,朱珪:〈竹君朱公神道碑〉;〔清〕余廷燦:《存吾文集錄》傳〈朱侍讀學士筠傳〉(《續修四庫全書》〔上海市:上海古籍出版社,1996-2003年影印本〕,冊1456,頁70下),所載均同。亦可參姚鼐:〈朱竹君先生傳〉,載其《惜抱軒詩文集》,頁141-142。

16 〔清〕李元度輯:《國朝先正事略》(長沙市:嶽麓書社,2008年),頁1063。至於〔清〕王昶:〈墓表〉〈翰林院編修朱君墓表〉,《春融堂集》卷60載:「君豐頤睟面,望之溫然,間以諧笑,飲酒至數十斗不亂。或以為道廣,然於名節風義之關,揚清激濁,分別邪正,斷斷不稍假易,且欲自廁於李元禮、范孟博之倫。宰執高君之名者,招之不往,恐以危詞,君亦漠然置之。故四庫館之設,君不與其役,人或為君惜,而君弗介意也。」(《續修四庫全書》〔上海市:上海古籍出版社,1996-2003年影印本〕,冊1438,頁250下)可能引申太過。朱氏在四庫館開館時在外地任職,不太可能參與設館之役,而與人際矛盾應該並無關係。

氣太盛。辦書要領並不在此,具剳復之。至其誤認東皋亦係纂修,並
未悉原奉諭旨令愚總其成之故。抄錄節次諭旨寄回,但愚不便言及,
祈足下轉送一閱。其原剳並寄閱。所寄貴房師一剳,希於閱後致之,
並希勸貴房師辦公勿過生意見,庶不失和衷共濟之意。此事專仗足下
調停,勿使穆堂獨為難人為幸。」[17]可見,於氏與朱氏有矛盾是肯定
的。從表面上看,矛盾是因辦書而起,只是個人的齟齬,而於氏後來
攻擊朱氏的藉口也是朱氏辦書稍遲。[18]但是,從深層看,矛盾有可能
是關係網的排他性引起的:朱氏人脈廣,館臣之中多有其幕僚、朋
友,而於氏為總裁官,當然希望朱氏能成為自己人,先是拉攏,不從
之後,則予以打擊。

　　從這也可看出,關係網有一個組合與排斥的問題:要不加入其關
係網,成為自己人;要不就是異己。關於這一點,還可從下面的記載
看出:朱筠《笥河文集》卷十二〈編修林君墓誌銘〉載:「君(引者
案:林樹蕃)之在館也,職業之外,無所知。院長文華殿大學士金壇
於公慕君名,從容謂君鄉人曰:卿鄉林老先生不能一枉過老夫邪?數
言之。以告君,君曰:長者愛人以德,胡僕僕私謁為?竟未嘗一
往。」鄭福照編《姚惜抱先生年譜》乾隆三十九年載:「金壇于文襄
敏中當國,雅重先生(引者案:指姚鼐),欲一出其門,竟不往。」[19]
以上例子說明於氏要將館臣羅織入自己的關係網之中,而纂修官林樹

---

17 於氏說自己是主持書局者,且讓陸氏轉致諭旨之意。朱氏難道連於氏為書館主持者都
　不知道?可能是朱氏故意為之。從於信看,於氏對朱氏並未有多大意見,而且還從
　中解釋,但對其辦書不滿是肯定的。可能是因對陸氏而言,故於氏不敢說得太過分。

18 於氏說朱氏辦書遲,應是真話;說其火氣大,也應是真的。朱氏為官、為學者之領
　袖則可,具體辦書,則未必行,所以於氏不滿意。而從實際看,除其初上之奏疏
　外,朱氏於館中貢獻可能並不大。

19 北京圖書館編:《北京圖書館藏珍本年譜叢刊》(北京市:北京圖書館出版社,1999
　年),冊107,頁581。

蕃、姚鼐（他們恰恰與朱筠關係密切）並不順從。[20]可以說，作為四庫館實際主持者的於氏，應是館臣中最重要的關係網之中心，而朱氏則是許多館臣舊時關係網之中心，於氏要用新的關係網取代朱氏舊的關係網，而朱氏並不想完全從屬於於氏，故而有矛盾。[21]

從以上所列情況可以看出，四庫館中除了官方的公事公辦的一面外，還有官書私辦的另一面。因此，筆者認為只有將兩方面結合起來，才能較完整地瞭解四庫館。其中，對官書私辦的探討，可以為我們研究四庫館提供一個從館外觀照四庫館的新視角。而循此出發，深入分析館臣私下的交往，館臣複雜的關係網，館臣辦書之餘的生活，館外人員的參與程度，等等，一定會給四庫學研究提供更加多彩的篇章。

總之，四庫館以其動態變化、官私合一（館內外的合作）的表現形式給我們展示了其內涵的豐富性與複雜性，為我們提供了足夠的研究空間，也給我們帶來了諸多研究上的挑戰。本書的研究只是初步的嘗試，筆者希望能在今後的研究中對四庫館及其相關問題繼續予以深入的思考與探討。

---

20 四庫館中有明顯的揚漢抑宋傾向，這可以從姚鼐在館中之遭遇可看出，故姚氏之離館，很多人理解為受漢學一派之排擠。據王欣夫：《蛾術軒篋存善本書錄》（上海市：古籍出版社，2002年），頁1515載：「胡思敬《退廬文集》卷六〈跋翁蘇齋手纂四庫全書提要稿本〉云：『乾隆四庫館纂修之役，紀文達實總其成，排斥宋儒，以伸一己之見，同流輩多不然其言，姚姬傳詆之尤力。』又云：『李梅庵藏有惜抱手劄數通。其一〈與胡洛君〉云：昨始得《四庫全書目錄》閱之，議論大不公平。曩在京師，尚不見紀曉嵐猖獗如此之甚，觀此直無忌憚矣。』」其實，於氏與紀氏關係密切，姚氏之離館，可能也與他和於氏的矛盾有關。

21 〔清〕朱筠：《笥河文集》（北京市：中華書局，1985年《叢書集成初編》本），卷首，頁20，孫星衍：〈笥河先生行狀〉載：「其在都，載酒問字者，車轍斷衢路。所至之處，從遊百數十人。既資深望重，則大言翰林以讀書立品為職，不能趨謁勢要。時相大學士金壇于文襄公頗專擅進退天下士，先生引翰林稱後輩故事，呼以於老先生，又長揖無屈一膝禮，議館事不肯私宅相見。時相既不樂，乃言於上，以為辦書遲緩。上深知而保持之，命促之而已。」

附錄一
四庫館館臣表

說明：

　　一、本表分正編與附編兩部分。正編所收包括一般意義上的四庫館臣，共四七六人。所謂一般意義上的館臣，是指那些我們可以明確認定其為館臣身份的人員，包括殿本、浙本《四庫》職名表所收的所有館臣[1]，以及在此基礎上所作的補充。附編所收是正編所收之外的四庫館人員（謄錄、供事除外），即那些我們不太明確其是否應歸入為館臣的人員，包括：正編未設職名類目的繕簽官、對音官，未入正編的聚珍本校對官、聚珍館官員，一些少數民族文字校對官，以及一些存疑待考的人員。這些人員，有的只是辦理聚珍本，有的只是校對《四庫》本的少數民族文字，有的在原《四庫》職名表中未有設目，與正編所收有一定的區別。例如，繕簽官，乾隆擬賞單將其視為館臣，但《四庫》職名表不收。四庫館（包括薈要處）的少數民族文字校對，多是由別館負責的，並非是由四庫館臣辦理的。也就是說，少數民族文字校對官雖然直接參與了校《四庫》書，《四庫》書中也有署名，但又不是四庫館臣，所以列入附編中以示與一般的館臣相區別[2]。

1　本書所用的浙本為海南出版社一九九九年版《四庫全書總目提要》，所用的殿本為四庫全書研究所整理《欽定四庫全書總目》（北京市：中華書局，1997年）。

2　從各閣本副頁中可以發現，校對官中還有不少專門總校、分校少數民族文字的校對官，但《四庫》職名表並沒有收這些人。職名表編修者應該不是不知道有這些人，而是認為這些人不應入為館臣。筆者推測，這是因為他們的工作只是專門校對少數民族文字，而不校對其它《四庫》書。而且，據「吏部為知照清字經館等承辦《清

二、本表綜合殿本職名表與浙本職名表所標的各類目，而以殿本為主，以浙本作參考，因為當時編職名表應是有其依據的，尤其是設目。儘量維持原來的歸類及順序，並適當通過備註說明其館職的變化情況。也就是說，若有身兼數職或前後任過不同館職的館臣，一般是仍照原職名表著錄，但在備註中對兼職及館職變化作說明。如陸費墀，儘管後來任副總裁，但仍按原來的職名表，列於總校一欄。本表所收範圍較《四庫》職名表大，這是因為職名表只是包括乾隆四十七年前的館臣，而本表不但包括乾隆五十年正月前的館臣，而且還包括附屬機構（薈要處、聚珍處）的官員。

三、資料來源中標明為浙本職名表、殿本職名表者，為原職名表已有之館臣，而在此之外的均為新補充的館臣。這些補充，主要依據《纂修四庫全書檔案》（尤其是其中的記過單）、王重民《辦理四庫全書檔案》所附「四庫館職員記過統計表」、各閣本副頁所署校對官姓名。關於薈要處官員，主要參考吳哲夫的統計及《薈要》原書（《薈要》各冊後有校對官署名）。關於聚珍本校對官，主要參考《武英殿聚珍版叢書》。此外，還參考了黃愛平、劉鳳強、司馬朝軍、史廣超論著中關於館臣的統計。

文鑒》人員清冊事致典籍廳移會（附連單）」（乾隆四十七年八月十八日）載：「會議得四庫全書處將清字經館、方略館承辦《清文鑒》等書之總校、分校、謄錄、托忒字官、收掌、回字教習、供事人等分別等第，造具履歷清冊，諮送到部。」（載張書才主編《纂修四庫全書檔案》，頁1612）「多羅質郡王永瑢等奏遵旨議敘四庫館各項人員摺」（乾隆五十年正月二十三日）載：「……再，承辦清字、西番、蒙古、托忒、回子等字之清字經館、方略館應行議敘人員，該館自行諮部一體議敘。」（載張書才主編《纂修四庫全書檔案》，頁1853）可見，《清文鑒》等涉及少數民族文字的書，多是由翻書房（清字經館）、方略館承辦的。《四庫》及《薈要》中所收之涉少數民族文字的書，多是這種情況。但是，因為這些書均收入《四庫》，那些少數民族文字校對官對《四庫》編修有直接的貢獻，閣本副頁上亦有他們的署名，因此，本表將他們列入附編中。需要注意的是，少數民族人員姓名因譯音用字不同，可能也會有一些是重複的。

　　四、《纂修四庫全書檔案》中的記過單是我們查找失收館臣的基本材料，但是，記過單有時是包括《薈要》或其它書館的校對官的。例如，據《檔案》第六四九、六五〇篇可知，全書處與薈要處的記過清單是分開的，但在匯總時是合起來的（第六四八篇）。另據《檔案》第一〇四二篇記載，屈為鼎實為三通館的校書人員，不能算成四庫館臣，而王重民《辦理四庫全書檔案》所附「四庫館職員記過統計表」將其誤收入。

　　五、館臣的統計，截至閉館時。第四份全書繕完（乾隆四十九年十一月）後，四庫館約於乾隆五十年正月閉館，因此，在這以後任館職者不收入本表。另外，有些《四庫》書在閉館後仍在辦理，其辦理之官員也不入此表中（當然，其原來就是館臣者除外）。

　　六、《纂修四庫全書檔案》，以下簡稱《檔案》。《四庫全書薈要》，以下簡稱《薈要》。吳哲夫《四庫全書薈要纂修考》，以下簡稱《薈要考》。國家清史編纂委員會「國家清史工程數位資源總庫‧朱批庫」所收「呈四庫全書處纂修黃壽齡等員名單」[3]，以下簡稱「四庫處名單」。王重民《辦理四庫全書檔案》所附「四庫館職員記過統計表」，以下簡稱「記過表」。

3　檔案號為：04-01-12-0164-102；縮微號為：04-01-12-028-2425。

正編

一 總裁官

(一) 歷任正總裁 (十六人)

人名	備註	出處
永 瑢	乾隆三十八年九月任。	浙本職名表。《清高宗實錄》卷943
永 璿	乾隆四十四年任。	浙本職名表
永 瑆	乾隆四十四年任。兼辦各館書籍。	浙本職名表。《檔案》頁1949
劉統勳	乾隆三十八年二月任辦《大典》總裁官,閏三月改為《四庫》正總裁。乾隆三十八年去世。	浙本職名表
劉 綸	乾隆三十八年二月任辦《大典》總裁官,閏三月改為《四庫》正總裁。乾隆三十八年去世。	浙本職名表
舒赫德	乾隆三十八年九月任。兼任國史館、清字經館總裁,《蒙古源流》、《臨清紀略》正總裁。乾隆四十二年去世。	浙本職名表。《清高宗實錄》卷943:「以大學士舒赫德為國史館、四庫全書處、清字經館正總裁。」
阿 桂	乾隆四十二年任。兼玉牒館、國史館總裁。	浙本職名表。《檔案》P638
于敏中	乾隆三十八年二月任辦《大典》總裁官,閏三月改為《四庫》正總裁。乾隆四十四年去世。主辦《薈要》;兼國史	浙本職名表

人名	備註	出處
	館、三通館總裁；總辦《日下舊聞考》等書。	
英　廉	乾隆三十八年三月任副總裁，四十二年任正總裁。主管武英殿事務；後又管翰林院事。總裁《日下舊聞考》、纂修《明史》。乾隆四十八年去世。	浙本職名表。《檔案》P594、P1517
程景伊	乾隆三十九年十月任。乾隆四十五年七月病故。兼三通館、國史館總裁。	浙本職名表。《檔案》P275、P1440
嵇　璜	乾隆三十九年十月任。兼國史館、三通館總裁。	浙本職名表。《檔案》P275
福隆安	乾隆三十八年二月任辦《大典》總裁官，閏三月改為《四庫》正總裁。乾隆四十九年去世。兼國史館總裁。	浙本職名表
和　珅	乾隆四十五年任。兼國史館副總裁、總裁。	浙本職名表。《檔案》P1221
蔡　新	乾隆三十八年九月任。乾隆四十一年九月離任。	浙本職名表。《清高宗實錄》卷943。《檔案》P537
裘曰修	乾隆三十八年二月任辦《大典》總裁官，閏三月改為《四庫》正總裁。乾隆三十八年去世。	浙本職名表
王際華	乾隆三十八年二月任辦《大典》總裁官，閏三月改為《四庫》正總裁。兼薈要處總裁。乾隆四十一年三月去世。	浙本職名表。《薈要》職名表

（二）歷任副總裁（十四人）

人名	備註	出處
梁國治	乾隆四十二年二月任。	浙本職名表。《檔案》P575
曹秀先	乾隆三十八年閏三月任。乾隆四十一年九月離任。乾隆四十九年去世。	浙本職名表。《檔案》P537
張若溎	乾隆三十八年閏三月任。乾隆四十一年九月以年老離任。	殿本職名表。《檔案》P537。《清史稿・高宗本紀五》：「（乾隆四十一年冬）戊申，左都御史張若溎病免。」
劉　墉	乾隆四十一年九月任。兼三通館總裁。	浙本職名表。《檔案》P537
王　傑	乾隆四十二年任。兼三通館、國史館副總裁。乾隆四十四年十二月任武英殿總裁。乾隆四十五至四十七年任浙江學政；乾隆四十七年八月仍充四庫館副總裁。	浙本職名表。《檔案》P742、P1135、P1607、P1440
彭元瑞	乾隆四十八十一月任。兼三通館、國史館副總裁。	浙本職名表。《檔案》P1751
錢汝成	乾隆四十一年九月任。兼三通館副總裁。乾隆四十四年病故。	浙本職名表。《檔案》P537、P1062
李友（有）棠	乾隆三十八年閏三月任。乾隆三十九年任浙江學政。後受王錫侯《字貫》案牽連。	殿本職名表
金　簡	乾隆三十八年十二月任。乾隆四十三年閏六月，派辦《薈要》，兼薈要處總	浙本職名表。《清高宗實錄》卷948。《檔案》

人名	備註	出處
	裁。主持聚珍版印刷，併兼校對官。	P853。《薈要》職名表。本書第九章
董　誥	乾隆四十一年三月任，接王際華辦《薈要》，兼薈要處總裁。兼武英殿總裁。	浙本職名表。《檔案》P501。《薈要》職名表
曹文埴	乾隆四十四任總閱。乾隆四十五年六月任副總裁。兼三通館副總裁、武英殿總裁。兼辦《一統志》、《遼史》、《元史》。乾隆四十八年任順天府尹。	浙本職名表。《檔案》P1171
沈　初	乾隆四十一年九月任。兼三通館副總裁。乾隆四十二年至四十三年任福建學政。乾隆四十七年四月前已告假回籍。曾是浙江書局主編者。	浙本職名表。《檔案》P537、P1569
慶　桂	乾隆三十八年任。	《檔案》P73
鍾　音	乾隆四十三年五月任。兼三通館副總裁，同年九月病故。入館前為閩浙總督，曾主持閩浙採書、查禁書之事。	《檔案》P833

二　翰林院勘閱編輯《四庫全書》官員

（一）總纂官（三人）

人名	備註	出處
紀　昀	原為纂修官，後為總辦（纂）。	浙本職名表。本書第四章。《清高宗實錄》卷930
陸錫熊	原為提調，後為總辦（纂）。	浙本職名表。《清高宗實錄》卷930

人名	備註	出處
孫士毅	乾隆四十五年五月，在總纂處效力；七月，與紀昀、陸錫熊一體列名。乾隆四十七年至四十八年任山東布政使。	浙本職名表。《檔案》P1163、P1181

（二）提調官（二十三人）

人名	備註	出處
夢 吉		浙本職名表
祝德麟	乾隆三十八、九年在任。兼辦三通館書。	浙本職名表。《檔案》P1946
劉錫嘏	兼方略館纂修，兼校辦遼、金、元、明《史》。對音官。	浙本職名表。《檔案》P485
王仲愚	對音官。	浙本職名表
百 齡		浙本職名表
張 燾	曾任薈要處分校。	浙本職名表。《薈要考》P22
宋 銑	對音官。	浙本職名表
蕭際韶	曾任薈要處分校、復校。	浙本職名表。《薈要》職名表。《薈要考》P23
德 昌		浙本職名表
黃瀛元	曾任四庫館纂修官。	浙本職名表。本書第四章
曹 城	曾任薈要處分校、復校。	浙本職名表。《薈要》職名表。《薈要考》P23
瑞 保		浙本職名表
陳崇本	曾任薈要處分校。	浙本職名表。《薈要》職名表
五 泰	曾任聚珍本校對官。	浙本職名表

人名	備註	出處
運　昌	後改名法式善。曾任分校官。	浙本職名表。文淵閣本《四庫全書・孫毅庵奏議》副頁
章寶傳		浙本職名表
馮應榴		浙本職名表
孫永清		浙本職名表
史夢琦		浙本職名表
劉謹之		浙本職名表
蔣謝庭		浙本職名表
戴衢亨	曾任薈要處分校。	浙本職名表。《薈要考》P22
陸伯焜	曾任聚珍本校對官。	《梧門先生年譜》

（三）協勘總目官[4]（七人）

人名	備註	出處
劉權之	兼辦《總目》與《簡明目錄》。乾隆三十八年曾任纂修官（應為大典本纂修兼分校官）。乾隆四十二年任安徽學政。	浙本職名表。本書第三章。《檔案》P1604
汪如藻	曾任翰林院四庫館提調、纂修官（應為大典本纂修官）。	浙本職名表。《梧門先生年譜》。本書第九章
程晉芳	曾任纂修官。乾隆四十九年去世。	浙本職名表。《清史列傳》卷72。本書第九章
李　潢		浙本職名表
梁上國	曾任纂修官。	浙本職名表。本書第四章

4　浙本職名表作「總目協勘官」。

人名	備註	出處
任大椿	曾任纂修官。	浙本職名表。本書第九章
張羲年	曾入浙江書局，辦理浙江採進遺書。乾隆三十九年十月入館。曾任大典本纂修官。	浙本職名表。《檔案》P276、P812。本書第九章

（四）纂修官（六十五人）

人名	備註	出處
劉校之	校勘《永樂大典》纂修兼分校官。	浙本職名表
劉躍雲	校勘《永樂大典》纂修兼分校官。曾任聚珍處總校官、校對官。	浙本職名表
陳昌圖	校勘《永樂大典》纂修兼分校官。	浙本職名表
勵守謙	校勘《永樂大典》纂修兼分校官。乾隆四十年九月，自備資斧在四庫處纂修上行走。	浙本職名表。《檔案》P425。《清高宗實錄》卷972
藍應元	校勘《永樂大典》纂修兼分校官。	浙本職名表
鄒玉藻	校勘《永樂大典》纂修兼分校官。	浙本職名表
王嘉曾	校勘《永樂大典》纂修兼分校官。兼方略館纂修。乾隆四十七年四月前病故。	浙本職名表。《檔案》P1566
莊承籛	校勘《永樂大典》纂修兼分校官。	浙本職名表
吳壽昌	校勘《永樂大典》纂修兼分校官。	浙本職名表
劉 湄	校勘《永樂大典》纂修兼分校官。	浙本職名表
吳 典（琠）	校勘《永樂大典》纂修兼分校官。曾任薈要處分校。曾任復校官。	浙本職名表。《薈要考》P21。《檔案》P1382
黃 軒	校勘《永樂大典》纂修兼分校官。	浙本職名表
王 增	校勘《永樂大典》纂修兼分校官。	曾任復校官。浙本職名表。《檔案》P1382

人名	備註	出處
王爾烈	校勘《永樂大典》纂修兼分校官。曾任復校官。	浙本職名表。《檔案》P1382
閔思誠	校勘《永樂大典》纂修兼分校官。	浙本職名表
陳昌齊	校勘《永樂大典》纂修兼分校官。	浙本職名表
孫辰東	校勘《永樂大典》纂修兼分校官。乾隆四十六年十一月前病故。	浙本職名表。《檔案》P1440
俞大猷	校勘《永樂大典》纂修兼分校官。	浙本職名表
平　恕	校勘《永樂大典》纂修兼分校官。曾任復校官。對音官。	浙本職名表。《檔案》P1382
李堯棟	校勘《永樂大典》纂修兼分校官。對音官。	浙本職名表
鄒炳泰	校勘《永樂大典》纂修兼分校官。曾任復校官。	浙本職名表。《檔案》P1382
莊通敏	校勘《永樂大典》纂修兼分校官。曾任復校官。	浙本職名表。《檔案》P729、P1382
黃壽齡	校勘《永樂大典》纂修兼分校官。對音官。	浙本職名表
餘　集	校勘《永樂大典》纂修兼分校官。兼三通館纂修。	浙本職名表
邵晉涵	校勘《永樂大典》纂修兼分校官。曾任復校官。	浙本職名表。《檔案》P1382
周永年	校勘《永樂大典》纂修兼分校官。	浙本職名表
戴　震	校勘《永樂大典》纂修兼分校官。乾隆四十二年去世。	浙本職名表
楊昌霖	校勘《永樂大典》纂修兼分校官。	浙本職名表
莫瞻籙	校勘《永樂大典》纂修兼分校官。曾校	浙本職名表。《檔案》

人名	備註	出處
	辦採進書。曾任薈要處分校。乾隆四十七年七月前丁憂離館。	P1596、P2076。《薈要》職名表
王坦修	校勘《永樂大典》纂修兼分校官。曾任薈要處分校。曾任聚珍本校對官。	浙本職名表。《薈要》職名表
范　袠	校勘《永樂大典》纂修兼分校官。曾任薈要處分校。	浙本職名表。《薈要》職名表
許兆椿	校勘《永樂大典》纂修兼分校官。曾任武英殿纂修、《薈要》分校官、方略館協修、分校官、遼金元三《史》纂修官。	浙本職名表。許兆椿《秋水閣詩集》卷首《雲夢縣志人物傳‧許兆椿》。《薈要》職名表。「四庫處名單」
余　鼎	校勘《永樂大典》纂修兼分校官。曾任聚珍本校對官。乾隆四十八年十二月前任廣西學政。	浙本職名表。《薈要考》P21。《檔案》P1764
王春煦	校勘《永樂大典》纂修兼分校官。	浙本職名表
吳鼎雯	校勘《永樂大典》纂修兼分校官。曾任聚珍本校對官。	浙本職名表
吳省蘭	校勘《永樂大典》纂修兼分校官。乾隆三十九年任。曾任薈要處分校、復校。《薈要》職名表。《薈要考》P23	浙本職名表。
汪如洋	校勘《永樂大典》纂修兼分校官。	浙本職名表
陳萬青	校勘《永樂大典》纂修兼分校官。	浙本職名表
祝　坤	校勘《永樂大典》纂修兼分校官。派辦《總目》與《簡明目錄》。曾任聚珍本校對官。	浙本職名表。《檔案》P1604
徐天柱	大典本纂修官。	《檔案》P2274。本書第九章

人名	備註	出處
張家駒	乾隆四十年散館之庶起士，留四庫館。大典本纂修官。	《檔案》P382。「四庫處名單」
黎溢海	乾隆四十年散館之庶起士，留四庫館。大典本纂修官。	《檔案》P382、P580、P581
蘇青鼇	大典本纂修兼分校官。本書第三章。	《檔案》P1383。「四庫處名單」
鄒奕孝	校辦各省送到遺書纂修官。	浙本職名表
鄭際唐	校辦各省送到遺書纂修官。	浙本職名表
左　周	校辦各省送到遺書纂修官。	浙本職名表
姚　鼐	校辦各省送到遺書纂修官。	浙本職名表
翁方綱	校辦各省送到遺書纂修官。	浙本職名表
朱　筠	乾隆三十八年任。校辦各省送到遺書纂修官。兼任三通館、《通鑒輯覽》纂修官，《日下舊聞考》總纂官。乾隆四十四至四十五年，出任福建學政。乾隆四十六年去世。	浙本職名表
劉亨地	乾隆四十二年病故。	殿本職名表
蕭　芝		殿本職名表
姚　頤[5]	曾任復校官。殿本職名表。	《檔案》P729
黃良棟	又名錢良棟。	殿本職名表
陳初哲	曾任分校官。曾任薈要處分校。對音官。殿本職名表。	《檔案》P1596。《薈要》職名表
林樹（澍）蕃		殿本職名表

5　王重民編《辦理四庫全書檔案》頁799上所附「四庫館職員記過統計表」將其誤記為姚順。

人名	備註	出處
谷際岐	曾任聚珍本分校官。	殿本職名表
蔡廷舉		殿本職名表
陳國璽	乾隆四十年散館之庶起士,不留四庫館。曾任四庫館纂修官。	「四庫處名單」。《檔案》P382。本書第四章
陳科銷	乾隆四十年散館之庶起士,不留四庫館。曾任四庫館纂修官。	「四庫處名單」。《檔案》P382。本書第四章
李 鎔	乾隆四十年散館之庶起士,留四庫館。曾任四庫館纂修官。	「四庫處名單」。《檔案》P382。本書第四章
金 蓉	曾任武英殿纂修官,四庫館纂修官。	《檔案》P76。本書第四章
朱 諾	四庫館纂修官。	《檔案》P76。本書第四章
周厚轅	大典本纂修官、分校官。曾任薈要處分校。	《檔案》P812、P1793。《薈要》職名表。本書第九章
秦 泉	大典本纂修官、分校官。乾隆四十六年十一月前丁憂離館。	《檔案》P1160、P1442。本書第九章
潘曾起[6]	曾任纂修官、分校官。乾隆四十六年十一月前任貴州學政。	「四庫處名單」。《檔案》P1442

(五)天文算法纂修官[7](三人)

人名	備註	出處
郭長發	曾任薈要處分校、復校。	浙本職名表。《薈要》職名表。《薈要考》P23

6　張書才主編《纂修四庫全書檔案》頁1725,誤作「潘魯起」。
7　浙本職名表作「天文算學纂修兼分校官」。

| 陳際新 | | 浙本職名表 |
| 倪廷梅 | | 浙本職名表 |

（六）收掌官（二十六人）

人名	備註	出處
安盛額		浙本職名表
文　英		浙本職名表
富　廉		浙本職名表
舒明阿		浙本職名表
白　瑛		浙本職名表
英璽德		浙本職名表
榮　安		浙本職名表
明　福		浙本職名表
博　良		浙本職名表
恒　敬		浙本職名表
那　善		浙本職名表
長　亮	曾任《西域同文志》校對官。	浙本職名表
經　德		浙本職名表
慶　明		浙本職名表
盛　文		浙本職名表
張純賢		浙本職名表
福　智		浙本職名表
承　露		浙本職名表
熊志契		浙本職名表
馬　蓁		浙本職名表

人名	備註	出處
舒　寧[8]		《檔案》P1852
明　啟		《檔案》P1852
觀　成		《檔案》P1852
倭生額		《檔案》P1852
常　寧		《檔案》P1852
敏　圖		《檔案》P231

三　武英殿繕寫校正《四庫全書》官員

（一）總閱官（十九人）[9]

人名	備註	出處
德　保	兼《日下舊聞考》總裁。	浙本職名表
周　煌	乾隆四十四年任。	浙本職名表
莊存與[10]		浙本職名表

8　據「多羅質郡王永瑢等奏遵旨議敘四庫館各項人員摺」（乾隆五十年正月二十三日）
　　（張書才主編：《纂修四庫全書檔案》，頁1852）所載可知，舒寧以下五位收掌官為
　　「辦理處」收掌官，亦即為翰林院四庫館收掌官，故入此職名中。

9　據「諭內閣著派皇八子等分與應校之書同總裁一體校勘」（乾隆四十二年五月二十
　　七日）載：「四庫全書館繕寫之書雖多，而各總裁校勘者少，不能供進呈披閱。即
　　再添總裁數人，仍恐無益。著派皇八子、皇十一子及書房行走之侍郎周煌、內閣學
　　士汪廷璵、卿吳綬詔、侍講學士朱珪、侍講姚頤、編修倪承寬，分與應校之書，同
　　該管總裁一體校勘，陸續呈進。欽此。」（張書才主編：《纂修四庫全書檔案》，頁
　　620）其時還沒有總閱之名，只是派這些人幫同校書。後來，除吳綬詔（未入職名
　　表）、姚頤（在職名表中列為纂修官）外，其餘人均任為總閱官。吳綬詔只是臨時
　　的幫辦，沒有名分（沒有四庫館的職名），到後來定總閱名單時就沒有包括他，因
　　此，本表不將其收入。

10　有記載稱莊存與亦曾任四庫全書館纂修官。筆者認為不對。

汪廷璵	乾隆四十四年任。	浙本職名表
謝 墉	乾隆四十四年任。兼國史館副總裁。曾任聚珍本校對官。	浙本職名表
達 椿	乾隆四十四年任。	浙本職名表
胡高望	乾隆四十六年十一月前任江西學政。	浙本職名表
汪永錫	乾隆四十七年去世。	浙本職名表
金士松	乾隆四十五年任順天學政。	浙本職名表
尹壯圖		浙本職名表
李 綬		浙本職名表
竇光鼐	乾隆四十四年任。兼辦《明史》、《綱目三編》。乾隆四十七年七月前任學政。	浙本職名表。《檔案》P1596
吉夢熊	乾隆四十六年十一月前丁憂離館。	殿本職名表。《檔案》P1440
倪承寬	乾隆四十八年去世。	浙本職名表
李汪度		浙本職名表
朱 珪	乾隆四十四年任。乾隆四十六年十一月前任福建學政。	浙本職名表
錢 載		《檔案》P1127、P1161
錢士雲		《檔案》P1468
阿 肅		《檔案》P1559。「記過表」

（二）總校兼提調官（一人）

人名	備註	出處
陸費墀	乾隆四十九年二月任副總裁。曾任薈要處總校兼編纂官。	殿本職名表。《檔案》P1768。《薈要》職名表

（三）提調官（八人）

人名	備註	出處
彭紹觀	曾任四庫館纂修官。曾任聚珍處總校官、校對官。	浙本職名表。本書第四章
查瑩	曾任四庫館纂修官。曾任薈要處提調、復校。	浙本職名表。本書第四章。《薈要》職名表。《薈要考》P22
劉種之	曾任薈要處提調、復校。對音官。	浙本職名表。《薈要》職名表。《薈要考》P22
韋謙恒	乾隆四十一年九月入館。曾在翰林院校辦採進書。曾任四庫館纂修官。四十五年充提調，兼閱三、四份全書提要。	浙本職名表。本書第四章。《檔案》P535、P1850
彭元琥	四十五年充提調。曾任四庫館分校官、纂修官（應為大典本纂修官）。曾任聚珍本校對官。	浙本職名表。本書第四、第九章。《檔案》P1254、P1850
吳裕德	四十六年充提調。曾任聚珍本校對官、大典本分校官。	浙本職名表。《薈要考》P22。《檔案》P1512、P1850
關槐	四十六年任。曾任薈要處分校。武英殿纂修。聚珍本校對官。曾入浙江書局。	浙本職名表。《檔案》P1850。《薈要》職名表。李鈞簡編《青城山人年譜》
周興岱	四十七年任。曾任大典本纂修官兼分校官。曾任復校、聚珍本校對官。	浙本職名表。本書第三、第四、第九章。《檔案》P1850

（四）復校官（總校官）[11]（十四人）

人名	備註	出處
王燕緒	曾任薈要處復校。曾任四庫館纂修官。乾隆四十八年四月前丁憂離館。前後共校過頭、二、四份全書二萬一千餘冊。	浙本職名表。本書第四章。《檔案》P1726、P1850。《薈要考》P23
朱　鈐	曾任薈要處分校、復校。乾隆四十七年七月前丁憂離館。前後共校過頭、二、四份全書二萬一千餘冊。	浙本職名表。《檔案》P1596、P1850。《薈要考》P22、P23
何思鈞	前後共校過頭、二、三份全書一萬四千餘冊。曾任薈要處分校。曾在四庫館中先後任謄錄、分校官、總校官。	浙本職名表。《檔案》P1850。《薈要》職名表。王芑孫《淵雅堂全集·惕甫未定稿》卷15《誥封朝議大夫累封中憲大夫翰林院檢討何公行狀》
倉聖脈	前後共校過頭、二、三份全書一萬四千餘冊。	浙本職名表。《檔案》P1850
楊　炤	乾隆四十七年十月前丁憂離館。	《檔案》P1609、P1645
徐以坤	校過第二、三份全書八千六百餘冊。曾任《薈要》詳校官。	《檔案》P1609、P1851。《薈要考》P24
潘有為	前後校過第二、三份全書八千六百餘冊。	《檔案》P1609、P1851
劉純煒	乾隆四十年十一月入館，在總校上行走。	《檔案》P485
葉佩蓀	兼薈要處復校。校過第四份全書七千餘冊。乾隆四十九年病故。其子舉人葉紹楏接辦三千餘冊，父子共校過一萬餘冊。	《檔案》P1792、P1824、P1852。《薈要考》P23

11 浙本職名表作「繕書處總校官」。

人名	備註	出處
章維桓	曾任聚珍本復校。校過第四份全書八千餘冊。	《檔案》P1793、P1852。《薈要考》P23
程嘉謨	校過第四份全書八千餘冊。曾任聚珍本校對官、復校。	《檔案》P1793、P1851。《薈要考》P23
孫　溶	校過第二、三份全書八千六百餘冊。曾任四庫館分校官。	《檔案》P1161、P1851
繆　琪		《檔案》P812、P1559。「記過表」
楊懋珩	乾隆四十六年十一月前任知縣。	《檔案》P812、P1440、P1568

（五）分校官（二三六人）

人名	備註	出處
張書勳	曾任薈要處分校。	浙本職名表。《薈要》職名表
季學錦	曾任四庫館纂修官。曾任薈要處分校、總（復）校。	浙本職名表。本書第四章。《薈要》職名表。《薈要考》P23
錢　棨		浙本職名表
金　榜	曾任薈要處分校。	浙本職名表。《薈要》職名表
張秉愚	曾任薈要處分校、復校。	浙本職名表。《薈要》職名表。《薈要考》P22
項家達	曾任薈要處分校、復校。	浙本職名表。《薈要》職名表。《薈要考》P22
楊壽楠	曾任薈要處分校、復校。	浙本職名表。《薈要》職名表。《薈要考》P23

人名	備註	出處
裴　謙	曾任薈要處分校。	浙本職名表。《薈要》職名表
張能照[12]	曾任薈要處總（復）校。	浙本職名表。《薈要考》P23
汪學金	曾任薈要處分校。乾隆四十八年十二月前丁憂離館。	浙本職名表。《檔案》P1764。《薈要考》P22
嚴　福	曾任薈要處分校。乾隆四十八年十二月前丁憂離館。對音官。	浙本職名表。《檔案》P1764。《薈要》職名表
孫希旦	開館即任分校。曾任薈要處分校。乾隆四十三年丁憂離館。四十六年，任武英殿分校官兼國史、三通館纂修官。乾隆四十九年十一月去世。	浙本職名表。《薈要》職名表
羅修源	曾任薈要處分校。對音官。	浙本職名表。《薈要》職名表
朱　攸	曾任薈要處分校。	浙本職名表。《薈要》職名表
邱庭潨	曾任薈要處分校。	浙本職名表。《薈要》職名表
錢　樾[13]	乾隆四十八年十二月前任學政。	浙本職名表。《檔案》P1763
周　瓊	曾任薈要處分校。	浙本職名表。《薈要》職名表
吳錫麒[14]	曾任薈要處分校。	浙本職名表。《薈要》職

12 張能照（編修），《薈要》職名表誤作「陳能照」。參吳哲夫《四庫全書薈要纂修考》，頁8。

13 有記載稱錢樾曾任《四庫全書》改正底本纂修官，但此提法未必對。

14 王重民編《辦理四庫全書檔案》（頁800下）所附「四庫館職員記過統計表」將其誤

人名	備註	出處
		名表
蔡廷衡	曾任薈要處分校。	浙本職名表。《薈要考》P21
翟　槐	曾任薈要處分校。	浙本職名表。《薈要》職名表
施培應		浙本職名表
吳舒帷	曾任聚珍本校對官。	浙本職名表。《薈要考》P21
何　循	曾任薈要校對官、聚珍本校對官。	浙本職名表。《薈要考》P21
顏崇潙	曾任薈要處分校。	浙本職名表。《薈要考》P21
張九鐔	曾任薈要處分校。	浙本職名表。《薈要考》P22
王天祿	曾任薈要處分校。	浙本職名表。《薈要考》P21
馮敏昌	曾任薈要處分校。	浙本職名表。《薈要考》P21
朱　緌	曾任四庫館纂修官（四庫處協修）。	浙本職名表。本書第四章「四庫處名單」
閔惇大	曾任薈要處分校。乾隆四十六年丁憂離館。	浙本職名表。《薈要》職名表
劉汝薏	曾任薈要處分校。	浙本職名表。《薈要考》P21

　　記為吳錫麟。館臣中吳錫麒、吳錫齡在記載上有時會相混，而且張書才主編《纂修四庫全書檔案》中有時也會將他們錯寫成吳錫麟，應注意

人名	備註	出處
高棫生	曾任薈要處分校。	浙本職名表。《薈要考》P21
范來宗	曾任薈要處分校。	浙本職名表。《薈要考》P21
馬啟泰	曾任薈要處分校。	浙本職名表。《薈要》職名表
戴聯奎	乾隆四十六年十一月前丁憂離館。曾任薈要處分校。	浙本職名表。《檔案》P1442。《薈要》職名表
方　煒	曾任薈要處分校、復校。乾隆四十七年七月前丁憂離館。對音官。	浙本職名表。《檔案》P1596。《薈要》職名表。《薈要考》P23
徐如澍	曾任薈要處分校。	浙本職名表。《薈要》職名表
戴心亨	曾任薈要處分校。	浙本職名表。《薈要》職名表
戴均元	曾任薈要處分校。	浙本職名表。《薈要》職名表
孫玉庭	乾隆四十六年十一月前丁憂離館。	浙本職名表。《檔案》P1442
許　烺	乾隆四十六年十一月前丁憂離館。	浙本職名表。《檔案》P1442
沈孫璉	曾任四庫館纂修官（四庫處協修。應為大典本纂修官）。	浙本職名表。本書第四、第九章。「四庫處名單」
盧　應	曾任薈要處分校、復校。	浙本職名表。《薈要》職名表。《薈要考》P22
錢　栻	對音官。	浙本職名表

人名	備註	出處
胡　榮	曾任薈要處復校。	浙本職名表。《薈要考》P23
程昌期		浙本職名表
何西泰		浙本職名表
盧　遂[15]	曾任四庫館纂修官。乾隆四十六年十月前病故。	浙本職名表。本書第四章。《檔案》P1420
沈清藻	曾任薈要處分校、復校。乾隆四十六年十月前病故。	浙本職名表。《檔案》P1420。《薈要考》P22
洪其紳		浙本職名表
李奕疇		浙本職名表
溫常綬		浙本職名表
王福清	曾任薈要處分校。曾任聚珍本校對官。	浙本職名表。《薈要》職名表
德　生		浙本職名表
李鼎元		浙本職名表
張　位		浙本職名表
蕭廣運		浙本職名表
蕭九成	曾任薈要處分校。乾隆四十六年十一月前丁憂離館。	浙本職名表。《檔案》P1442。《薈要》職名表
王允中	乾隆四十七年四月前丁憂離館。	浙本職名表。《檔案》P1569
龔大萬	曾任薈要處分校。曾任聚珍本校對官。	浙本職名表。《薈要》職名表
羅國俊		浙本職名表

---

15 據文淵閣本副頁可知，亦有寫作「盧燧」。殿本職名表誤作「盧逐」。

人名	備註	出處
錢世錫	乾隆四十六年十一月前丁憂離館。	浙本職名表。《檔案》P1442
饒慶捷	乾隆四十七年七月前丁憂離館。	浙本職名表。《檔案》P1596
汪　昶	乾隆四十九年十一月前病故。	浙本職名表。《檔案》P1824
郭　寅	曾任薈要處分校。	浙本職名表。《薈要》職名表
王汝嘉	曾任四庫館纂修官（應為大典本纂修官）。	浙本職名表。本書第四、第九章
王鍾健	曾任薈要處分校。	浙本職名表。《薈要》職名表
馮　培	曾任薈要處分校。	浙本職名表。《薈要》職名表
李廷敬	曾任薈要處分校。	浙本職名表。《薈要》職名表
吳蔚光	曾任聚珍本校對官。	浙本職名表
徐文幹（榦）		浙本職名表
曾廷樏	曾任薈要處分校。	浙本職名表。《薈要》職名表
祖之望		浙本職名表
范　鏊	曾任薈要處分校。曾任聚珍本校對官。	浙本職名表。《薈要考》P22
胡必達		浙本職名表
陳　墉	曾任薈要處分校。乾隆四十六年十一月前病故。	浙本職名表。《檔案》P1440。《薈要》職名表

人名	備註	出處
陳文樞	曾任薈要處分校。乾隆四十六年十一月前病故。	浙本職名表。《檔案》P1440。《薈要》職名表
王　受（綏）		浙本職名表
王朝梧	曾任聚珍本校對官。	浙本職名表
蔡共武	曾任聚珍本校對官。	浙本職名表
潘紹觀	兼三通館分校。	浙本職名表
蔣予蒲	曾任聚珍本校對官。	浙本職名表
馮集梧		浙本職名表
曾　燠	曾任聚珍本校對官。	浙本職名表
吳紹浣		浙本職名表
鍾文韞		浙本職名表
俞廷掄（掄）	曾任聚珍本校對官。	浙本職名表
侍　朝	曾任薈要處分校、復（總）校。	浙本職名表。《薈要》職名表。《薈要考》P23
張慎和		浙本職名表
牛稔文		浙本職名表
呂雲棟	曾任復校官。	浙本職名表。《檔案》P729、P1770
胡　敏	乾隆四十八年四月前丁憂離館。	浙本職名表。《檔案》P1726
王慶長	任職至乾隆四十七年。	浙本職名表
龔敬身		浙本職名表
張　培	曾任薈要處分校。	浙本職名表。《薈要考》P22

人名	備註	出處
李　棻[16]		浙本職名表
汪日章		浙本職名表
吳　俊	曾任薈要處分校。	浙本職名表。《薈要考》P22
方維甸	曾任薈要處分校。	浙本職名表。《薈要》職名表
王　琎	曾任薈要處分校。	浙本職名表。《薈要考》P22
吳紹昱		浙本職名表
毛上炱		浙本職名表
盛惇崇		浙本職名表
杜兆基		浙本職名表
雷　純	乾隆四十七年十月前丁憂離館。	浙本職名表。《檔案》P1646
宋　鎔	曾任復校官。	浙本職名表。《檔案》P592、P1185
裘行簡		浙本職名表
李斯詠	原是謄錄，後為分校官。曾任薈要處分校。	浙本職名表。《薈要考》P22
方大川	曾任復校官。	浙本職名表。《檔案》P729、P1161
金光悌	曾任薈要處分校。	浙本職名表。《薈要考》P22
劉圖南		浙本職名表

16 王重民編《辦理四庫全書檔案》（頁799下）所附「四庫館職員記過統計表」將其誤記為陳棻。

人名	備註	出處
李 荃	曾任薈要處分校。乾隆四十八年十二月前任府同知。	浙本職名表。《檔案》P1763。《薈要考》P22
胡紹基	曾任薈要處分校。	浙本職名表。《薈要考》P22
董聯穀（珏）	乾隆四十九年十一月前出差離館。	浙本職名表。《檔案》P1824
程 琰（炎）	曾任薈要處分校。	浙本職名表。《薈要考》P22
王學海		浙本職名表
楊世綸	曾任薈要處分校。	浙本職名表。《薈要考》P22
閔思毅	曾任薈要處分校。	浙本職名表。《薈要考》P22
邱桂山		浙本職名表
馬猶龍		浙本職名表
甄松年		浙本職名表
沈 琨		浙本職名表
鮑之鍾	乾隆四十六年十一月前丁憂離館。	浙本職名表。《檔案》P1442
王 照		浙本職名表
王中地		浙本職名表
費振勳	曾為書籤官、聚珍本校對官、黃籤處總校官。	浙本職名表。《檔案》P1701
沈叔埏	兼任方略館、《一統志》、《通鑒輯覽》分校，及《歷代職官表》協修官。	浙本職名表
顧宗泰		浙本職名表

人名	備註	出處
楊 揆		浙本職名表
洪 梧		浙本職名表
江 璉		浙本職名表
孫 球	曾任薈要處分校。乾隆四十七年四月前治喪回籍。	浙本職名表。《檔案》P1569。《薈要考》P22
徐秉敬	曾任薈要處分校、復校。	浙本職名表。《薈要》職名表。《薈要考》P23
秦 瀛	乾隆四十九年十一月前丁憂離館。	浙本職名表。《檔案》P1824
黃秉元[17]（黃晃）		浙本職名表。《檔案》P1185、P1726
張敦培		浙本職名表
潘奕雋	曾任薈要處分校。	浙本職名表。《薈要考》P22
張曾效		浙本職名表
石鴻翥	曾任薈要處分校。	浙本職名表。《薈要考》P22
趙秉淵	乾隆四十七年十月前丁憂離館。	浙本職名表。《檔案》P1646
劉 英		浙本職名表
沈鳳輝	乾隆四十九年十一月前丁憂離館。	浙本職名表。《檔案》P1824
溫汝適		浙本職名表

---

17 「吏部為知照四庫館人員遵旨分別罰俸事致典籍廳移會（附黏單）」（乾隆四十八年四月十五日）附「吏部題四庫全書館人員罰俸記過本」載：「內閣中書黃秉元今更名黃晃。」見張書才主編《纂修四庫全書檔案》，頁1726。

人名	備註	出處
賈　鋄 （倓）		浙本職名表
章　煦	乾隆四十八年十一月前丁憂離館。	浙本職名表。《檔案》P1753
葉　葵	曾任薈要處分校。	浙本職名表。《薈要考》P22
郭　晉	乾隆四十七年十月前丁憂離館。	浙本職名表。《檔案》P1646
毛鳳儀		浙本職名表
竇汝翼		浙本職名表
張　塤	曾任薈要處分校。	浙本職名表。《薈要》職名表
汪師曾	曾任復校官。	浙本職名表。《檔案》P631、P729
言朝標		浙本職名表
趙懷玉		浙本職名表
徐步雲	曾任大典本纂修官。	浙本職名表。本書第九章
宋枋遠	乾隆四十六年十一月前病故。	浙本職名表。《檔案》P1440
吳翼成	曾任薈要處分校。	浙本職名表。《薈要考》P22
李元春		浙本職名表
劉源溥		浙本職名表
陳　木	兼薈要處分校。	浙本職名表。《薈要考》P22

人名	備註	出處
周　鋐[18]		浙本職名表
卜維吉	兼薈要處分校。乾隆四十七年四月前丁憂離館。	浙本職名表。《檔案》P1569。《薈要考》P22
金學詩	曾任薈要處分校、復校。	浙本職名表。《薈要》職名表。《薈要考》P23
黃昌禔	曾任薈要處分校。	浙本職名表。《薈要考》P22
汪錫魁	曾任薈要處分校。乾隆四十七年四月前病故。	浙本職名表。《檔案》P1567。《薈要考》P22
袁文邵	曾任薈要處分校。乾隆四十六年十一月前告假回籍。	浙本職名表。《檔案》P1442。《薈要考》P22
汪日贊		浙本職名表
金兆燕		浙本職名表
張曾炳	曾任薈要處分校。乾隆四十七年七月前病故。	浙本職名表。《檔案》P1595。《薈要考》P22
沈　培		浙本職名表
蔡　鎮	曾任薈要處分校。乾隆四十七年七月前終養離館。	浙本職名表。《檔案》P1596。《薈要考》P22
吳　垣[19]	曾任薈要處分校。	浙本職名表。《薈要考》P22
常　循	曾任薈要處分校。	浙本職名表。《薈要考》P22
李　岩	曾任薈要處分校。	浙本職名表。《薈要考》P22

18 疑誤作周鎔、屈鋐。參張書才主編《纂修四庫全書檔案》，頁1737、2077。

19 吳垣（國子監學正），吳哲夫《四庫全書薈要纂修考》頁22誤作「吳恒」。

人名	備註	出處
張志楓		浙本職名表
劉光第[20]	曾任薈要處分校。曾任復校官。	殿本職名表。《檔案》P770。《薈要考》P22
劉景嶽[21]	曾任薈要處分校。	浙本職名表。《薈要考》P22
郭祚熾	曾任薈要處分校。乾隆四十六年十一月前丁憂離館。	浙本職名表。《檔案》P1442。《薈要考》P22
柴 模	曾任薈要處分校。	浙本職名表。《薈要考》P22
吳樹萱	曾任聚珍本校對官。	浙本職名表。《薈要考》P22
李 駿	曾任薈要處分校。	《檔案》P75。《薈要考》P22
陳 林	曾任薈要處分校。	《檔案》P75。《薈要考》P22
施光輅	曾任復校官。	《檔案》P75
宋 炘		《檔案》P75
朱 炘（忻）	曾任薈要處分校。乾隆四十六年十一月前任知縣。	《檔案》P929、P1111、P1382、P1441。《薈要考》P22
王鍾泰	曾任薈要處分校。乾隆四十七年四月前任府同知。	《檔案》P75、P1569。《薈要考》P22
高 中	乾隆四十六年十月前病故。	《檔案》P75、P1420
王友亮	曾任薈要處分校。	《檔案》P75。《薈要考》P22

---

20 浙本職名表誤作「張光第」。

21 劉景嶽（典簿），吳哲夫《四庫全書薈要纂修考》頁22誤作「劉景文」。

人名	備註	出處
王彝憲	曾任復校官。曾任薈要處分校。	《檔案》P75。《薈要考》P22
田尹衡	乾隆四十六年十一月前任府同知。	《檔案》P75、P1440
胡予襄	曾任薈要處分校。	《檔案》P75。《薈要考》P22
徐立綱	曾任薈要處分校、聚珍本校對官。乾隆四十七年四月前任學政。	《檔案》P75、P1569。《薈要》職名表
傅　朝		《檔案》P75
胡士震	曾任薈要處分校。乾隆四十七年四月前病故。	《檔案》P75、P1566。《薈要》職名表
孫　梅	乾隆三十九年三月已任分校。曾任薈要處分校。乾隆四十七年十一月前已離任。	《檔案》P202、P1678。《薈要考》P22
葉　蘭	曾任薈要處分校。乾隆四十六年十一月前任知府。	《檔案》P592、P1440。《薈要考》P22
汪　鏞	曾任薈要處分校。曾任復校官。	《檔案》P580、P1185。《薈要考》P21
王家（嘉）賓	曾任薈要處分校。乾隆四十六年十一月前任知府。	《檔案》P728、P1160、P1440。《薈要考》P22
羅萬選	曾任薈要處分校。	《檔案》P728。《薈要考》P22
楊素楠		《檔案》P728
蔣　寬	曾任薈要處分校。	《檔案》P728。《薈要考》P22
吳甸華	曾任薈要處分校。	《檔案》P728。《薈要考》P22

人名	備註	出處
張虎拜	曾任復校官。乾隆四十七年四月前任學政。	《檔案》P728、P771、P1569
湯　垣		《檔案》P929、P1559
康儀鈞		《檔案》P1110、P1559
嵇承志	乾隆四十六年十一月前任知府。	《檔案》P1146、1443
潘庭筠	曾任薈要處分校。	《檔案》P1161。《薈要考》P22
章宗瀛	曾任薈要處分校、聚珍本分校。對音官。	《檔案》P1220。《薈要》職名表
陸　湘	曾任薈要處分校。	《檔案》P1443。《薈要考》P22
蔡必昌	乾隆四十六年十一月前任知縣。	《檔案》P1441
翁樹棠	乾隆四十六年十月前病故。	《檔案》P1382、P1420
繆　晉	曾任武英殿纂修、薈要處分校、聚珍本校對官。乾隆四十六年十一月前丁憂離館。對音官。	《檔案》P1383、P490、P1442。《薈要》職名表
曹錫齡	曾任薈要處分校。	《檔案》P1382。《薈要》職名表
吳錫齡	曾任薈要處分校。乾隆四十六年十月前病故。	《檔案》P1420。《薈要》職名表
呂雲從	乾隆三十九年三月已在館。	《檔案》P202
朱衣（依）魯	曾任武英殿纂修官、薈要處分校、復校。	《檔案》P74、P1793。《薈要》職名表。《薈要考》P22
張運暹	曾任武英殿纂修官、薈要處分校。	《檔案》P74。《薈要》職名表

人名	備註	出處
鄭　犧	曾任武英殿纂修官、薈要處分校。	《檔案》P74。《薈要》職名表
李光雲	曾任武英殿纂修官、薈要處分校、復校。	《檔案》P74。《薈要》職名表。《薈要考》P22
陳夢元	曾任武英殿纂修官、薈要處分校、復校。	《檔案》P74。《薈要》職名表。《薈要考》P22
祁韻士	乾隆四十六年，充武英殿纂修、四庫館分校官。《鶴亭年譜》。	《檔案》P1755
吳冀成		《檔案》P1755
吳啟泰		文淵閣本《盡言集》副頁 [22]
王　鏞		文淵閣本《京氏易傳》副頁 [23]
葉元符		文淵閣本《日下舊聞考》副頁
趙　雯		文淵閣本《日下舊聞考》副頁
郭在逵		《檔案》P1770
許兆棠	曾任翰林院四庫館提調。	《檔案》P1771。《梧門先生年譜》
江　溥	曾任薈要處分校。	《檔案》P1793。《薈要考》P22
徐　準		《檔案》P1800。「記過表」

---

[22] 文津閣本該書副頁校對官為莊通敏。

[23] 文津閣本該書副頁校對官為陳鏞。

人名	備註	出處
甘立猷	曾任聚珍本校對官。	《檔案》P1712
邵志望		《檔案》P1793。「記過表」
周 炎		《檔案》P1793
單可基[24]		《檔案》P1813。「記過表」
秦瀛煦		《檔案》P1813
李傳燮[25]		《檔案》P1813。「記過表」
雷 震		《檔案》P1728。「記過表」
沈 颺		永瑢等「奏為請旨事」（乾隆四十八年十月初十日）[26]

---

24 「軍機大臣奏秋季所進第四分全書錯誤記過次數請將總校等官交部議處片」（乾隆四十九年十一月十五日）（張書才主編：《纂修四庫全書檔案》，頁1813）將單可基稱為校錄。校錄，可指謄錄，也可指分校。此校錄應指的是分校。

25 「軍機大臣奏秋季所進第四分全書錯誤記過次數請將總校等官交部議處片」（乾隆四十九年十一月十五日）（同前注）將李傳燮稱為校錄。此校錄也應指的是分校。

26 該奏摺載：「竊臣等奉命辦《四庫全書》三分，……必須多員分校，方能迅速辦理，而各衙門送到分校官只有二十一員，此外翰林、中書及小京官，現在仍行文各衙門查取，但亦無多餘職事較閒之人堪以添派。臣等再四籌酌，原辦《四庫全書》第三分告竣，其第四分業經繕校亦復不少，所有原充分校各官日課漸減，此內除兼修別館書籍者五十七員，自未便再令兼辦，以致顧此失彼，應仍留武英殿校勘第四分全書。其專充分校之編修朱紱等三十五員，應令專司校對續繕之書。……武英殿分校撥派校勘續繕全書三十五員名單：……中書：……沈、……」張昇編：《四庫全書提要稿輯存》冊4，《江蘇採進遺書目錄》卷首，頁70-73。

（六）篆隸分校官（三人）

人名	備註	出處
王念孫	曾任薈要處分校。	浙本職名表。《薈要考》P22
謝登儁	曾任薈要處分校。	浙本職名表。《薈要考》P22
朱文震	校對篆字官。曾任薈要處分校。	文淵閣本《復古編》副頁。《薈要考》P22

（七）繪圖分校官（一人）

人名	備註	出處
門應兆	曾任薈要處分校。	浙本職名表。《薈要》職名表

（八）編次黃簽考證官[27]（二人）

人名	備註	出處
王太嶽	乾隆四十二年三月，在總纂上行走。乾隆四十二至四十三年，任總纂。	浙本職名表。《檔案》P575、P786、P830
曹錫寶	乾隆四十一年，為阿桂等舉薦入館。乾隆四十二至四十七年任黃簽考證纂修官。曾兼《滿洲源流考》纂修。	浙本職名表。《檔案》P681

---

27 浙本職名表作「黃簽考證纂修官」。

（九）督催官（六人）

人名	備註	出處
祥　慶		浙本職名表
董　椿		浙本職名表
楚維寧		浙本職名表
富炎泰[28]		《檔案》P1459、P1642、P1852
富森布		參本表「富炎泰」注
奇　明		參本表「富炎泰」注

（十）收掌官（四人）

人名	備註	出處
田起莘		浙本職名表
吳應霞		浙本職名表
史國華		浙本職名表
德克進		《檔案》P236

28　「多羅質郡王永瑢等奏遵旨議敘四庫館各項人員摺」（乾隆五十年正月二十三日）
　　載：「其督催、監造、收掌等官，大理寺卿富炎泰，編修祥慶，郎中福克精額、蘇
　　楞額，員外郎長闓、依清阿，副管領紹言，主事德光，六品庫掌伊常阿，庫掌惠
　　保、陸達塞，筆帖式廣傳、永清、阿克敦，栢唐阿誠明，共十五員，列為一等，請
　　旨交部，量加優敘；郎中富森布、奇明，主事楚維寧，庫掌舒和興、梁海福、王海
　　福、準提保，庫守八十，共八員，列為二等，交部議敘。」見張書才主編《纂修四
　　庫全書檔案》，頁1853。推其文意，以上人員是按督催、監造、收掌排列的，其中
　　一等者：祥慶為督催官，那麼，富炎泰也應是督催官。紹言為監造官，德光為收掌
　　官，德光以下諸人均應為收掌官。祥慶與紹言之間者，由於郎中官品較編修高，而
　　在此卻排在編修後，故此亦與前一類館臣不同，應為監造官。二等者：楚維寧為督
　　催官，其前之富森布、奇明亦應為督催官。準提保、八十為收掌官。楚維寧與準提
　　保之間者，據其官職（庫掌）看，最可能是收掌官。

四　武英殿收掌官（十八人）

人名	備註	出處
阿克敦		浙本職名表
敷注禮[29]	曾任薈要處收掌。	浙本職名表。《薈要》職名表
德　光		浙本職名表
廣　傳[30]	曾任薈要處收掌。	浙本職名表。《薈要》職名表
陸達塞	曾任薈要處收掌。	浙本職名表。《薈要》職名表
海　寧	曾任薈要處收掌。	浙本職名表。《薈要》職名表
準提保		浙本職名表
伊昌（常）阿		浙本職名表
海　福	曾任薈要處收掌。	浙本職名表。《薈要》職名表
德　明	曾任薈要處收掌。	浙本職名表。《薈要》職名表
福　慶		浙本職名表
永　清	曾任薈要處收掌。	浙本職名表。《薈要》職名表
惠　保		浙本職名表

29 疑又作「敷柱禮」。
30 殿本職名表誤作「廣傳」。

人名	備註	出處
八　十		浙本職名表
阿誠明		參本表「富炎泰」注
舒和興		參本表「富炎泰」注
梁海福		參本表「富炎泰」注
王海福		參本表「富炎泰」注

五　武英殿監造官（八人）

人名	備註	出處
劉　淳	曾任薈要處承辦官。	浙本職名表。《薈要》職名表
紹　言		浙本職名表
伊靈阿	曾任薈要處承辦官。	浙本職名表。《薈要》職名表
永　善		《檔案》P76
福克精額		參本表「富炎泰」注
蘇楞額		參本表「富炎泰」注
長　闓		參本表「富炎泰」注
依清阿		參本表「富炎泰」注

附編

一　繕簽官[31]

人名	備註	出處
費振勳	內閣中書。曾任四庫館分校官、聚珍本校對官[32]。	《檔案》P1867
羅錦森	內閣中書。	《檔案》P1867
王錫奎	庶起士。曾任聚珍本校對官。	《檔案》P1867
王　鵬	進士	《檔案》P1867
金應瑒	舉人	《檔案》P1867
胡　鈺	舉人	《檔案》P1867
吳鼎揚	舉人	《檔案》P1867

31　繕簽官，是指負責繕寫《四庫》各冊、各匣封面書簽的人員。據「軍機大臣擬賞四庫全書館哈密瓜人員名數單」（乾隆四十四年十月二十七日）載：「纂修、分校及排校聚珍板並對音、繕簽、督催等官，共一百四十五員，擬共賞十六圓。」（張書才主編：《纂修四庫全書檔案》，頁1117）可見，繕簽官是被視為館臣的，而且是從乾隆四十四年即已設有。又據「多羅儀郡王永璿等奏繕簽處費振勳等請旨分別議敘摺」（乾隆五十年二月二十四日）載：「竊照《四庫全書》四分書簽、匣簽，共計二萬四千五百餘函，十四萬四千餘冊，為數浩繁，曾經臣等先後奏派內閣中書費振勳、進士于遠、舉人汪人憲等三十三員，每日至武英殿專繕各簽，事竣之日，請旨照例議敘，荷蒙允准在案。……其四分書簽、匣簽現在亦普行告竣。所有在館繕簽之三十三員，應通行請旨，照例給予議敘。」（同上書，頁1867-1868）可見，繕簽官前後共有三十三人。

32　〔清〕陳用光《太乙舟文集》卷三《費給諫家傳》載：「給諫君姓費氏，諱振勳，字策雲，一字鶴江，晚自號蒙士，吳江人。……君以乾隆戊子舉於鄉，乙未成進士，四庫全書館開，以進士書簽武英殿凡十二人，而君與焉。及敘勞，十一人者皆得知縣，而君授內閣中書。旋充文淵閣檢閱、四庫館分校，轉戶部四川司主事。」《續修四庫全書》，冊1493，頁303-304上。

人名	備註	出處
孫　衡	舉人	《檔案》P1867
虞衡寶	舉人	《檔案》P1867
平　遠	進士	《檔案》P1867
徐志晉	進士	《檔案》P1867
張經田	進士	《檔案》P1867
汪人憲	舉人	《檔案》P1867
葉紹楏	舉人。曾接辦其父葉佩蓀總校之《四庫》書，參本表「復校官」一欄。	《檔案》P1867
金芝原	舉人	《檔案》P1867
陳　昶	舉人	《檔案》P1867
施　源	舉人	《檔案》P1867
陳景良	舉人	《檔案》P1867
韋協夢	舉人	《檔案》P1867
張　坤	舉人	《檔案》P1867
吳慕增	舉人	《檔案》P1867
裘增壽	舉人	《檔案》P1867
孫廷召	舉人	《檔案》P1867
張中正	舉人	《檔案》P1867
龔　協	舉人	《檔案》P1867
馮桂芬	舉人	《檔案》P1867
李晉埣	舉人	《檔案》P1867
錢開仕	舉人。曾任聚珍本校對官。曾在武英殿黃簽處效力。	《檔案》P1867
馮　晟	舉人	《檔案》P1867
懷　沅	舉人	《檔案》P1867

人名	備註	出處
謝恭銘	舉人	《檔案》P1867
謝文榮	舉人	《檔案》P1867
田文瑄	舉人	《檔案》P1867

二　未入正編的四庫館開館期間武英殿聚珍本校對官

人名	備註	出處
陳嗣龍	乾隆三十四年進士。對音官。	本書第九章
王元照	乾隆四十年進士	本書第九章
石養源	乾隆四十年進士	本書第九章
靖本誼	乾隆四十年進士。曾在武英殿黃簽處效力。	本書第九章
徐秉文	乾隆四十年進士	本書第九章
錢至純	乾隆四十年進士	本書第九章
丁履謙[33]	乾隆四十年進士	本書第九章
沈步垣	乾隆四十六年進士	本書第九章
阿　林	乾隆四十六年進士	本書第九章
茅元銘	曾任武英殿纂修官，薈要處分校、復校，聚珍本校對官。	本書第九章。「四庫處名單」。《檔案》P490。《薈要》職名表。《薈要考》P23

---

33 臺灣「故宮博物院」文獻館所藏清朝檔案（檔案號：025005），于敏中等「奏為《四庫全書》及《薈要》面簽等項仍交費振勳、丁履謙承辦並請分別加恩鼓勵」（乾隆四十四年十月四日）。丁氏可能也任過書簽官。

三 未入正編的聚珍館官員

福昌[34]。

四 未入正編的《薈要》校對官[35]

（一）總（復）校官

吳紹澯[36]、博文、善慶、郭泰、善柱、英格、巴爾藏佳穆楚、巴
達爾瑚、七德。

（二）分校官

周宗岐、江德量[37]、涂日煥、寶諦、色克通額、周錄、托雲、富
明、綸普、松齡、興祿、善福、英敏、常慶、伊寧阿、興安、巴通、

---

34 據「四庫全書處總裁王際華等奏請再領刻字刊書銀兩並給擺版供事分例飯食摺」
（乾隆三十九年四月二十六日）載：「……至此項書籍，既經頒發，嘉惠藝林，必
須排列精審。現在已責成原任翰林祥慶、筆帖式福昌，專司其事。」「四庫全書處
副總裁金簡奏核銷制刻活版木字器具實用工料銀兩並請為定例摺」（乾隆三十九年
五月十二日）載：「臣督同原任翰林祥慶、筆帖式福昌敬謹辦理，今已刊刻完峻。」
（以上分別見張書才主編《纂修四庫全書檔案》，頁205、208）祥慶在四庫館中為
督催官，但這裏只是說其管理聚珍館事務，應該與督催官的工作不同，故不將福昌
列入為督催官。

35 筆者據吳哲夫《四庫全書薈要纂修考》頁5-10、21-23所錄，做了一些修補。這些人
員主要是少數民族文字校對官，其中有的既是總校官，也是分校官。

36 據吳哲夫《四庫全書薈要纂修考》頁23，另有一總校官為胡紹澯，疑為「吳紹澯」
之誤。據吳保琳編《吳蘇泉編修年譜》載，吳紹澯於乾隆四十一年充薈要處總
（復）校官，四十二年即以丁父憂去官、離館。北京圖書館編：《北京圖書館藏珍
本年譜叢刊》，冊110，頁473。

37 汪德量（編修），吳哲夫《四庫全書薈要纂修考》頁21誤作「沈德量」。

喜格、達母吹索謀木、伊什盆楚克、七德、福松、錫純、英華、兆慶、明山、嵩齡。

五　文淵閣本、文津閣本副頁所見少數民族文字校對官[38]

（一）總校官

劉成章、文裕、占倫、豐慶、長文、吉隆阿、色布星額、德克登布、馬廷善、成裕、阿明阿、常山、定亨、盧銘剛、富靈、明山、奇林。

（二）分校官

長亮、巴通、噶爾藏格勒、繼泰、雅涵泰、業史丹怎、松年、愛隆阿、明昌、同文、明義達、尚文、明山、海齡、文海、西林、奇林、鄂溥、固寧阿、興安、惠漣、觀澄、英吉、福全、嵩昌、英敏、英華、常慶、托雲、海寧、蘇明阿、薩喇善、德楞額、巴克坦布、馬廷模、文海、齡椿、富明、富永、嵩年、通保。

---

38 有的既是總校官，也是分校官。以下是據《清文鑒》、《滿蒙漢三合切音清文鑒》、《西域同文志》、《同文韻統》、《翻譯五經四書》副頁所署校對官所得之人員。其中《翻譯五經四書》一書，文津閣本是在五十年正月校上（文淵閣本在五十四年正月，副頁沒有校對官），不好定是在閉館前或後校上的，此姑且也將其少數民族文字校對官收入。至於閉館之後校上的書則不予考慮，例如，文淵閣、文津閣本《三史國語解》校上時間是在乾隆五十四年，儘管其副頁所署少數民族文字校對官有：海隆阿、文保、廷奎、玉樑、百寧、興福、西林、敦凝，但也不收入。

六 對音官[39]

39 四庫館開館期間，對不少書都作過改正譯名的工作。從事這項工作的是對音官。乾隆對四庫館臣的賞賜單中是包括對音官的，因此，對音官應為四庫館臣。但是，《四庫》職名表中又沒有對音官這一館職，為什麼呢？筆者認為有兩種可能：其一，這些對音官均是兼任的，他們均已作為館臣著錄入職名表中其它館職中；其二，職名表編修者認為對音官不應入為四庫館臣，因為他們如同少數民族文字校對官一樣，只是承擔《四庫》書中某一特定內容的校對工作，而不管其它《四庫》書。無論如何，我們應該先來瞭解一下哪些人是對音官。據「刑部尚書英廉等奏擬再添派編修平恕等趕辦三《史》摺（乾隆四十二年四月十二日）載：「竊臣等蒙皇上天恩，派臣英廉、臣錢汝誠辦《明史》，臣金簡、臣錢汝誠辦《遼史》、《元史》。臣等詳加酌議，分定限期，已由軍機處匯奏外。查《遼史》、《元史》原派纂修官・編修宋銑、御史劉錫嘏、檢討王仲愚、修撰陳初哲四員，協修官・檢討孔廣森、編修劉種之二員，均繫熟手，應仍其舊。惟是卷帙繁多，譯對對音，考訂文義，事較繁細，臣等擬再添派編修平恕、李堯棟二員協同辦理，似更為迅速。至《明史》原派宋銑、劉錫嘏二員，足敷辦理，無庸另行添派。其原辦三《史》對音之滿纂修官・中書呈麟、筆帖式穆圖、七德、五官正巴達爾瑚等四員，協修官・中書依期善、候補筆帖式善慶二員，均繫熟手，仍應令其專辦。再，查有唐古特學司業巴忠、內閣中書達桑阿二員，亦俱熟於翻譯，應請添派協同辦理。臣等仍隨時核訂，上緊趕辦，按月恭呈御覽，仰候睿裁指示。」（載張書才主編《纂修四庫全書檔案》，頁585）以上提到的這些纂修官，除陳初哲外，其它如宋銑、平恕、章宗瀛、劉錫嘏、王仲愚、孔廣森、劉種之、李堯棟均為清書庶起士。此外，查文淵閣本《明史》所附考證可知，參加校正的有：章宗瀛、方煒、宋銑、黃壽齡、嚴福、羅修源、劉錫嘏（可參喬治忠、楊豔秋〈《四庫全書》本《明史》發覆〉，載《清史研究》1999年第4期）。其中宋銑、劉錫嘏、章宗瀛、黃壽齡為清書庶起士，嚴福、羅修源、方煒為漢書庶起士。以上所提到的清書庶起士應該是負責對音工作的〔清〕于敏中《于文襄手劄》第54通云：「兩次寄到散篇一百十本，已隨摺呈進，提要俱逐本檢閱，惟《景文集》略有可商，另單請酌，因尚非不可不改之病，仍原本送上，俟寄回後酌定可耳。又《子淵集》『乃賢』作『納新』，對音甚不妥，不知館上何人所定，南音賢延音近，或作納延尚相合，若作『新』則與『賢』字母不同，斷難強就，祈即告之小岩、純齋，囑其即為另酌，並將何時改譯之處寄復。（乾隆四十一年六月廿四日）」宋銑，字小岩；劉錫嘏，字純齋，二人為清書庶起士，故能從事對音工作。《四庫》職名表將兩人著錄為「翰林院提調官」。除此之外，以上提

　　呈麟、穆圖、七德、巴達爾瑚、依期善、善慶、巴忠、達桑阿、翰圖、巴尼琿、陳嗣龍、錢栻、繆晉、陳初哲、宋銑、平恕、章宗瀛、劉錫嘏、王仲愚、孔廣森、劉種之、李堯棟、方煒、黃壽齡、嚴福、羅修源。

七　《纂修四庫全書檔案》中所見少數民族文字校對官

　　托忒字校對官：成泰[40]。

到的少數民族官員則是專門的對音官，包括呈麟、穆圖、七德、巴達爾瑚、依期善、善慶、巴忠、達桑阿。又據「軍機大臣阿桂等奏遵旨議奏添纂《八旗通志》情形摺」（乾隆五十五年十二月二十三日）載：「……因思從前重修《八旗氏族通譜》時，臣等於派翰圖、巴尼琿二員外，曾添派辦過遼、金、元三《史》人地名對音之清書翰林陳嗣龍、錢栻、繆晉三員幫同核辦，今此書內人名、官名、地名既有與譯定音義不相符合之處，應請仍派翰圖、巴尼琿、陳嗣龍、錢栻、繆晉五員詳查更正，俾歸畫一。」（載張書才主編《纂修四庫全書檔案》，頁2226）可知對音官還有翰圖、巴尼琿、陳嗣龍、錢栻、繆晉。《八旗氏族通譜》也是在四庫館開館期間重修的，因此，以上這些對音官可能就是乾隆賞賜單中所指的對音官。在以上提到的對音官中，如果在正編有著錄，則會在備註中標明其曾兼任對音官。

40 「吏部為知照清字經館等承辦《清文鑒》人員清冊事致典籍廳移會（附連單）」（乾隆四十七年八月十八日）附「吏部題分別等第議敘承辦《清文鑒》等書人員本」載：「會議得四庫全書處將清字經館、方略館承辦《清文鑒》等書之總校、分校，謄錄、托忒字官、收掌、回字教習、供事人等分別等第，造具履歷清冊，諮送到部。查列為一等繕校托忒字官．內閣中書已邀議敘主事陞用之成泰……」載張書才主編《纂修四庫全書檔案》，頁1612。

附錄二
《武英殿聚珍版叢書》纂校表

說明：

一、「校上時間」，是指聚珍本書前提要所附的校上時間，即聚珍本底本的校上時間。

二、表中有個別聚珍本只有纂修官而未有校上年月，說明這些纂修官姓名並不是聚珍本提要所署的，而是筆者據其它材料所補的，故加括弧以示區別。

三、聚珍本共一百三十八種（其中《易緯》八書合為一種），其中書名前加＊號者，表示這些書是陶湘所謂的「續補」之書，即是在慶桂等編纂《國朝宮史續編》所載一百二十六種聚珍本之外的。

四、版本來源參考了《四庫全書總目》、《四庫採進書目》的著錄，但不一定準確（尤其是非大典本），僅供參考[1]。

五、書口署名，均指在書口下端左側署校者；卷尾署名，一般是指在每卷末頁末行下端署校者，但有個別是在每卷目錄末頁末行署校者的，也歸入此類。

六、製作本表的主要參考文獻有：陶湘《書目叢刊・武英殿聚珍版書目》、臺灣藝文印書館輯《百部叢書集成・武英殿聚珍版叢書》、中國國家圖書館善本部藏乾隆間印《武英殿聚珍版叢書》、北京師範大學圖書館古籍部藏同治年間江西書局重修本《武英殿聚珍版叢書》。

---

1 例如，《吳園易解》九卷，查吳慰祖編《四庫採進書目》，此書有湖北巡撫採進本、浙江巡撫採進本，但不知聚珍本所據是何本。

書名	提要	纂修官	校上時間	校對官	版本來源
周易口訣義六卷	有	周永年	乾隆四十五年十月	書口署校者,彭紹觀、吳舒帷、王朝梧、阿林、朱攸。	大典本
易說六卷	有	周永年	乾隆四十七年二月	書口署校者,王朝梧。	大典本
易原八卷	有			卷尾署校者,劉鳳誥、秦恩復、吳廷選。	大典本
吳園易解九卷	有	劉權之	乾隆四十七年七月	書口署校者,吳舒帷。	湖北巡撫採進本
郭氏傳家易說十一卷	有	翁方綱	乾隆四十年正月	書口署校者,項家達、王福清、裴謙、朱攸。	浙江鄭大節家藏本
誠齋易傳二十卷	有			卷尾署校者,俞廷掄(掄)、王坦修、蔡共武、倪思淳、錢開仕、劉鳳誥、吳廷選、汪滋睌、程嘉謨。	江西巡撫採進本
易象意言一卷	有	勵守謙	乾隆三十八年六月	書口署校者,繆晉、於鼎、王朝梧。	大典本
易學濫觴一卷	有	莊承篯	乾隆四十七年二月	書口署校者,王朝梧。	兩淮鹽政採進本
乾坤鑿度二卷	有	閔思誠	乾隆三十八年四月	以下《易緯》八種,均為初刻四種之一,為雕版印刷。	大典本
易緯稽覽圖二卷	有	閔思誠	乾隆三十八年四月		大典本
易緯辨終備一卷	有	閔思誠	乾隆三十八年四月		大典本
周易乾鑿度二卷	有	閔思誠	乾隆三十八年四月		大典本

書名	提要	纂修官	校上時間	校對官	版本來源
易緯通卦驗二卷	有	鄒炳泰	乾隆三十八年四月		大典本
易緯乾元序制記一卷	有	閔思誠	乾隆三十八年四月		大典本
易緯是類謀一卷	有	閔思誠	乾隆三十八年四月		大典本
易緯坤靈圖一卷	有	閔思誠	乾隆三十八年四月		大典本
*尚書詳解二十六卷	有			卷尾署校者，王宗誠、顧德慶、張鵬展、李均（鈞）簡。	大典本
尚書詳解五十卷	有	季學錦	乾隆四十七年五月	書口署校者，吳舒帷。	編修汪如藻家藏本
融堂書解二十卷	有	邵晉涵	乾隆三十九年十月	書口署校者，項家達、王福清、於鼎、茅元銘。	大典本
禹貢指南四卷	有	王　增	乾隆三十八年六月	書口署校者，裴謙、項家達、朱攸、王福清。	大典本
禹貢說斷四卷	有			卷尾署校者，錢開仕、那彥成。	大典本
詩總聞二十卷	有	王　增	乾隆四十六年七月	書口署校者，吳舒帷。	內府藏本
續呂氏家塾讀詩記三卷	有	余　集	乾隆四十一年十月	書口署校者，彭紹觀、繆晉、於鼎、劉躍雲、谷際岐。	大典本
絜齋毛詩經筵講義四卷	有	余　集	乾隆四十年五月	書口署校者，彭紹觀、谷際岐、項家達、劉躍雲、繆晉。	大典本

書名	提要	纂修官	校上時間	校對官	版本來源
*欽定詩經樂譜三十卷附樂律正俗一卷				卷尾署校者，俞廷掄、陳嗣龍、祝坤、彭元珫、吳廷選、王錫奎、吳裕德、馬啟泰、吳璈、吳鼎雯、周興岱、王坦修。	乾隆五十三年敕撰。《四庫》不著錄
儀禮集釋三十卷	有	戴 震	乾隆四十七年二月	書口署校者，彭紹觀、曾燠、陸伯焜、吳鼎雯、阿林、蔣予蒲、吳舒帷、王朝梧、蔡共武、朱攸。	大典本
儀禮釋宮一卷	有	戴 震	乾隆四十二年三月	書口署校者，彭紹觀、費振勳。	大典本
儀禮識誤三卷	有	戴 震	乾隆四十年二月	書口署校者，茅元銘、項家達、費振勳。	大典本
大戴禮記十三卷	有	戴 震	乾隆四十二年六月	書口署校者，劉躍雲、項家達、谷際岐、費振勳、靖本誼、王元照、繆晉、徐秉文、錢致純、丁履謙。	江西巡撫採進本。據大典本校過
春秋釋例十五卷	有	楊昌霖	乾隆四十六年七月	書口署校者，王朝梧。	大典本
春秋傳說例一卷	有	楊昌霖	乾隆四十一年二月	書口署校者，彭紹觀、繆晉。	大典本
春秋集注四十卷	有	楊昌霖	乾隆四十五年六月	書口署校者，繆晉。	大典本
春秋考十六卷	有	程晉芳	乾隆四十六年七月	書口署校者，朱攸。	大典本
春秋經解十五卷	有	（楊昌霖）		卷尾署校者，謝墉、戴聯奎、吳玉綸。	大典本

書名	提要	纂修官	校上時間	校對官	版本來源
春秋辨疑四卷	有	陳初哲	乾隆三十八年四月	書口署校者，於鼎、繆晉	大典本
春秋繁露十七卷	有	閔思誠	乾隆三十八年十月	書口署校者，王福清、朱攸、項家達、裴謙。	大典本
鄭志三卷	有	任大椿	乾隆四十二年三月	書口署校者，彭紹觀、劉躍雲、谷際岐、繆晉。	兩江總督採進本
論語意原四卷	有	劉校之	乾隆四十六年七月	書口署校者，吳舒帷。	浙江吳玉墀家藏本
方言注十三卷	有	戴　震	乾隆四十四年五月	書口署校者，彭紹觀、費振勳、徐秉文、錢致純、谷際岐、王元照、丁履謙、石養源、吳鼎雯、繆晉。	大典本
兩漢刊誤補遺十卷	有	程晉芳	乾隆四十三年十一月	書口署校者，彭紹觀、劉躍雲、項家達、錢至純、繆晉、谷際岐、靖本誼、費振勳。	兩淮馬裕家藏本
三國志辨誤三卷	有	任大椿	乾隆四十六年十一月	書口署校者，劉躍雲、王朝梧、陳嗣龍、朱攸。	大典本
五代史纂誤三卷	有	黃　軒	乾隆四十二年七月	書口署校者，劉躍雲、繆晉、谷際岐、王元照。	大典本
東觀漢記二十四卷	有	楊昌霖	乾隆四十二年十月	書口署校者，朱攸。	大典本
*御選明臣奏議四十卷				書口署校者，朱攸、王朝梧、陳嗣龍、曾燠、吳鼎雯、蔣予蒲、吳舒帷。	敕撰本
元朝名臣事略十五卷	有			卷尾署校者，甘立猷、倪思淳、蔡共武、秦恩復、錢開仕、劉鳳誥。	大學士于敏中家藏本

書名	提要	纂修官	校上時間	校對官	版本來源
魏鄭公諫續錄二卷	有	陳昌齊	乾隆三十八年四月	初刻四種之一，為雕版印刷。	大典本
鄴中記一卷	有	鄒奕孝	乾隆四十一年二月	書口署校者，劉躍雲。	大典本
蠻書十卷	有	徐天柱	乾隆三十九年二月	書口署校者，項家達、王福清、朱攸。	大典本
水經注四十卷	有	戴　震	乾隆三十九年十月	書口署校者，項家達、於鼎、裴謙、王福清、朱攸、茅元銘。	大典本
元和郡縣志四十卷	有	彭紹觀	乾隆四十四年五月	書口署校者，劉躍雲、石養源、繆晉、丁履謙、朱攸、錢致純、王元照、靖本誼、費振勳、谷際岐、項家達、徐秉文。	浙江巡撫採進本
元豐九域志十卷	有			卷尾署校者，王坦修、徐立綱。	兩江總督採進本
輿地廣記三十八卷	有			卷尾署校者，謝墉、潘曾起、吳玉綸。	浙江鮑士恭家藏本
嶺表錄異三卷	有	任大椿	乾隆四十年五月	書口署校者，劉躍雲、項家達、繆晉、於鼎。	大典本
琉球國志略　十六卷				書口署校者，彭元珫、吳舒帷、繆晉、朱攸、王錫奎、文寧。	非大典本。《四庫》不著錄
麟臺故事五卷	有	任大椿	乾隆四十一年五月	書口署校者，彭紹觀、谷際岐、繆晉、劉躍雲、項家達。	大典本
*西漢會要七十卷	有				浙江汪啟淑家藏本

書名	提要	纂修官	校上時間	校對官	版本來源
東漢會要四十卷	有			卷尾署校者，蔡共武、吳玉綸、謝墉、甘立猷、徐立綱。	浙江范懋柱家天一閣藏本
*唐會要一百卷	有				浙江汪啟淑家藏本
五代會要三十卷	有			卷尾署校者，徐立綱、馬啟泰、周興岱、戴聯奎、程嘉謨、甘立猷。	兩江總督採進本
宋朝事實二十卷	有	張羲年	乾隆四十一年十一月	書口署校者，彭紹觀、費振勳、王元照、石養源、靖本誼、丁履謙、徐秉文、錢致純、谷際岐。	大典本
建炎以來朝野雜記四十卷	有			卷尾署校者，劉鳳誥、汪滋畹。	兩淮鹽政採進本
漢官舊儀一卷補遺一卷	有	陳昌圖	乾隆三十八年四月	初刻四種之一，為雕版印刷。	大典本
*武英殿聚珍版程序一卷[2]				書口署校者，彭紹觀。	敕撰本
直齋書錄解題二十二卷	有	鄒炳泰	乾隆三十八年七月	書口署校者，項家達、朱攸、王福清、裴謙。	大典本
絳帖平六卷	有	平　恕	乾隆四十七年二月	書口署校者，王朝梧。	兩江總督採進本

2　此書沒有提要，書後有「乾隆四十一年金簡謹記」。

書名	提要	纂修官	校上時間	校對官	版本來源
*欽定重刻淳化閣帖釋文十卷[3]				書口署校者，金簡[4]。	敕撰本
*欽定四庫全書考證一百卷[5]				每卷目錄後有校對官署名，吳裕德、王錫奎、玉保、吳璥、祝坤、崔景儀、馬啟泰、蔣攸銛、文寧、吳鼎雯、吳廷選、俞廷掄、繆晉、朱攸、章宗瀛、彭元珫、陳嗣龍。	乾隆四十八年敕撰本。《四庫》不著錄
唐書直筆四卷	有	吳壽昌	乾隆四十六年閏五月	書口署校者，彭紹觀、朱攸、關槐。	浙江巡撫採進本
傅子一卷	有	徐步雲	乾隆三十九年十月	書口署校者，項家達。	大典本
帝範四卷	有	林澍（樹）蕃	乾隆三十八年四月	初刻四種之一，為雕版印刷。	大典本
公是先生弟子記四卷	有	王嘉曾	乾隆四十三年二月	書口署校者，劉躍雲、項家達、繆晉、錢致純、谷際岐、靖本誼。	浙江巡撫採進本
明本釋三卷	有	秦泉	乾隆三十八年四月	書口署校者，朱攸、王福清、項家達、裴謙。	大典本

書名	提要	纂修官	校上時間	校對官	版本來源
項氏家說十卷附錄二卷	有	戴　震	乾隆四十四年五月	書口署校者，劉躍雲、谷際岐、繆晉、王元照、徐秉文、項家達、費振勳。	大典本
*農書二十二卷	有				大典本
農桑輯要七卷	有	鄒奕孝	乾隆三十八年六月	書口署校者，王福清、項家達、裴謙、朱攸。	大典本
蘇沈良方八卷	有	王嘉曾	乾隆四十一年十月	書口署校者，王朝梧。	大典本
小兒藥證真訣三卷	有	王嘉曾	乾隆四十五年十一月	書口署校者，王朝梧。	大典本。《四庫》不著錄
周髀算經二卷音義一卷	有	（戴震）		卷尾署校者，徐立綱。	大典本
九章算術九卷附音義一卷	有	（戴震）		卷尾署校者，錢開仕。	大典本
海島算經一卷	有	戴　震	乾隆四十年四月	書口署校者，彭紹觀、谷際岐。	大典本
孫子算經三卷	有	戴　震	乾隆四十一年二月	書口署校者，彭紹觀、繆晉、項家達、谷際岐。	大典本
五曹算經五卷	有	戴　震	乾隆四十一年六月	書口署校者，繆晉。	大典本
五經算術二卷	有	戴　震	乾隆三十九年十月	書口署校者，王福清、項家達。	大典本
夏侯陽算經三卷	有	戴　震	乾隆四十一年二月	書口署校者，項家達、谷際岐、繆晉。	大典本

書名	提要	纂修官	校上時間	校對官	版本來源
寶真齋法書贊二十八卷	有	平 恕	乾隆四十六年五月	書口署校者，繆晉。	大典本
墨法集要一卷	有	王汝嘉	乾隆四十年四月	書口署校者，彭紹觀、項家達。	大典本
鶡冠子三卷	有		乾隆三十八年六月	書口署校者，項家達、裴謙、朱攸、王福清。	兩淮馬裕家藏本
意林五卷	有	季學錦	乾隆四十七年十月	書口署校者，王朝梧。	江蘇巡撫採進本。據大典本校過
學林十卷	有	劉權之	乾隆四十七年五月	書口署校者，繆晉。	浙江吳玉墀家藏本
能改齋漫錄十八卷				卷尾署校者，徐立綱、劉鳳誥、倪思淳、汪滋畹。	浙江巡撫採進本
雲谷雜記四卷	有	吳壽昌	乾隆三十九年十月	書口署校者，王福清、於鼎、茅元銘。	大典本
猗覺僚雜記二卷	有	劉權之	乾隆四十七年二月	書口署校者，繆晉。	兩淮馬裕家藏本
甕牖閒評八卷	有	彭元玤	乾隆四十年四月	書口署校者，彭紹觀、劉躍雲、項家達、於鼎、繆晉。	大典本
考古質疑六卷	有	黃壽齡	乾隆四十年四月	書口署校者，項家達、茅元銘、於鼎。	大典本
朝野類要五卷	有	季學錦	乾隆四十七年十二月	書口署校者，王朝梧。	江蘇巡撫採進本
澗泉日記三卷	有	鄭際唐	乾隆四十一年二月	書口署校者，彭紹觀、劉躍雲、谷際岐、項家達。	大典本

書名	提要	纂修官	校上時間	校對官	版本來源
敬齋古今黈八卷	有	平　恕	乾隆四十年二月	書口署校者，茅元銘、王福清、於鼎。	大典本
唐語林八卷	有	汪如藻	乾隆四十年五月	書口署校者，朱攽。	大典本
涑水紀聞十六卷	有	蕭　芝	乾隆四十二年八月	書口署校者，劉躍雲、丁履謙、錢致純、石養源、項家達、谷際岐、繆晉、徐秉文、費振勳。	兵部侍郎紀昀家藏本
歸潛志十四卷	有	任大椿	乾隆四十四年十月	書口署校者，朱攽、谷際岐、項家達、繆晉、龔大萬、何循。	浙江范懋柱家天一閣藏本
老子道德經注二卷	有	周永年	乾隆四十年正月	書口署校者，朱攽、裴謙、王福清。	兵部侍郎紀昀家藏本
文子纘義十二卷	有	任大椿	乾隆四十五年九月	書口署校者，彭紹觀、朱攽、王朝梧、何循、沈步垣、曾燠、蔣予蒲。	大典本
張燕公集二十五卷	有			卷尾署校者，秦恩復、錢開仕、劉鳳誥、倪思淳、甘立猷、蔡共武。	兩淮馬裕家藏本
顏文忠公集十六卷	有	平　恕	乾隆四十七年十月	書口署校者，吳舒帷。	副都御史黃登賢家藏本
南陽集六卷	有	王汝嘉	乾隆四十二年十一月	書口署校者，彭紹觀、劉躍雲、谷際岐、石養源、繆晉、徐秉文、王元照、靖本誼。	大典本
元憲集四十卷	有	劉權之	乾隆四十六年七月	書口署校者，繆晉。	大典本

書名	提要	纂修官	校上時間	校對官	版本來源
景文集六十二卷補遺二卷附錄一卷	有	吳壽昌	乾隆四十六年七月	書口署校者,繆晉。	大典本
文恭集五十卷補遺一卷	有	徐步雲	乾隆四十年二月	書口署校者,彭紹觀、劉躍雲、繆晉、項家達、谷際岐。	大典本
祠部集三十六卷	有			卷尾署校者,汪滋畹、謝墉、吳玉綸、蔡共武、錢開仕、倪思淳。	大典本
華陽集六十卷附錄十卷	有	周厚轅	乾隆四十六年九月	書口署校者,彭紹觀、王朝梧、蔡共武、俞廷掄(掄)、曾燠、吳舒帷、吳鼎雯、朱攸。	大典本
公是集五十四卷	有	周永年	乾隆四十六年七月	書口署校者,吳舒帷。	大典本
彭城集四十卷	有	周永年	乾隆四十七年十月	書口署校者,王朝梧。	大典本
淨德集三十八卷	有	楊昌霖	乾隆四十二年七月	書口署校者,朱攸。	大典本
忠肅集二十卷	有	黃 軒	乾隆四十六年十月	書口署校者,吳舒帷。	大典本
山谷詩注三十九卷	有	翁方綱	乾隆四十七年十二月	書口署校者,朱攸。	安徽巡撫採進本
後山詩注十二卷	有	劉權之	乾隆四十一年十二月	書口署校者,繆晉、谷際岐、朱攸、劉躍雲。	浙江巡撫採進本

書名	提要	纂修官	校上時間	校對官	版本來源
陶山集十六卷	有	陳初哲	乾隆四十一年六月	書口署校者,彭紹觀、繆晉、谷際岐、劉躍雲、項家達。	大典本
學易集八卷	有	鄒炳泰	乾隆四十一年二月	書口署校者,彭紹觀、錢至純、靖本誼、繆晉、項家達、王元照、丁履謙。	大典本
西臺集二十卷	有	黃良棟	乾隆四十六年七月	書口署校者,繆晉。	大典本
柯山集五十卷	有			卷尾署校者,徐立綱、吳廷選、那彥成、王坦修、劉鳳誥、秦恩復、周兆基、甘立猷、俞廷楏（掄）、蔡共武、倪思淳、錢開仕。	兵部侍郎紀昀家藏本[6]
浮沚集九卷	有	王汝嘉	乾隆四十四年五月	書口署校者,項家達、繆晉、徐秉文、石養源、丁履謙、王元照、費振勳。	大典本
昆陵集十六卷	有	周興岱	乾隆四十四年三月	書口署校者,朱攸、何循、谷際岐、項家達、丁履謙、吳鼎雯、費振勳、繆晉。	大典本
浮溪集三十六卷	有	周永年	乾隆四十六年二月	書口署校者,彭紹觀、吳鼎雯、吳樹萱、陸伯焜、范鏊、吳蔚光、朱攸、何循、關槐。	大典本
簡齋集十六卷	有	翁方綱	乾隆四十六年二月	書口署校者,彭紹觀、吳樹萱、陸伯焜、范鏊、吳蔚光、吳鼎雯、朱攸、關槐、何循。	浙江鮑士恭家藏本
茶山集八卷	有	劉權之	乾隆四十一年二月	書口署校者,彭紹觀、項家達、繆晉、谷際岐、劉躍雲。	大典本

6 此據吳慰祖編《四庫採進書目》,頁184。《四庫》所收與此本不同。

書名	提要	纂修官	校上時間	校對官	版本來源
文定集二十四卷	有	沈孫璉	乾隆四十五年十月	書口署校者，彭紹觀、陳嗣龍、阿林、曾燠、王朝梧、吳舒帷、吳鼎雯、蔡共武。	大典本
雪山集十六卷	有	黃 軒	乾隆四十四年四月	書口署校者，彭紹觀、劉躍雲、谷際岐、費振勳、丁履謙、繆晉、徐秉文、項家達、王元照、錢致純。	大典本
攻媿集一百十二卷	有	查 瑩	乾隆四十五年七月	書口署校者，彭紹觀、陸伯焜、五泰、谷際岐、繆晉、徐秉文、何循、吳鼎雯、劉躍雲、靖本誼、丁履謙、朱攸、吳樹萱、項家達、費振勳、王元照、錢致純。	兩淮鹽政採進本
乾道稿二卷淳熙稿二十卷章泉稿五卷	有			卷尾署校者，馬啟泰。	大典本
止堂集十八卷	有	勵守謙	乾隆四十一年十月	書口署校者，吳舒帷。	大典本
絜齋集二十四卷	有	黃良棟	乾隆四十年五月	書口署校者，彭紹觀、劉躍雲、項家達、繆晉、谷際岐。	大典本
南澗甲乙稿二十二卷	有	吳 典	乾隆四十六年十一月	書口署校者，吳舒帷。	大典本
蒙齋集十八卷	有	平 恕	乾隆四十一年二月	書口署校者，彭紹觀、劉躍雲、谷際岐、繆晉、項家達。	大典本
恥堂存稿八卷	有	程晉芳	乾隆四十四年五月	書口署校者，項家達、龔大萬、繆晉、王元照、谷際岐。	大典本

書名	提要	纂修官	校上時間	校對官	版本來源
拙軒集六卷	有	汪如藻	乾隆四十一年二月	書口署校者，彭紹觀、谷際岐、項家達、繆晉、劉躍雲。	大典本
金淵集六卷	有	閔思誠	乾隆四十年四月	書口署校者，彭紹觀、項家達、劉躍雲、繆晉。	大典本
牧庵集三十六卷	有	（周永年）		卷尾署校者，錢開仕、馬啟泰、戴聯奎、程嘉謨、劉鳳誥、蔡共武、汪滋畹、謝墉、吳玉綸、徐立綱。	大典本
*高宗詩文十全集五十四卷（十全老人集）				卷尾署校者，汪滋畹、龍廷槐、張鵬展、胡長齡。	敕撰本。乾隆五十九年正月編成。《四庫》不著錄
*萬壽衢歌樂章六卷					敕撰本。乾隆五十五年五月編成。《四庫》不著錄
文苑英華辯證十卷	有	劉權之	乾隆四十二年三月	書口署校者，彭紹觀、劉躍雲、繆晉、谷際岐、五泰、項家達。	內府藏本
*世宗御選悅心集四卷					敕撰本
歲寒堂詩話二卷	有	鄒奕孝	乾隆三十九年四月	書口署校者，於鼎。	大典本

書名	提要	纂修官	校上時間	校對官	版本來源
蛩溪詩話	有	陳初哲	乾隆四十二年十一月	書口署校者，彭紹觀、劉躍雲、繆晉、錢至純、王元照、谷際岐、丁履謙、費振勳、徐秉文。	大典本
浩然齋雅談三卷	有	王汝嘉	乾隆四十年二月	書口署校者，項家達、茅元銘、王福清。	大典本
詩倫二卷				卷尾署校者，金簡。	非大典本。《四庫》不著錄

主要參考文獻

一 歷史文獻[1]

陳橋驛：《水經注校證》，中華書局2007年。

陳尚君輯纂：《舊五代史新輯會證》，復旦大學出版社2005年。

〔宋〕薛居正：《舊五代史》，民國十年（1921）江西熊氏影印四庫館
　　　　　進呈本。

〔宋〕路振：《九國志》，中華書局1985年《叢書集成初編》本。

〔宋〕張鎡：《南湖集》，中華書局1985年《叢書集成初編》本。

〔宋〕蘇過：《斜川集校注》，舒大剛等校注，巴蜀書社1996年。

〔宋〕夏竦：《文莊集》，清抄本。

〔宋〕員興宗：《西陲筆略》一卷、《紹興採石大戰始末》一卷，清乾
　　　　　隆四十年（1775）孔繼涵家抄本。

〔宋〕謝逸：《溪堂集》，清乾隆五十四年（1789）鮑氏知不足齋抄本。

〔宋〕晏殊輯：《晏元獻公類要》，存16卷，清初抄本（《四庫》底本）。

〔宋〕朱申：《朱申句解》，1936年國立北平圖書館攝影本。

《彭氏纂圖注義》，1936年國立北平圖書館攝影本。

〔宋〕佚名：《續編兩朝綱目備要》，汝企和點校，中華書局1995年。

《呂忠穆公年譜》一卷、《勤王記》一卷、《遺事》一卷、《逢辰記》
　　　　　一卷，清乾隆四十二年（1777）孔繼涵家抄本。

1　說明：本書所引清人文集、年譜有不少是出自《續修四庫全書》及《北京圖書館藏
　　珍本年譜叢刊》者，在此不一一羅列。

〔金〕王寂撰，張博泉注：《遼東行部志注釋》，黑龍江人民出版社
　　　　1984年。

〔明〕解縉等：《永樂大典》，中華書局1986年。

〔明〕解縉等：《永樂大典》，殘存七百三十卷，中華書局1960年影印
　　　　本。

《海外新發現永樂大典十七卷》，上海辭書出版社2003年。

馮惠民、李萬健等選編：《明代書目題跋叢刊》（上、下冊），書目文
　　　　獻出版　社1994年。

〔清〕于敏中等編：《摛藻堂四庫全書薈要》，臺灣世界書局1990年。

〔清〕永瑢、紀昀編：《四庫全書總目》，中華書局1965。

〔清〕永瑢、紀昀編：《四庫全書總目提要》，海南出版社1999年。

〔清〕永瑢、紀昀編：《欽定四庫全書總目》，四庫全書研究所整理，
　　　　中華書局1997年。

〔清〕永瑢、紀昀編：《四庫全書簡明目錄》，上海古籍出版社1985年。

〔清〕邵懿辰撰，邵章續錄：《增訂四庫簡明目錄標注》，上海古籍出
　　　　版社2000年。

金毓黻編：《金毓黻手定本文溯閣四庫全書提要》，中華全國圖書館文
　　　　獻縮微複製中心1999年。

〔清〕孫馮翼：《四庫全書輯永樂大典本書目》，《遼海叢書》本。

〔清〕王際華：《王文莊日記》，稿本，收入劉家平、蘇曉君主編《中
　　　　華歷史人物別傳集》，北京圖書館出版社2003年，第40冊。

〔清〕王際華：《永樂大典採輯書》，《四庫全書提要稿輯存》本。

《永樂大典點存目錄》，清抄本。

《永樂大典書目》，國家圖書館藏邵銳抄本。

〔清〕于敏中：《于文襄手劄》，國立北平圖書館1933年影印本。

〔清〕于敏中等編：《欽定日下舊聞考》，北京古籍出版社1981年。

〔清〕于敏中等編：《欽定日下舊聞考》，《文淵閣四庫全書》本。

〔清〕秘璜等纂：《清朝文獻通考》，商務印書館1936年編印《十通》本。

〔清〕金簡：《武英殿聚珍版程序》，陶湘編《書目叢刊》本。

〔清〕曹文埴：《石鼓硯齋文鈔》，清嘉慶五年（1800）刻本。

戴震研究會、徽州師範專科學校戴震紀念館編纂：《戴震全集》，清華大學出版社1997年。

《戴震全書》，黃山書社1994-1997年。

〔清〕戴震：《戴震文集》，中華書局1980年。

〔清〕紀昀：《閱微草堂筆記》，河北教育出版社1991年。

〔清〕紀昀：《紀曉嵐文集》，孫致中等校點，河北教育出版社1991年。

〔清〕陸費墀：《頤齋文稿》不分卷，清抄本，收入國家圖書館編《國家圖書館藏鈔稿本乾嘉名人別集叢刊》第12冊，國家圖書館出版社2010年影印本。

〔清〕朱筠：《笥河文集》，中華書局1985年《叢書集成初編》本。

〔清〕陳昌圖：《南屏山房集》，北京出版社2000年影印《四庫未收書輯刊》本。

〔清〕章學誠：《章學誠遺書》，文物出版社1985年。

〔清〕章學誠著，倉修良編注：《文史通義新編新注》，浙江古籍出版社2005年。

〔清〕章學誠著，葉瑛校注：《文史通義校注》，中華書局1994年。

〔清〕彭元瑞著，竇水勇校點：《知聖道齋讀書跋》（又名《知聖道齋讀書跋尾》），遼寧教育出版社2001年。

〔清〕彭元瑞等：《天祿琳琅書目後編》，中華書局1995年。

〔清〕姚鼐：《惜抱軒詩文集》，上海古籍出版社1992年。

〔清〕翁方綱：《翁氏家事略記》，〔清〕英和校訂，清嘉慶間刻本。

〔清〕翁方綱:《蘇齋編纂四庫全書紀略》,稿本。

〔清〕翁方綱:《覃溪雜抄》不分卷,稿本。

沈津輯:《翁方綱題跋手劄集錄》,廣西師範大學出版社2004年。

吳格整理:《翁方綱纂四庫提要稿》,上海科學技術文獻出版　社2005年。

吳格、樂怡標校整理:《四庫提要分纂稿》,上海書店出版社2006年。

〔清〕鄂爾泰、張廷玉等纂:《詞林典故》,臺灣商務印書館1982-1986年影印《文淵閣四庫全書》本。

〔清〕法式善:《陶盧雜錄》,中華書局1997年。

〔清〕法式善:《清秘述聞》,中華書局1982年。

〔清〕法式善:《槐廳載筆》,臺北文海出版社1969年《近代中國史料叢刊》本(沈雲龍主編)。

王獻唐輯錄:《顧黃書僚雜錄》,齊魯書社1984年。

〔清〕盧文弨:《抱經堂文集》,中華書局2006年。

〔清〕黃丕烈:《蕘圃藏書題識》,上海遠東出版社1999年。

〔清〕桂馥:《晚學集》,中華書局1985年影印《叢書集成初編》本。

〔清〕汪中:《汪中集》,廣陵書社2005年。

〔清〕洪亮吉:《洪亮吉集》,中華書局2001年。

〔清〕孫星衍:《五松園文稿》,中華書局1985年《叢書集成初編》本。

〔清〕王太嶽等編:《欽定四庫全書考證》,書目文獻出版　社1991年。

〔清〕黃鉞:《壹齋集》,黃山書社1999年。

〔清〕黃景仁:《兩當軒集》,上海古籍出版社1983年。

陳文和主編:《嘉定錢大昕全集》,江蘇古籍出版社1997年。

〔清〕汪啟淑:《水曹清暇錄》,北京古籍出版社1998年。

〔清〕汪啟淑:《續印人傳》,江蘇廣陵古籍刻印社1998年影印本。

〔清〕阮元:《揅經室集》,中華書局2006年。

〔清〕阮元輯：《兩浙軒錄》，清光緒六年（1880）浙江書局刻本。

〔清〕阮元編：《梧門先生年譜》，清嘉慶二十一年（1816）刻本。

〔清〕吳長元：《宸垣識略》，北京古籍出版社1983年。

〔清〕潘衍桐輯：《兩浙軒續錄》，清光緒十七年（1891）浙江書局刻
　　　本。

《清高宗實錄》，中華書局1986年。

〔清〕江藩：《漢學師承記‧宋學淵源記》，上海書店出版社1983年。

〔清〕李元度輯：《國朝先正事略》，嶽麓書社2008年。

〔清〕張金吾：《愛日精廬藏書志》，中華書局1990年。

〔清〕胡敬：《胡氏書畫考三種》，清嘉慶年間刻本。

〔清〕劉台拱：《劉端臨先生集》，廣陵書社2006年。

〔清〕穆彰阿、潘錫恩等纂修：《（嘉慶）大清一統志》，《續修四庫全
　　　書》影印本。

〔清〕英匯等：《欽定科場條例》，清咸豐年間刻本。

〔清〕吳振棫：《養吉齋叢錄》，北京古籍出版社1983年。

〔清〕梁章鉅：《樞垣記略》，中華書局1984年。

〔清〕周中孚：《鄭堂讀書記附補逸》，商務印書館1959年。

〔清〕李慈銘：《越縵堂讀書記》，上海書店出版社2000年。

〔清〕姚覲元編，孫殿起輯：《清代禁燬書目（補遺）、清代禁書知見
　　　錄》，上海商務印書館1957年。

〔清〕姚覲元：《咫進齋善本書目》，商務印書館2005年影印《中國著
　　　名藏書家書目彙刊》（近代卷）本。

〔清〕戴肇辰修：《（光緒）廣州府志》，上海書店出版社2003年影印
　　　《中國地方志集成》本。

〔清〕李瀚章等修：《（光緒）湖南通志》，光緒十一年（1885）刻本。

〔清〕徐錫齡、錢泳：《熙朝新語》，上海古籍出版社1983年影印本。

〔清〕蕭穆：《敬孚類稿》，臺北文海出版社1969年《近代中國史料叢刊》本（沈雲龍主編）。

〔清〕王先謙：《續古文辭類纂》，黃山書社1992年影印本。

〔清〕慶桂等編纂：《國朝宮史續編》，北京古籍出版社1994年。

〔清〕陳康祺：《郎潛紀聞》，中華書局1984年。

〔清〕莫友芝撰，傅增湘訂補：《藏園訂補・亭知見傳本書目》，中華書局2009年。

謝興堯整理：《榮慶日記》，西北大學出版社1986年。

〔清〕傅以禮：《華延年室題跋》，上海古籍出版社2009年。

趙鐵寒編：《文廷式全集》，臺北文海出版社影印《近代中國史料叢刊續輯》第十四輯。

呂叔子編：《文廷式集》，中華書局1993年。

臺灣中央圖書館編：《國立中央圖書館善本序跋集錄》，臺灣中央圖書館1992-1994年。

〔清〕陸心源：《皕宋樓藏書志》，中華書局1990年。

〔清〕孫詒讓：《籀庼遺著輯存》，齊魯書社1987年。

〔清〕王培荀：《鄉園憶舊錄》，《續修四庫全書》本。

陳義傑整理：《翁同龢日記》，中華書局1997年。

〔清〕葉德輝：《書林清話》，中華書局1957年。

〔清〕李岳瑞：《春冰室野乘》，清宣統三年（1911）上海廣智書局本。

〔清〕繆荃孫等纂：《（光緒）順天府志》，北京古籍出版社1987年。

〔清〕繆荃孫：《藝風藏書記》，上海古籍出版社2007年。

〔清〕繆荃孫：《藝風堂友朋書劄》，上海古籍出版社1980年。

〔清〕繆荃孫等撰，吳格整理點校：《嘉業堂藏書志》，復旦大學出版社1997年。

《清史列傳》，中華書局1977年。

趙爾巽等：《清史稿》，中華書局1976年。

國史館校注，朱重聖主編：《清史稿校注》，臺灣商務印書館1999年。

劉家平、蘇曉君主編：《中華歷史人物別傳集》，線裝書局2003年。

北京圖書館編：《北京圖書館藏珍本年譜叢刊》，北京圖書館出版社
　　　　1999年。

天津圖書館編：《天津圖書館古籍善本圖錄》，天津古籍出版社2008年。

湯蔓媛纂輯：《傅斯年圖書館善本古籍題跋輯錄》，臺灣中央研究院歷
　　　　史語言研究所2008年。

臺灣中央圖書館特藏組編：《標點善本題跋集錄》，臺灣中央圖書館
　　　　1992年。

臺灣國家圖書館特藏組編：《國家圖書館善本書志初稿》，臺灣國家圖
　　　　書館1999年。

〔清〕佚名編：《欽定武英殿聚珍版書目》，清抄本。

臺灣藝文印書館輯：《百部叢書集成·武英殿聚珍版叢書》，臺灣藝文
　　　　印書館1964-1970年。

《武英殿聚珍版叢書》，清乾隆年間木活字印本。

《武英殿聚珍版叢書》，清同治年間江西書局重修本。

《武英殿聚珍版叢書》，清同治年間福建刻本。

《現存永樂大典引用書目》，東方文化總委員會編，民國油印本。

〔清〕紀昀等總纂：《文淵閣四庫全書》，臺灣商務印書館1982-1986
　　　　年影印本。

四庫禁燬書叢刊編委會編：《四庫禁燬書叢刊》，北京出版社1997-
　　　　1999年影印本。

四庫全書存目叢書編委會編：《四庫全書存目叢書》，齊魯書社1994-
　　　　1997年影印本。

四庫未收書輯刊編委會編：《四庫未收書輯刊》，北京出版社1997-
　　　2000年影印本。

續修四庫全書編委會編：《續修四庫全書》，上海古籍出版社1996-
　　　2003年影印本。

王重民編：《辦理四庫全書檔案》，國立北平圖書館1934年鉛印本。

臺灣故宮博物院文獻處文獻科編：《宮中檔乾隆朝奏摺》，臺灣故宮博
　　　物院1982-1987年影印本。

中國第一歷史檔案館編：《乾隆朝上諭檔》，檔案出版社1991年。

翁連溪編：《清內府刻書檔案彙編》，廣陵書社2007年。

上海書店出版社編：《清代文字獄檔》，上海書店出版社2007年。

張書才主編：《纂修四庫全書檔案》，上海古籍出版社1997年。

吳慰祖編：《四庫採進書目》，商務印書館1960年。

張偉仁主編：《明清檔案》，中央研究院歷史語言研究所1995年。

〔韓〕林基中：《燕行錄全集》，韓國東國大學校出版部2001年。

《清代詩文集彙編》編委會編：《清代詩文集彙編》，上海古籍出版社
　　　2010年。

四川大學古籍研究所編：《宋集珍本叢刊》，線裝書局2004年。

臺灣故宮博物院文獻館所藏清朝檔案。

國家清史編纂委員會國家清史工程數位資源總庫‧朱批庫。

國家清史編纂委員會國家清史工程數位資源總庫‧錄副庫。

二　近今人著作

佚名：《康雍乾間文字之獄》，北京古籍出版社1999年。

徐珂編：《清稗類鈔》，中華書局1984年。

陶湘編，竇水勇校點：《書目叢刊》，遼寧教育出版社2000年。

陶湘：《清代殿版書始末記》，《書目叢刊》本。

陶湘：《清代殿版書目》，《書目叢刊》本。

陶湘：《武英殿聚珍版書目》，《書目叢刊》本。

國立北平圖書館編：《國立北平圖書館館刊》（合訂本），書目文獻出版社1992年影印本。

梁啟超：《中國近三百年學術史》，山西古籍出版社2001年。

錢穆：《中國歷史研究法》，三聯書店2001年。

俞蛟：《夢廠雜著》，上海古籍出版社1988年。

孫殿起：《琉璃廠小志》，北京古籍出版社1982年。

王文進：《文祿堂訪書記》，上海古籍出版社2007年。

李盛鐸著，張玉范整理：《木犀軒藏書題記及書錄》，北京大學出版社1985年。

葉啟發：《稿本華鄂堂讀書小識》，中華全國圖書館文獻縮微複製中心1996年。

楊立誠：《四庫目略》，浙江圖書館1927年。

張人鳳編：《張元濟古籍書目序跋彙編》，商務印書館2003年。

杜春和整理：《張國淦文集》，北京燕山出版社2000年。

郭伯恭：《四庫全書纂修考》，上海書店出版社1992年。

郭伯恭：《永樂大典考》，商務印書館1938年。

任松如：《四庫全書答問》，上海書店出版社1992年。

傅增湘：《藏園群書題記》，上海古籍出版社2008年。

傅增湘：《藏園群書經眼錄》，中華書局1983年。

王重民：《中國善本書提要》，上海古籍出版社1983年。

王重民：《美國國會圖書館藏中國善本書目》，臺北文海出版社1972年。

王重民：《中國目錄學史論叢》，中華書局1984年。

陳垣：《陳垣史學論著選》，上海人民出版社1981年。

陳垣：《陳垣學術論文集》，中華書局1982年。

楊家駱主編：《四庫全書學典》，世界書局1946年。

楊家駱編：《四庫全書百科大辭典》，警官教育出版社1994年影印本。

余嘉錫：《余嘉錫文史論集》，嶽麓書社1997年。

余嘉錫：《四庫提要辯證》，中華書局1980年。

余嘉錫：《目錄學發微》，中華書局1980年。

王欣夫：《蛾術軒篋存善本書錄》，上海古籍出版社2002年。

胡玉縉撰，王欣夫輯：《四庫全書總目提要補正》，上海書店出版社
　　　　1998年。

鄭振鐸：《西諦書目》，文物出版社1963年。

饒宗頤編：《香港大學馮平山圖書館藏善本書錄》，香港龍門書店1970
　　　　年。

黃雲眉：《史學雜稿訂存》，齊魯書社1980年。

雷夢辰：《清代各省禁書匯考》，北京圖書館出版社1989年。

吳哲夫：《清代禁燬書目研究》，臺灣嘉興水泥公司文化基金會1969年。

吳哲夫：《四庫全書薈要纂修考》，臺灣故宮博物院1976年。

吳哲夫：《四庫全書纂修之研究》，臺灣故宮博物院1990年。

劉漢屏：《《四庫全書》史話》，中華書局1980年。

張舜徽：《四庫提要敘講疏》，雲南人民出版社2005年。

華立：《《四庫全書》縱橫談》，上海古籍出版社1988年。

《《四庫全書》研究──中國首屆《四庫全書》學術研討會論文集》，
　　　　海南大學中國《四庫全書》研究中心1994年。

淡江大學中國文學系主編：《兩岸四庫學》，臺灣學生書局1998年。

王雲五：《續修四庫全書提要》，臺北商務印書館1972年。

中國科學院整理：《續修四庫全書總目提要》，齊魯書社1996年。

李裕民：《四庫提要訂誤》，書目文獻出版社1990。

崔富章：《四庫提要補正》，杭州大學出版社1990。

楊武泉：《四庫全書總目辨誤》，上海古籍出版社2001年。

周積明，《文化視野下的《四庫全書總目》》，中國青年出版社2001年。

司馬朝軍：《《四庫全書總目》研究》，社會科學文獻出版社2004年。

司馬朝軍：《《四庫全書總目》編纂考》，武漢大學出版社2005年。

張傳峰：《《四庫全書總目》學術思想研究》，學林出版社2007年。

李學勤、呂文郁：《四庫大辭典》，吉林大學出版社1996年。

張升：《四庫全書提要稿輯存》，北京圖書館出版社2006年。

復旦大學圖書館古籍部編：《四庫系列叢書目錄‧索引》，上海古籍出
　　　版社2007年。

戴逸：《乾隆帝及其時代》，中國人民大學出版社1992年。

林慶彰主編：《乾嘉學術研究論著目錄（1900-1993）》，臺灣中央研究
　　　院中國文哲研究所籌備處1995年。

陳祖武：《清初學術思辨錄》，中國社會科學出版社1992年。

陳祖武、朱彤窗：《乾嘉學術編年》，河北人民出版社2005年。

陳祖武、朱彤窗：《乾嘉學派研究》，河北人民出版社2005年。

漆永祥：《乾嘉考據學研究》，中國社會科學出版社1998年。

陳智超：《解開《宋會要》之謎》，社會科學文獻出版社1995年。

欒貴明：《四庫輯本別集拾遺》，中華書局1983。

顧力仁：《《永樂大典》及其輯佚書研究》，臺灣東吳大學1985年。

張忱石：《永樂大典史話》，中華書局1986年。

欒貴明編：《永樂大典索引》，北京作家出版社1997年。

中國國家圖書館編：《《永樂大典》編纂600週年國際研討會論文集》，
　　　北京圖書館出版社2003年。

馬蓉等點校：《永樂大典方志輯佚》，中華書局2004年。

張升：《永樂大典研究資料輯刊》，北京圖書館出版社2005年。

張玉范、沈乃文主編：《北京大學圖書館藏善本書錄》，北京大學出版
　　　社1998年。

曹書傑：《中國古籍輯佚學論稿》，東北師範大學出版1998年。

鄭偉章：《文獻家通考》，中華書局1999年。

祝尚書：《宋人別集敘錄》，中華書局1999年。

何香久主編：《薪與火的傳承——紀曉嵐與《四庫全書》研究》，中國
　　　文聯出版社2000年。

黃愛平：《四庫全書纂修研究》，中國人民大學出版社2001年。

杜澤遜：《文獻學概要》，中華書局2001年。

李致忠：《三目類序釋評》，北京圖書館出版社2002年。

沈津：《翁方綱年譜》，臺灣中央研究院文史哲研究所2002年。

陳智超：《陳智超自選集》，安徽大學出版社2003年。

黃愛平：《樸學與清代社會》，河北人民出版社2003年。

張升：《明清宮廷藏書研究》，商務印書館2006年。

楊燕起、高國抗：《中國歷史文獻學》（修訂本），北京圖書館出版社
　　　2003年。

尚小明：《學人遊幕與清代學術》，社會科學文獻出版　社1999年。

何齡修等：《四庫禁燬書研究》，北京出版社1999年。

顧志興：《文瀾閣與《四庫全書》》，杭州出版社2004年。

甘肅省圖書館編：《四庫全書研究文集》，敦煌文藝出版社2005年。

甘肅省圖書館編：《四庫全書研究文集——2005年四庫全書研討會文
　　　選》，敦煌文藝出版社2006年。

沈津：《書城風弦錄》，廣西師範大學出版社2006年。

沈津：《中國珍稀古籍善本書錄》，廣西師範大學出版社2006年。

嚴紹：《日藏漢籍善本書錄》，中華書局2007年。

杜澤遜：《四庫存目標注》，上海古籍出版社2007年。

林存陽:《三禮館：清代學術與政治互動的鏈環》,社會科學文獻出版
　　　社2008年。

陳曉華:《「四庫總目學」史研究》,商務印書館2008年。

鄭偉章:《書林叢考》,嶽麓書社2008年。

李常慶:《《四庫全書》出版研究》,中州古籍出版社2008年。

北京大學信息管理係、臺北胡適紀念館編:《胡適王重民先生往來書
　　　信集》,國家圖書館出版社2009年。

陳先行主編:《柏克萊加州大學東亞圖書館中文古籍善本書志》,上海
　　　古籍出版社2005年。

王記錄:《清代史館與清代政治》,人民出版社2009年。

史廣超:《《永樂大典》輯佚述稿》,中州古籍出版社2009年。

劉尚恒:《鮑廷博年譜》,黃山書社2010年。

From Philosophy to Philology: Intellectual and Social Aspects of Change
　　　in Late Imperial China, Benjamin A. Elman（艾爾曼）, Mass:
　　　Council on East Asian Studies, Harvard University, 1984. 中譯
　　　本:《從理學到樸學：中華帝國晚期思想與社會變化面面
　　　觀》,趙剛譯,江蘇人民出版社1995年。

The Emperor's Four Treasuries: Scholars and the State in the Late Ch'ien-
　　　lung Period（《四庫全書：乾隆晚期的文人與政治》）, R.Kent
　　　Guy（蓋博堅）, Cambridge: Harvard University Press, Council
　　　on East Asian Studies, 1987.

三　論文

沈津:〈校理《四庫全書總目提要》殘稿的一點新發現〉,《中華文史
　　　論叢》1982年第1輯。

潘繼安：〈記翁方綱四庫全書提要（未刊）稿〉，《圖書館雜誌》1982
　　　年第4期。

潘繼安：〈翁方綱四庫提要稿述略〉，《中華文史論叢》1983年第1期。

張凡：〈《舊五代史》輯補——輯自《永樂大典》〉，《歷史研究》1983
　　　年第4期。

王重民：〈論《四庫全書總目》〉，載王重民《中國目錄學史論叢》，中
　　　華書局1984年。

李錫初：〈四庫全書編纂時間〉，《圖書館學刊》1984年第4期。

周少川：〈《四庫全書總目提要》論史書編纂〉，《史學史研究》1985年
　　　第1期。

王巍：〈四庫全書纂修時間考辨〉，《徐州師範學院學報》1986年第2期。

羅琳：〈《四庫全書》的「分纂提要」和「原本提要」〉，《圖書情報工
　　　作》1987年第1期。

甄小泉：〈紀昀與《四庫全書總目提要》〉，《圖書館學季刊》1989年第
　　　2期。

黃愛平：〈《四庫全書總目》與閣本提要異同初探〉，《圖書館學刊》
　　　1991年第1期。

羅琳：〈四庫全書的分纂提要、原本提要、總目提要之間的差異〉，
　　　《古籍整理與研究》1991年第6期。

曹之：〈《四庫全書總目》不是版本目錄嗎？〉，《山東圖書館季刊》
　　　1991年第4期。

侯美珍編：〈四庫學相關書目續編〉，《書目季刊》25卷3期（1991年12
　　　月）。

劉兆祐：〈民國以來的四庫學〉，《漢學研究通訊》第2卷第3期。

黃燕生：〈校理《四庫全書總目》殘稿的再發現〉，《中華文史論叢》
　　　第48輯（1991年）。

沈津：〈翁方綱與《四庫全書總目提要》〉，載《中國圖書文史論集》
　　　（現代出版社1992年）。

崔富章：〈《四庫全書總目》版本考辨〉，《文史》第35輯（1992年）。

汝企和：〈《四庫全書》某些歧誤之原因〉，《歷史文獻研究》（北京新
　　　四輯），北京燕山出版社1993年。

汝企和：〈《四庫全書》歧義一瞥〉，《北京師範大學學報》1994年第5
　　　期。

曹之：〈四庫全書編纂考略〉，《圖書情報論壇》1994年第4期。

吳格：〈翁方綱纂四庫提要稿發微〉，《古籍整理出版情況簡報》總第
　　　285期（1994年第8期）。

王緒林：〈淺談編撰《四庫全書總目》的組織管理〉，《雲南圖書館》
　　　1995年第1期。

樊美珍、馮春生：〈《四庫全書總目》著錄底本來源統計〉，《上海高校
　　　圖書情報學刊》1995年第2期。

杜澤遜：〈《四庫提要》辨偽方法探微〉，《歷史文獻研究》北京新六輯
　　　（1995年）。

徐有富：〈辦理《四庫全書》組織管理工作述要〉，《南京大學學報》
　　　1995年第2期。

季秋華：〈從《惜抱軒書錄》看纂前提要與纂後提要之差異〉，《圖書
　　　館工作與研究》1995年第5期。

張淳：〈《儀禮識誤》校勘成就論略〉，《國家圖書館學刊》1996年第3
　　　期。

魏芳華：〈清代四庫全書館的責任校對和校對責任制〉，《中國出版》
　　　1996年第3期。

任繼愈、劉俊文：〈四庫存目與《四庫全書存目叢書》〉，《北京大學學
　　　報》1997年第5期。

任繼愈、劉俊文：〈《四庫全書存目叢書》編撰緣起〉，《文史哲》1997
　　年第4期。

張子開：〈《四庫全書總目》小序述評〉，《渝州大學學報》1997年第2
　　期。

葉樹聲：〈四庫館臣輯佚、辨偽、校勘及其影響〉，《古籍研究》1997
　　年第3期。

杜澤遜：〈讀新見程晉芳一篇四庫提要分撰稿〉，《圖書館建設》1999
　　年第5期。

喬治忠、楊豔秋：〈《四庫全書》本《明史》發覆〉，《清史研究》1999
　　年第4期。

王記錄：〈《四庫全書總目》史學批評的特點〉，《史學史研究》1999年
　　第4期。

陳尚君：〈清輯《舊五代史》評議〉，《學術月刊》1999年第9期。

黃愛平：〈《四庫全書總目》的經學觀與清中葉的學術思想走向〉，《中
　　國文化研究》1999年第1期。

陳東輝：〈清代華籍韓人金簡對《四庫全書》的重要貢獻〉，《北京圖
　　書館館刊》1999年第3期。

胡益民：〈《江湖》諸總集「名錄」新考〉，《復旦學報（社會科學
　　版）》2000年第2期。

鍾仕倫：〈永樂大典本《寒山詩集》論考〉，《四川大學學報（哲社
　　版）》2000年第5期。

向燕南：〈《四庫全書總目》王圻《諡法通考》提要訂誤〉，《北京師範
　　大學學報》2000年第2期。

張傳峰：〈《四庫全書》閣本提要論略〉，《阜陽師範學院學報》2000年
　　第5期。

周積明：〈《四庫全書總目》與十八世紀中國文化的流向〉，《社會科學
　　戰線》2000年第3期。

李曉明：〈《四庫全書》別集類的《永樂大典》輯佚書〉，《文獻》2001
　　年第2期。

戚福康：〈《四庫全書》乾隆諭旨平議〉，《古籍整理研究學刊》2001年
　　第6期。

李祚唐：〈餘集《四庫全書》提要稿研究價值淺論〉，《學術月刊》
　　2001年第1期。

李祚唐：〈餘集《四庫全書》提要稿疏〉，《天府新論》2001年第2期。

李傑：〈九十年代中國「三大四庫文化工程」的建設與成就〉，《古籍
　　整理研究學刊》2001年第4期。

李傑：〈90年代《四庫全書總目》研究論文綜述〉，《圖書館工作與研
　　究》2001年第3期。

杜澤遜：〈四庫採進本之存貯及命運考略〉，《圖書館工作與研究》
　　2001年第2期。

周積明：〈《四庫全書總目》與乾嘉「新義理學」〉，《中國史研究》
　　2002年第2期。

司馬朝軍：〈《四庫全書總目》殿本和浙本的比較〉，《四川圖書館學
　　報》2002年第6期。

司馬朝軍：〈《四庫全書總目》與《四庫全書簡明目錄》之比較〉，《上
　　海高校圖書情報學刊》2002年第2期。

薛新力：《清代漢學思潮對《四庫全書總目》之影響〉，《圖書館論
　　壇》2002年第4期。

戚福康：〈《四庫全書》乾隆諭旨平議（續）〉，《古籍整理研究學刊》
　　2002年第2期。

司馬朝軍：〈《四庫全書總目》研究述略〉，《圖書館雜誌》2002年第6
　　　　期。

陳其泰：〈設館修史與中華文化的傳承〉，《清史研究》2003年第1期。

陳其泰：〈中國古代設館修史功過得失略論〉，《河北學刊》2003年第5
　　　　期。

陳曉華：〈20世紀「四庫總目學」研究述略〉，《圖書情報工作》2002
　　　　年第11期。

陳曉華：〈「四庫總目學」的構想──《四庫全書總目》研究新論〉，
　　　　《圖書情報工作》2003年第9期。

司馬朝軍：〈四庫總目考據法則釋例〉，《史學史研究》2003年第1期。

張升：〈四庫館簽《永樂大典》輯佚書考〉，《文獻》2004年第1期。

杜澤遜：〈乾隆與四庫全書〉，《山東圖書館季刊》2004年第4期。

向燕南：〈《四庫全書總目・洪洲類稿》提要辨誤〉，《北京師範大學學
　　　　報》2004年第1期。

汪受寬、劉鳳強：〈《四庫全書》研究的回顧與思考〉，《史學史研究》
　　　　2005年第1期。

易雪梅、曾雪梅：〈閱微草堂收藏諸老尺牘〉，《文獻》2005年第2期。

向燕南：〈從國家職能看明清官修史學〉，《求是學刊》2005年第4期。

向燕南：〈10-19世紀歷史文化認同意識的發展〉，《河北學刊》2005年
　　　　第3期。

黃愛平：〈紀昀與《四庫全書》〉，《安徽史學》2005年第4期。

李僅：〈《四庫全書總目》案語初探〉，《江淮論壇》2005年第4期。

張升：〈從《春秋會義》看《四庫》大典本輯佚〉，《圖書與情報》
　　　　2005年第5期。

胡露、周錄祥：〈四庫全書簡明目錄淺論〉，《重慶社會科學》2005年
　　　　第5期。

蘇虹：〈關於邵氏四庫全書提要分纂稿〉，《圖書館學刊》2005年第5期。

陳曉華：〈《四庫全書》三種提要之比較〉，《首都師範大學學報》2005
　　　年第3期。

司馬朝軍：〈陸錫熊與四庫學〉，《圖書・情報・知識》2005年第12期。

司馬朝軍：〈戴震與四庫全書總目〉，《圖書館雜誌》2006年第8期。

蔡錦芳：〈錢載與戴震交惡之緣起〉，《上海大學學報》2006年第1期。

張學軍：〈周永年對四庫全書的貢獻〉，《聊城大學學報》2006年第1期。

張升：〈四庫館簽佚書單考〉，《中國典籍與文化》2006年第3期。

張升：〈新發現的四庫提要稿〉，《文獻》2006年第3期。

樂怡：〈翁方綱纂《提要稿》與《四庫提要》之比較研究〉，《圖書館
　　　雜誌》2006年第4期。

劉鳳強：〈四庫全書館人員的遴選及其特點〉，《圖書與情報》2006年
　　　第5期。

陳清慧、董馥榮：〈編修《四庫全書》獎懲辦法管窺〉，《文獻》2006
　　　年第4期。

劉薔：〈「翰林院印」與四庫進呈本真偽之判定〉，《圖書館工作與研
　　　究》2006年第1期。

李曉明：〈四庫底本新發現〉，《文獻》2006年第3期。

崔富章：〈《四庫全書總目》武英殿本刊竣年月考實──「浙本翻刻殿
　　　本」論批判〉，《浙江大學學報》2006年第1期。

張升：〈朝鮮文獻與四庫學研究〉，《社會科學研究》2007年第1期。

唐文基：〈和珅與四庫全書〉，《三明學院學報》2007年第1期。

張升：〈沈叔埏與《四庫全書》提要稿〉，《圖書館研究與工作》2007
　　　年第2期。

張升：〈四庫全書館的機構與運作〉，《北京師範大學學報》2007年第3
　　　期。

林香娥：〈乾嘉考據學熱潮成因新探〉，《江西社會科學》2007年第5期。

陳曉華：〈朱筠與四庫修書〉，《歷史文獻研究》總第27輯，華東師範
　　　大學出版社2008年。

唐桂豔：〈山東圖書館藏四庫全書進呈本考略〉，《文獻》2008年第3期。

高遠、汪受寬：〈近三十年來《四庫全書》研究現狀與思考〉，《圖書
　　　與情報》2008年第3期。

康爾琴：〈建國以來《四庫全書》研究論文概述〉，《圖書館學刊》
　　　2002年第6期。

丁芬、李國慶：〈四庫全書總目殘稿及其文獻價值〉，《圖書館工作與
　　　研究》2008年第8期。

張升：〈《四庫全書》的底本與稿本〉，《圖書情報工作》2008年第11期。

張升：〈翁方綱纂四庫提要稿的構成與寫作〉，《文獻》2009年第1期。

王同策：〈《雅樂發微》及其四庫進呈本的文獻價值〉，載中國歷史文
　　　獻研究會編《中國歷史文獻研究會成立30週年紀念集》，華
　　　東師範大學出版社2009年。

〔日本〕瀧野邦雄：〈翁方綱之《四庫全書提要稿》〉，載朱誠如主編
　　　《清史論集——慶賀王鍾翰教授九十華誕》，紫禁城出版社
　　　2003年。

江慶柏：〈《四庫全書薈要總目》文獻價值初探〉，《南京師大學報》
　　　2009年第4期。

張升：〈法式善與《四庫全書》〉，《歷史文獻研究》總第29輯，華東師
　　　範大學出版社2010年。

"The Development of the Evidential Research Movement: Ku Yen-wu in
　　　the Eighteenth Century", R.Kent Guy（蓋博堅），Tsing-hua
　　　Journal of Chinese Studies, New Series 16, 1 and 2 (1985).

四　學位論文

劉小琴：《八十二種四庫底本刪改淺析》，北京大學1982年碩士論文，
　　　鄭如斯指導。

杜澤遜：《《四庫全書總目》辨偽學發微》，山東大學1988年碩士論
　　　文，王紹曾指導。

樂怡：《翁方綱纂《四庫全書提要稿》研究》，復旦大學2002年碩士論
　　　文，吳格指導。

杜澤遜：《《四庫存目》標注》，山東大學2003年博士論文，王紹曾指
　　　導。

郭向東：《文溯閣《四庫全書》的成書與流傳研究》，西北師範大學
　　　2004年博士論文，趙逵夫指導。

陳惠美：《清代輯佚學》，臺灣中國文化大學2004年博士論文，劉兆祐
　　　指導。

周錄祥：《《四庫全書簡明目錄》訂誤》，南京師範大學2005年碩士論
　　　文，趙生群指導。

劉鳳強：《四庫全書館研究》，蘭州大學2006年碩士論文，趙梅春指導。

喻春龍：《清代輯佚研究》，南開大學2006年博士論文，白新良指導。

郝豔華：〈《永樂大典》史論〉，北京師範大學2006年博士論文，周少
　　　川指導。

史廣超：《永樂大典輯佚研究》，復旦大學2006年博士論文，陳尚君指
　　　導。

郭國慶：《清代輯佚考》，南京大學2007年博士論文，徐有富指導。

寧俠：《四庫禁書研究》，中國人民大學2010年博士論文，黃愛平指導。

What is an Author in the Sikuquanshu 彝──Evidential Research and
　　Authorship in Late Qianlong Era China, 1771-1795 (《四庫全
　　書著者考》)，Cheryl Boettcher Tarsala. Ph. D. Dissertation,
　　University of California, 2001.

後　記[*]

　　本書是在本人的博士論文基礎上修改而成的。

　　博士論文的寫作，自始至終得到導師向燕南教授的精心指導。從論文的選題，框架的構建，具體的寫作，到最後的定稿，向老師均能時時給本人以諸多指教，使論文得以順利完成。

　　中國人民大學清史所黃愛平教授是國內外著名的四庫學研究專家，多年來一直非常關心、支持本人的四庫學研究，使我頗受教益和鼓勵。我的碩士導師楊燕起教授一如既往地支持本人的研究，不僅參加了論文開題，提出不少中肯的修改意見，而且在本書定稿階段又審讀了全書，作了認真的修正，讓我獲益良多。汝企和教授平時非常關心本人的研究進展，並參加了本人的開題，提出了不少很好的修改意見。北師大圖書館古籍部楊健、董書萍等諸位老師和全衛敏博士為本人這些年來查閱古籍提供了大力支持，華盛頓大學（西雅圖）東亞圖書館鄧汝元先生幫助修改了本書的目錄，劉林海兄說明修改了本書的英文摘要和目錄，姜海軍博士為本人的開題給予了幫助。

　　在本書的寫作和修改過程中，中國社會科學院歷史所陳祖武研究員、研究生院趙俊研究員、北京師範大學古籍所周少川教授、南開大學歷史學院喬治忠教授均曾給本人以熱誠的鼓勵和悉心的指導。

　　前幾年，晁福林先生贈我一大套《四庫全書薈要》，省我許多往復翻檢之勞。晁先生的厚愛，讓我既感慚愧，又備感壓力。我惟有不斷努力，以回報晁先生的大恩大德。

---

[*] 編案：本文為簡體版之後記。

在此，謹對以上諸位師友表示衷心的感謝！

此外，還要特別感謝歷史學院領導對本人在職攻讀博士學位的支持！特別感謝臧文旭老師為本人讀博提供的無私幫助！

在本書的修改過程中，本人有幸獲得了北京師範大學古籍整理與研究創新群體「985」資金的資助。最近，本書又有幸入選「國家哲學社會科學成果文庫」並獲得資助，得以順利出版。在此，謹對國家社科規劃辦、北師大古籍與傳統文化研究院表示衷心的感謝！同時，還要衷心感謝諸位匿名評審專家的支持和提出的修改意見！

感謝本書的責任編輯曹巍老師和策劃編輯劉東明老師的辛勤付出！

由於本人水準有限，書中定有不少錯謬之處，誠望各位方家大雅不吝賜正。

張升

2012年2月初於北師大

中華文化思想叢書 A0100013

四庫全書館研究　下冊

作　　　者	張升
責任編輯	蔡雅如
發 行 人	陳滿銘
總 經 理	梁錦興
總 編 輯	陳滿銘
副總編輯	張晏瑞
編 輯 所	萬卷樓圖書股份有限公司
排　　　版	林曉敏
印　　　刷	百通科技股份有限公司
封面設計	斐類設計工作室

出　　　版　昌明文化有限公司

桃園市龜山區中原街 32 號

電話 (02)23216565

發　　　行　萬卷樓圖書股份有限公司

臺北市羅斯福路二段 41 號 6 樓之 3

電話 (02)23216565

傳真 (02)23218698

電郵 SERVICE@WANJUAN.COM.TW

大陸經銷

廈門外圖臺灣書店有限公司

電郵 JKB188@188.COM

ISBN 978-986-92892-3-8

2016 年 4 月初版

定價：新臺幣 360 元

如何購買本書：

1. 劃撥購書，請透過以下郵政劃撥帳號：

　帳號：15624015

　戶名：萬卷樓圖書股份有限公司

2. 轉帳購書，請透過以下帳戶

　合作金庫銀行 古亭分行

　戶名：萬卷樓圖書股份有限公司

　帳號：0877717092596

3. 網路購書，請透過萬卷樓網站

　網址 WWW.WANJUAN.COM.TW

大量購書，請直接聯繫我們，將有專人為您

服務。客服：(02)23216565 分機 10

如有缺頁、破損或裝訂錯誤，請寄回更換

版權所有·翻印必究

Copyright©2016 by WanJuanLou Books CO., Ltd.

All Right Reserved　　　**Printed in Taiwan**

國家圖書館出版品預行編目資料

四庫全書館研究 / 張升著.-- 初版.-- 桃園

市：昌明文化出版；臺北市：萬卷樓發行，

2016.04

　冊；　公分.--(中華文化思想叢書)

ISBN 978-986-92892-3-8(下冊：平裝)

1.四庫全書 2.研究考訂

082.1　　　　　　　　　　　　105002880

本著作物經廈門墨客知識產權代理有限公司代理，由北京師範大學出版社（集團）有

限公司授權萬卷樓圖書股份有限公司出版、發行中文繁體字版版權。